Letras Hispánicas

*El castigo sin venganza*

Letras Hispánicas

# Lope de Vega

# *El castigo sin venganza*

Edición de Antonio Carreño

**DECIMOSÉPTIMA EDICIÓN**

**CÁTEDRA**

LETRAS HISPÁNICAS

1.ª edición, 1990
8.ª edición revisada, 2010
17.ª edición, 2023

Documentación gráfica de cubierta: Fernando Muñoz

PAPEL DE FIBRA
CERTIFICADA

© Ediciones Cátedra (Grupo Anaya, S. A.), 1990, 2023
Valentín Beato, 21. 28037 Madrid
Depósito legal: M. 1.514-2010
I.S.B.N.: 978-84-376-2637-6
*Printed in Spain*

# Índice

Prólogo ............................................................................ 9

Introducción .................................................................. 15

    Las «causas» que se silencian ........................................... 17
    La tradición literaria de *El castigo sin venganza* ................... 33
    Una poética para *El castigo sin venganza* ............................ 49
        Las *fallas* del duque de Ferrara ................................. 51
        Ironía trágica de «el castigo» .................................... 61
        Género y *poiesis* ................................................. 72
        Nuevas lecturas críticas .......................................... 79
    Esquema métrico ....................................................... 93

Esta edición ................................................................. 97

Siglas utilizadas ........................................................... 101

Bibliografía ................................................................. 103

El castigo sin venganza .................................................... 117

    Acto primero .......................................................... 119
    Acto segundo .......................................................... 177
    Acto tercero .......................................................... 229

Apéndices .................................................................... 277

# Prólogo

En el canon de las lecturas indispensables del teatro de Lope de Vega, *El castigo sin venganza* destaca, diríamos, a la cabeza. La tríada es bien conocida *(Fuente Ovejuna, El caballero de Olmedo, El castigo sin venganza)*, marcada ésta, sin embargo, por señaladas diferencias. Las dos primeras obras se escriben en un lapso de diez años (entre 1611-1618 y 1620-1625, respectivamente). De la segunda *(El caballero de Olmedo)* a la tercera pasan casi otros diez años[1]. Más aún: las dos primeras se escriben en el término medio de la vida de Lope (1562-1635); por el contrario, a la hora de firmar *El castigo sin venganza* (1 de agosto de 1631), Lope ronda el llamado «ciclo de senectute»[2]. Al ser finalmente representada (mayo de 1632), le

[1] *Fuente Ovejuna* sale a la luz en 1619 *(Parte XII)*, pero se pudo escribir, aventuran Morley y Bruerton, entre 1611 y 1619, y dan como fechas más probables 1612-1614. *El caballero de Olmedo* no se publica hasta 1641 *(Parte XXIV)*. Morley y Bruerton [1968], págs. 330-331 y 295-396, respectivamente, colocan su redacción entre 1615-1626 e indican que, probablemente, se escribió «en el último periodo de la carrera de Lope», es decir, entre 1620 y 1625. Remitimos, tanto en estas notas como en las explicativas del texto, a la bibliografía que incluimos en la sección correspondiente. Completamos la entrada bibliográfica en caso de que el trabajo no se haya incluido en dicha sección.

[2] Juan Manuel Rozas dedicó una serie de brillantes ensayos al último periodo de la vida de Lope que, acertadamente, calificó de «ciclo de senectute». Su temprana muerte frustró la posibilidad de poder leer, en forma monográfica, una coherente e iluminadora interpretación del último quehacer literario —y no menos vital— del Fénix. Abarca desde el *Laurel de Apolo* (1630) a su obra póstuma: *La Vega del Parnaso* (1637). Véanse de Juan Manuel Rozas *Lope de Vega y Felipe IV en el «ciclo de senectute»*, Badajoz-Cáceres, Universidad de Ex-

quedan tres años de vida (muere el 27 de agosto de 1635). Pero hay otras diferencias. Cada obra (las dos primeras califi-cadas de «tragicomedias»; la última de «tragedia» por el mis-mo Lope)[3], se ubican en espacios escénicos bien diferencia-dos (plaza, campo, ciudad); alternan acciones (la trágica frente a la cómica), y dan voz a personajes que se fijan perenne-mente en la imaginación histórica del espectador: Laurencia en *Fuente Ovejuna,* don Alonso en *El caballero,* el duque de Ferrara en *El castigo sin venganza.* Las dos primeras son más lí-ricas: nacen al filo de un hecho cronístico o de un romance que da en baile, seguidilla y hasta en melodrama anónimo[4]. El espacio aludido es local, fácilmente reconocible en la to-ponimia hispánica. Sus acciones cuadran con los aires del corral. Por el contrario, el relato que origina *El castigo sin ven-ganza (Novelle* de Matteo de Bandello) se arraiga como tradi-ción literaria en la Italia cortesana, y sus acciones casan mejor en las dependencias palaciegas. La intriga central, el espa-cio y hasta los personajes se encuadran en las amplias salas del palacio ducal de Ferrara. Estamos lejos del cielo abierto del

tremadura, 1982; «El género y el significado de la Égloga a Claudio de Lope de Vega», en *Serta philologica F. Lázaro Carreter: natalem diem sexagesimun cele-branti dicata,* II: *Estudios de literatura y crítica textual,* Madrid, Cátedra, 1983, págs. 465-484; «Pellicer frente a Lope (historia de una guerra literaria)», en Manuel Alvar *et al., La literatura en Aragón,* estudios coordinados por Aurora Egido, Zaragoza, Caja de Ahorros y Monte de Piedad de Zaragoza, 1984, págs. 66-99. La conferencia se anunció con una sugerente variante: «historia completa de una enemistad»; finalmente, del mismo Rozas, «Burguillos como heterónimo de Lope», *Edad de Oro,* 4 (1985), págs. 139-163. Se com-plementa esta ficha con el trabajo incluido en la sección bibliográfica de esta edición, Juan Manuel Rozas [1987], págs. 163-190.

[3] Sobre ambos conceptos, véanse Edwin S. Morby [1943], págs. 185-209; Arnold G. Reichenberger [1959], págs. 303-316, y [1970], págs. 164-173; del mismo autor, «Thoughts about Tragedy in the Spanish Theater of the Golden Age», *Hispanófila,* I (1974), número especial dedicado a la comedia, págs. 37-44. Sobre los conceptos de «tragicomedia» y «tragedia» de Lope es útil L. Pérez y F. Sánchez Escribano, *Afirmaciones de Lope de Vega sobre preceptiva dramática,* Madrid, CSIC, 1961.

[4] Francisco Rico, «Hacia *El Caballero de Olmedo», Nueva Revista de Filología Hispánica,* XXIV (1975), págs. 329-338, y XXIX (1980), págs. 271-292; del mis-mo autor, véase su edición de Lope de Vega, *El caballero de Olmedo,* Madrid, Cátedra, 1981, «Introducción», págs. 36-75, con valiosa bibliografía y notas explicativas.

«corral»; amoldados más bien al recinto cerrado, cubierto, de las dependencias que cruzan y habitan encumbrados cortesanos: duque y duquesa, conde y marqués, dama —Aurora—, un letrado —Ricardo—, y un mínimo círculo de vasallos.

Las tres obras han recibido en los últimos años —destaca *El castigo sin venganza* sobre el resto— una abundante atención crítica[5]. La hispánica dirigió preferentemente su interés, a mediados de este siglo, a las dos primeras. *El castigo sin venganza* ha sido campo casi exclusivo de la crítica extranjera, principalmente inglesa y americana[6]. De hecho, la primera edición que podríamos calificar de filológica y crítica la aventuró un holandés (Adolfo van Dam), y fue seguida por la de A. David Kossoff y Cyril A. Jones. El dato en cuanto a recepción crítica es interesante. Se ha visto *El castigo sin venganza* codeándose con el mejor Calderón y, paralelamente, con el mejor teatro isabelino. Las varias «fallas trágicas» del duque de Ferrara (mujeriego, despectivo, tirano) dan, como veremos, y en opinión de Alexander A. Parker[7], en fatales consecuencias,

---

[5] A raíz de la última puesta en escena (Madrid, Teatro Español, Temporada 1985-1986) se organizaron una serie de actos académicos: mesas redondas, ponencias, comunicaciones, que dieron como fruto una valiosa colección de ensayos. Una excelente selección (Manuel Alvar, Juan Manuel Rozas, John Varey, Domingo Ynduráin) fue recogida por Ricardo Doménech bajo el título *«El castigo sin venganza» y el teatro de Lope de Vega*, Madrid, Cátedra, 1987, págs. 141-239. Otra serie de notas, relativas al carácter histórico del texto, al diseño de las luces usadas en la representación, al vestuario, a los planos de movimiento de los personajes, acompañadas del cuaderno de dirección para el montaje de Miguel Narros, y una breve colección de ensayos (López Estrada, José Luis Aranguren), se incluyeron en la publicación *El castigo sin venganza: tragedia española de Lope de Vega*, ed. de Luciano García Lorenzo, Madrid, Ayuntamiento, Concejalía de Cultura, 1985.

[6] El grueso volumen *Lope de Vega y los orígenes del teatro español*, Madrid, EDI-6, 1981, que recoge los trabajos presentados en el Primer Congreso Internacional sobre Lope de Vega, incluye tan sólo dos ensayos sobre *El castigo sin venganza*, de un total de cuarenta y tres dedicados al teatro de Lope. La misma penuria crítica está presente en A. David Kossoff y José Amor y Vázquez (eds.), *Homenaje a William L. Fichter: estudios sobre el teatro antiguo hispánico y otros ensayos*, Madrid, Castalia, 1971. No sucede lo mismo con *Fuente Ovejuna* (dos) o el *El caballero de Olmedo* (dos).

[7] Su estudio, ya clásico, *The Approach to the Spanish Drama of the Golden Age* [1957], fue publicado posteriormente [1959], págs. 42-59, y levemente modificado en versiones posteriores [1967, 1971], entre otras. Véase, por ejemplo,

11

no sólo personales o familiares, sino también políticas. A la sombra están las grandes figuras trágicas de Shakespeare (Macbeth, Otelo, Hamlet) divididos por la duda, los celos o la ambición ciega.

Debemos agradecer las útiles observaciones de A. David Kossoff, maestro emérito, quien ha sido eco y puntal, sobre las cuales se ajustaron semejanzas y mínimas diferencias críticas. Su edición, llena de sutiles notas filológicas y textuales, nos ayudó a enriquecer la lectura del drama de Lope. Geoffrey W. Ribbans (Brown University) fue no menos generoso al poner a mi disposición un extenso material bibliográfico; el mismo agradecimiento le debo a Rodolfo Cardona (Boston University), a Luciano García Lorenzo (Madrid, CSIC) y a varios colegas y amigos que tuvieron la gentileza de señalar las varias erratas que se colaron en la primera edición. Quedo agradecido a José Amor y Vázquez, Javier F. Cevallos, Ángel Loureiro y Diana Conchado. Con Joaquín Roses y Luis Avilés (asistentes de investigación, Brown University) se documentaron las variantes existentes (mínimas) entre el «autógrafo», la edición llamada *Suelta (princeps,* de 1634) y la *Parte XXI* (1635). Los pocos casos en los que se presentan lecturas ambiguas resultan, con frecuencia, de la diferencia de puntuación existente entre las ediciones críticas más reconocibles (van Dam, Jones, Kossoff y Díez Borque), de cómo leyeron el «autógrafo» (presenta un buen número de tachaduras, enmiendas y adiciones ajenas a la mano de Lope), o de los fallos que distraídamente se le pasaron al corregirlo de nuevo —si tuvo ocasión— a la hora de salir como edición *Suelta*. Los cambios, mínimos en esta edición, bien se pueden atribuir al editor de Barcelona. La obra se redactó en un lapso de apenas seis semanas (entre la puesta en escena de *La noche de San Juan* —24 de junio—, y el 1 de agosto de 1631 en que Lope firma el autógrafo), simultáneamente (como siempre) con otros proyectos. A punto de salir estaba, por ejemplo, *La*

---

Eric Bentley (ed.), *The Great Playwrights: Twenty-five Plays with Commentaries by Critics and Scholars,* Nueva York, Doubleday, 1970, vol. I, págs. 679-707. La última versión se incluye en A. Sánchez Romeralo (ed.), *Lope de Vega: el teatro,* Madrid, Taurus, 1989, vol. I, págs. 27-61.

*Dorotea* (1632), y entre manos tendría Lope la «Égloga a Claudio», *Huerto deshecho, Rimas humanas y divinas de Tomé de Burguillos* (1634), *La Gatomaquia* (que se incluye en la colección precedente), *Las bizarrías de Belisa* (1634), *La mayor virtud de un rey,* y un buen número de extensos poemas cultos en forma de epístolas, églogas y silvas («Amarilis», «Filis», «El Siglo de Oro»)[8]. Muchos van a dar a *La Vega del Parnaso* (1636), obra que sale póstuma.

---

[8] Aparte de las obras ya citadas, Lope completa, entre 1631 y 1633, *El desprecio agradecido,* que se incluye en la *Parte XXVI* (1633). Un año más tarde se fecha *Las bizarrías de Belisa,* que pasa a la *Vega del Parnaso,* publicación, como ya indicamos, póstuma. En la misma colección miscelánea aparece *La mayor virtud de un rey (Ac. N., XII),* que Morley y Bruerton fechan entre 1625-1635; *Cronología,* págs. 100-101 y 358. Véase sobre esta última comedia, Joseph H. Silverman, «Lope de Vega's Last Years and His Final Play: *The Greatest Virtue of a King», The Texas Quarterly,* VI (1963), págs. 174-187.

*Introducción*

Introduction

## LAS «CAUSAS» QUE SE SILENCIAN

No es desperdiciable el «Prólogo» que Lope incluye en la edición *Suelta* de *El castigo sin venganza*[9]. En frase tajante define su obra como «Tragedia» y la diferencia de la «clásica» (griega y latina) ajena ya —explica— a «sombras, Nuncios y coros». Y advierte de «que está escrita al estilo Español»; es decir, al aire de su ya veterana preceptiva dramática instituida hace más de veinte años en *Arte nuevo de hacer comedias* (1609)[10]. Lope se codea ahora con los dramaturgos en boga: «porque el gusto puede mudar los preceptos» —explica— «como el uso los trages, y el tiempo las costumbres». Pero añade algo más: que la tragedia se representó («se hizo») en la corte «sólo un día por causas», concluye, «que a v. m. [detrás, el duque de Sessa] le importan poco»[11]. Tales «causas», metonimia que sutilmente oculta la historia aún no desvelada detrás de la pri-

---

[9] La edición de *Obras sueltas*, VIII, Madrid, 1777, recoge el «Prólogo» (pág. 384); el editor comenta las últimas frases: «No sé si Lope tendrá muchos, que aprueben su modo de pensar, contra lo que dejaron escrito Aristóteles y los demás maestros, que nos enseñaron las verdaderas reglas del Arte poética» (pág. XI), al hilo de lo explicado por Alonso López Pinciano, «[...] la tragedia ha de tener personas graves y la comedia comunes». Véase *Philosophia antigua poética*, ed. de A. Carballo Picazo, Madrid, CSIC, 1953, vol. III, pág. 19 (anota Jones [ed.], pág. 121). José María Díez Borque, acertadamente incluye tanto el «Prólogo» como la «Dedicatoria» en su edición de la obra, Madrid, Espasa-Calpe, col. Clásicos Castellanos, Nueva serie, 1988.

[10] Juan Manuel Rozas [1976], págs. 73-83.

[11] En carta a don Antonio Hurtado de Mendoza se queja Lope, a mediados de agosto de 1628, de que a Ruiz de Alarcón se le ha permitido publicar las comedias y que él no tiene licencia para ello. Las quejas de Lope desembocan en otra carta al duque de Sessa, que firma en 1630: «Días ha que he deseado

17

mera y única puesta en escena —entendemos durante el período que media entre la firma del autógrafo y la publicación de la *Suelta*—, arrojan un misterioso enigma que la crítica todavía no ha resuelto. Se barajan, como veremos, múltiples conjeturas. No era la primera vez que Lope se veía envuelto en pleitos a causa de la producción y publicación de sus comedias —si éste fue el caso—, representadas o impresas con frecuencia sin la debida licencia[12]. Sin embargo, las «causas»

___

dejar de escribir para el teatro, así por la edad, que pide cosas más severas, como por el cansancio, y aflicción de espíritu en que me ponen.» Continúa líneas seguidas: «Ahora, señor excelentísimo, que con desagradar al pueblo dos historias que le di bien escritas y mal escuchadas he conocido o que quieren verdes años o que no quiere el cielo que halle la muerte escribiendo lacayos de comedia.» Véase Lope de Vega, *Cartas*, núm. 147, ed. de Nicolás Marín, Madrid, Castalia, 1985, pág. 285; *Epistolario de Lope de Vega*, ed. de Agustín G. de Amezúa, Madrid, Artes Gráficas «Aldus», 1935-1943, vol. IV, págs. 131, 143 y 147.

[12] Se queja con frecuencia Lope contra la alteración a la que han sometido sus comedias ciertos editores. «Veréis en mis comedias (por lo menos en unas que han salido en Zaragoza) a seis renglones míos cientos ajenos [...]», confiesa, en 1604, en la epístola dirigida al contador Gaspar de Barrionuevo. En el mismo texto, indica: «¿No os admira de ver que descuarticen / mis pobres musas, mis pasados versos, / y que la opinión los autorice?» Estrofas más adelante: «No sólo mis comedias son salchichas / embutidas de carnes diferentes, / ya impresas en papel, ya en teatros dichas.» Véase nuestra edición, Lope de Vega, *Poesía selecta*, Madrid, Cátedra, 1984, págs. 289, 291 (vv. 170 y ss.). La epístola se firma en Sevilla, «en un momento en que ardía», al decir de José F. Montesinos, «una encarnizada guerra contra nuestro poeta» [1967], pág. 179. Arremete Lope en el «Prólogo» a la *Suelta* contra los editores de esta ciudad, quienes no sólo atienden a la ganancia, sino que hasta «barajan los nombres de los Poetas, y a unos dan sietes, y a otros sotas, que ay hombres, que por dinero no reparan en el honor ageno, que a bueltas de sus más impresos libros venden, y compran». Véase «Apéndice 2» al final de esta edición. Sonado fue, por ejemplo, el pleito de Lope con el mercader de libros Francisco de Ávila, quien pretendía imprimir veinticuatro comedias de Lope, compradas a Baltasar Pinedo y a María de la O, viuda ésta de Vergara. En el pleito que entabló, Lope pedía: «que él por lo menos las vea y corrija [...] por ser muchas en ellas ajenas y [...] las propias, muy contrariadas a sus originales». Lope alegaba «que él no vendió las dichas comedias a los autores para que se imprimiesen, sino tan solamente para que se representasen en los teatros, porque no es justo se impriman algunas cosas de las contenidas en tales comedias». En las mismas zarandajas anduvo envuelto con Martín de Porres a raíz de su destierro en Valencia (1588), a causa de escribir difamantes libelos contra la familia de los Velázquez, padres de Elena Osorio (la «Zaida» y «Filis» de numerosos roman-

de esta única representación no eran ahora ni económicas, ni textuales, ni de atribución. Las motivó posiblemente el éxito instantáneo. Éste se recoge, años después (1647), en el subtítulo con el que aparece de nuevo la «tragedia», y que el editor fijó en la mente de los que la leían, al asociarla con el lejano éxito previo: *Cuando Lope quiere, quiere*[13]. Su genialidad como dramaturgo se instala, diríamos, a golpe de una simple voluntad de serlo. La redundancia volitiva que implica la paranomasia («quiere, quiere») convirtió el subtítulo en frase proverbial, en epigrama del último quehacer de Lope como dramaturgo. A estas alturas (fecha de la *princeps)* cuenta con setenta y dos años, y le queda uno de vida. Esta primera y única representación —era la norma— «dejó entonces tantos deseosos de verla», continúa Lope en el «Prólogo» de marras, «que los he querido satisfazer con imprimirla»[14]. El compromiso de Lope ya no es con el variopinto espectador de la comedia, sino con ese otro «lector», silencioso, agenérico, que visualiza la representación transformada ahora en «lectura». Con el «Prólogo» señala Lope una radical postura: la tragedia apenas representada pasa a ser preferentemente leída.

La representación da, pues, en menos de dos años, en «texto», ya dirigido no al espectador o vulgo (acomodado a los «gustos» y «preceptos» en boga), sino a un lector imaginario. Caso extraño: es la única vez que Lope, en tan breve tiempo, imprime el autógrafo de una tragedia para satisfacer a un pú-

---

ces), que se la birla el renombrado Francisco Perrenot de Granvela. Véanse A. González Palencia, «Pleito entre Lope de Vega y un editor de sus comedias», en *Historias y leyendas*, Madrid, CSIC, 1942, págs. 407-422; Jaime Moll, «Problemas bibliográficos del libro del Siglo de Oro», *Boletín de la Real Academia Española*, 59 (1979), págs. 97-107; Alberto Blecua, *Manual de crítica textual*, Madrid, Castalia, 1983, págs. 193-195; nuestro estudio, *El romancero lírico de Lope de Vega*, Madrid, Gredos, 1979, págs. 55-116 y 117-184.

[13] El subtítulo dio pie a Edward M. Wilson [1963], págs. 265-298, para un sugestivo y detallado estudio sobre *El castigo sin venganza*, que establecía, magistralmente, sutiles relaciones psicológicas entre acción, personajes y motivos recurrentes.

[14] Gerald I. Wade argumenta [1976], págs. 356-364, que *El castigo sin venganza* sólo se representó una sola vez en el siglo XVII, poco después del 9 de mayo de 1632. Su conclusión ya había sido adelantada por E. Gigas [1921], págs. 589-604.

blico que se quedó en ayunas del primer estreno. La maestría y los logros de *El castigo sin venganza* le habrían llegado de oído en oído: a través del relato del escaso público que asistió al primer *opening*. De nuevo, y fuera de la norma, la *Suelta* sale en Barcelona, lejos de las imprentas del Reino de Castilla, alejada de la Autoridad Real, y en manos de un «autor» (léase editor) de libros poco conocido (Pedro Lacavallería) y, probablemente, ajeno al éxito obtenido en Madrid dos años antes[15]. En el «Prólogo» (véase «Apéndice 2»), Lope arremete contra los «impresores sevillanos». La primera conclusión es ya obvia: *El castigo sin venganza* nace, como representación y como texto escrito, envuelto en sospechosas anomalías. Pese a la entusiasta recepción, se relega de inmediato a ser leído. La segunda impresión sale en Madrid (1635), pero agrupada con otra selección de comedias. Forman la *Parte XXI* (fols. 91r-113v).

La norma era «agrupar» un promedio de doce comedias y lanzarlas en colecciones antológicas: las llamadas *Partes de comedias*, de uno o varios autores. Tanto la expresión «por causas que a v. m. le importan poco», como el alegar que «su Historia» (leamos argumento, fábula) «estuvo escrita» en prosa, en varias lenguas, enmascaran los motivos que movieron a cerrarla, en contra de las expectativas del «vulgo», con una sola representación. Esto pese a los «tantos deseosos de verla», afirma Lope. De ahí que «los ha querido satisfacer con imprimirla». Obviamente la obra «conectaba», en su trazado argumental, con ese otro espectador que esperaba una segunda puesta en escena. Sus razones tendría para mediatizar la estructura argumental aludiendo a sus «fuentes». Insinuaba así lo fácil de su identificación y la fidelidad literaria *(imago veritatis)* de la trama. La justificaba también ante el concurso sospechoso de la corte (la rige el Conde-Duque de Olivares), o de algunos de sus cortesanos, quienes, al amparo de pactos matrimoniales, determinaron con frecuencia (y como en *El castigo*) los políticos, velados a veces bajo relaciones sexuales un tanto licen-

---

[15] Véase ed. facsimilar en el volumen *Poesía, novela, teatro*, ed. de Miguel Artigas, Madrid, Biblioteca Nueva, 1935, incluida en la bibliografía de esta edición. Véanse los apéndices 1, 2 y 3.

# EL CASTIGO,
# SIN VENGANZA,
## TRAGEDIA
### DE FREY LOPE FELIX DE VEGA CARPIO
del habito de San Iuan, Procurador Fiscal de la Camara
Apostolica del Arçobispado de Toledo.

*AL EXCELENTISSIMO SEÑOR DON LVIS FERNANDEZ
de Cordua, Cardona y Aragon; Duque de Sessa, de Vaena, y de Soma; Conde de
Cabra, Palamos, y Oluito; Visconde de Ynajar; Señor de las Baronias de Bel-
puche, Liñola, y Calonge; Gran Almirante de Napoles, y Capitan General
del mar de aquel Reyno, y Comendador de Bedmar y Albanchez,
de la Orden y Caualleria de Santiago, &c.*

Año    1634.

Con licencia, En Barcelona, por PEDRO LACAVALLERIA, junto la Libreria.

Portada de la edición *Suelta*.

ciosas[16]. Al casquivano duque de Sessa, de quien Lope fue servil secretario y confidente de sus correrías amorosas durante una larga veintena de años, le dedica la edición *Suelta*[17]. *El castigo sin venganza* nació determinada ya, a partir de la primera representación, y dada su reimpresión inmediata, por una serie de extrañas circunstancias que, de momento, se cifran como meras conjeturas: envidias, negadas pretensiones como Cronista Real, rivalidades con Pellicer; o tal vez un velado *love affair* sutilmente aludido, y que se acalla con una representación[18]. La «dedicatoria» dirigida al duque de Sessa se puede leer, incluso, en clave (véase «Apéndice 1»). En *Parte XXI* la firma doña Feliciana, hija de Lope con su segunda esposa, Juana de Guardo.

*El castigo sin venganza* fue, pues, destinada de golpe a ser leída. Se han anotado otras sospechas: las crecientes rivalidades de Lope con los «nuevos» dramaturgos que, convertidos en hábiles autores de cámara, desplazan al ya viejo autor de comedias de «corral». En carta de 1630 confiesa «desear no escribir para el teatro», dada su edad (sesenta y ocho años), su cansancio, «la aflicción de espíritu en que le ponen sus obras dramáticas», y su afición ahora a «cosas más serenas». Sin embargo, se halla envuelto (como siempre) en una febril producción de textos. Dos años previos a *El castigo* termina el *Laurel de Apolo*, y la opereta *La selva de amor* que incluye con el texto previo[19]. Ante Felipe IV, entre abril y mayo de 1629, estrena la comedia hagiográfica *La vida de San Pedro Nolasco*, y

---

[16] Bartolomé Bennasar, *L'Homme espagnol*, París, Hachette, 1975, págs. 141 y ss.; Claude Larquié, «Amours légitimes et amours illégitimes a Madrid au XVIIᵉ siècle», *Amours légitimes, amours illégitimes en Espagne (XVIᵉ-XVIIᵉ siècles)*, ed. de Augustín Redondo, París, Publications de la Sorbonne, 1985, págs. 69-86.

[17] En carta que Lope le escribe el 20 de septiembre de 1627 le confía: «En fin, señor, me dicen que le va bien a V. E., que está contento en su obispado, honrando a sus vasallos [...]» Los amores del duque con una tal Jusepa, a quien pretendía otro importante personaje de la corte, fueron la causa de su destierro a sus estados de Baena, a donde ahora le escribe Lope. Cfr. Lope de Vega, *Cartas*, núm. 131, *op. cit.*, pág. 257. Nótese la irónica alusión a su «obispado».

[18] J. H. Elliott, *Poder y sociedad en la España de los Austrias*, Barcelona, 1984; José Deleito y Piñuela, *El rey se divierte*, Madrid, 1988, págs. 10-92; *La mala vida en la España de Felipe IV*, Madrid, 1987, págs. 21-60 y 61-76.

[19] *OS*, I, págs. 223-225.

entre manos tiene, además de las obras ya citadas, un extenso número de proyectos: textos de circunstancias, poemas cultos que salen sueltos o agrupados con otras obras, algunos conservados en cuadernos misceláneos. Entre ellos, por ejemplo, el llamado «Códice Daza»[20]. Y de estos años finales es también el *Huerto deshecho*, maravilloso poema que fija en estrofas aliradas, escrito en circunstancias un tanto dramáticas. Una meditada contemplación filosófica y moral caracteriza un buen número de estos escritos en verso. Pero a la vez le muerde a Lope el sonado triunfo que, en forma de encargos provenientes de la Corte, reciben los jóvenes dramaturgos; para él los «pájaros nuevos». Y pese a su «afición a cosas serenas» (extensos poemas en verso llenos de erudición y sabiduría que entresaca de los clásicos), la atracción hacia las tablas es continua. En tres días, por ejemplo, y a seis semanas de firmar el autógrafo de *El castigo*, escribe *La noche de San Juan*. La representa ante los reyes el día de este santo (24 de junio de 1631), en la casa del conde de Monterrey, en una velada teatral organizada por la Condesa-Duquesa de Olivares, esposa del potente privado[21]. Su escritura y su producción contrastan radicalmente con *El castigo sin venganza*. Pasan, por ejemplo, nueve meses desde la fecha del autógrafo a la aprobación («Censura») por parte de Pedro de Vargas Machuca, quien, paradójicamente, no viendo nada negativo a la moral, aprueba su representación: «Este trágico suceso del Duque de Ferrara, está escrito con verdad, i con el deuido decoro a su persona, i las introducidas, es ejemplar, y raro caso. Puede representarse. Madrid, 9 de mayo, 1632» (Ms., fol. 111v).

Nuevos gustos mueven las producciones teatrales al filo de 1630. Se abren a estas alturas edificaciones con pomposos escenarios. El Palacio del Retiro acoge obras, bien de carácter trágico, bien mitológico, y se inaugura en 1629 con *La selva*

---

[20] Joaquín de Entrambasaguas, «Un códice de Lope de Vega autógrafo desconocido», *Revista de Literatura*, XXXVIII, 75-76 (1970), págs. 5-117.

[21] Véase el «Prólogo» de Emilio Cotarelo y Mori a *La noche de San Juan* en Lope de Vega, *Obras*, Madrid, Real Academia Española, 1916-1930, vol. VIII, pág. XV. Véase también la edición *La noche de San Juan* de Anita K. Stoll, Kassel, Reichenberger, 1988; Juan Manuel Rozas [1987], págs. 69-99, y Theodore W. Jensen, «The Phoenix and Folly in Lope's *La noche de San Juan*», *Forum for the Modern Languages Studies*, XVI, 1 (enero de 1980), págs. 214-223.

*sin amor,* montada por Cosme Lotti, ingeniero florentino al servicio de Felipe IV. Escrita en silvas, con siete escenas y un prólogo, se ubica en un idílico bosque que rodea al Manzanares. Amor, aconsejado por Venus, logra que las esquivas pastoras se rindan a sus galanes. El teatro es ya cortesano. Tanto la tragedia como la comedia mitológica adquieren grandes proporciones y efectos. Su tramoya es complicada y aparatosa; es, sobre todo, espectacular. Se impone una gran imaginación escénica que rompe con la acción escueta, en un solo trazado, lineal. Los personajes exhiben tensas emociones; los espacios se corresponden en forma simétrica, y se doblan a base de una sutil geometría cuyas huellas ya se detectan, en cierto modo, en *El castigo sin venganza.* Pero si bien el teatro de Calderón consigue éxitos inmediatos (escribe entre 1625-1631, *El sitio de Breda, El cisne de Apolo* y *El príncipe constante),* no menos sucede con el de Lope a juzgar por el «Prólogo» que venimos comentando. O tal vez se vio Lope alejado del «favor» de la corte (se le negó el cargo de Cronista Real que tanto deseó)[22], pues se autorizó tan sólo una representación. Todo, pese a que su drama esté escrito, afirma, en «estilo Español»[23]. Lo opone así a otros más en boga: el de vena clásica y mitológica, con un marcado cariz italianizante, con costosas tramoyas, gran aparato escénico y lindas metáforas que cautivaban el ver y el oír de los espectadores cortesanos. La estética en vigor —señalada por Lope en el prólogo a la *Suelta*— («porque el gusto puede mudar los preceptos») es más atractiva: lógica dramática, simetrías bien concebidas, juegos alegóricos y silogísticos, y una tendencia, explica Rozas, «a estructurar y filosofar ciertos temas»[24].

[22] Henry N. Bershas, «Lope de Vega and the Post of Royal Chronicler», *Hispanic Review,* XXXI (1963), págs. 109-117; Jack Weiner, «Lope de Vega, un puesto de cronista y *La hermosa Ester* (1610-1621)», en A. David Kossoff *et al.* (eds.), *Actas del VIII Congreso de la Asociación Internacional de Hispanistas,* Madrid, 1986, vol. II, págs. 727-730.

[23] Gwynne Edwards [1981], págs. 107-120.

[24] Añade Rozas: «en los seis últimos años de su vida se enfrenta a la mayoría de los jóvenes poetas que empiezan a dominar la literatura de Palacio. En las últimas obras establece varios tópicos que se relacionan entre sí: el de los noveles, el de los "pájaros nuevos", y el de que "le copian de noche y le murmuran de día"» [1987], pág. 167.

Una vez más, y a la espalda con su pasado (acoplar los preceptos al gusto del «vulgo» fue el cambio que introdujo Lope con su poética —*Arte nuevo*— en la «comedia nueva»), y con su ya conservadurismo escénico, reafirma Lope en *El castigo sin venganza* su propia tradición: las «dulces prendas» —el amor imposible—, vía Petrarca y Garcilaso (v. 992); la lírica de cancioneros y romanceros (vv. 1911-1975); el amor cortés que linda, por imposible, sublime o único, con la muerte; la mimesis dramática que ampara bajo la autoridad de Cicerón —«la comedia espejo» como reflejo de costumbres (vv. 215-225) y el decoro (lingüístico, temático y social) pertinente a cada personaje. De pasada, sin embargo, algo de lo «nuevo» ya se introduce en la «tragedia» de Lope (nominativo que le aplica tres veces). El primer acto se representa, por ejemplo, en el tono de la comedia galante, entrelazado con metáforas de obvio cuño gongorista y calderoniano[25]. Pero este juego es propio de Lope: satirizar una boga literaria que triunfa (v. 24), y a la vez dejarse con frecuencia atraer, imitando sus características poéticas más sobresalientes[26].

Pero detrás de la única representación que media entre la fecha del autógrafo de *El castigo sin venganza* y la impresión de la *Suelta*, y pese al deseo del público que esperaba una segunda puesta en escena, no existe tan sólo una cuestión de gustos, preferencias, modas o rivalidades. Hay algo más serio y alarmante. En escena se presenta un caso de vida depravada: un duque solterón, ya entrado en años, se ve tornado en empedernido mujeriego (vv. 1-233). Ronda las llamadas «mancebías» de su ducado en busca de prostitutas. Cintia es la más avispada. Se representa también un caso de adulterio (e implícitamente de incesto) entre el hijo «bastardo» del duque, el conde Federico, y Casandra, «madrastra» de éste (vv. 2484-2500). Las relaciones amorosas ilícitas se extienden del exterior —la ca-

---

[25] Emilio Orozco Díaz, *Lope y Góngora frente a frente*, Madrid, Gredos, 1973, págs. 379 y ss.

[26] La noche se describe en *El castigo sin venganza* como «guarnecida capa» (v. 11); las estrellas son «pasamanos de plata» (v. 15); la luna es a modo de encomienda (v. 16), etc. En su edición del *Huerto deshecho*, Madrid, Tipografía Moderna, 1963, mostró Eugenio Asensio en su estudio preliminar los préstamos de Góngora.

lleja que se recorre a media noche (cuadro I, acto I)— al interior (palacio, actos II, III), y terminan las primeras de manera bufónica y las segundas de forma trágica. Éstas envuelven, metafóricamente, todo el entorno de Ferrara. De ahí que la representación pudiera resultar un tanto escandalosa para la prepotente aristocracia, sobre todo si se entreveían veladas asociaciones o paralelos que fácilmente podía captar el bullicioso público de los «mosqueteros», situado en patio, cazuela y bancos del corral de comedias. Lo que explica, a su vez, el deseo de una segunda puesta en escena[27]. La edición suelta

---

[27] Véase Lope de Vega, *El perro del hortelano. El castigo sin venganza*, ed. de A. David Kossoff, Madrid, Castalia, 1968. En esta obra, págs. 34-35, Kossoff hace una inteligente salvedad en cuanto a que se representase la comedia «sólo vn día», lo que contradice la «idea aventurada» —sus palabras—, por Wilson de una posible «supresión» por parte de la autoridad (Wilson [1963], págs. 296), y la sugerida anteriormente por A. Castro y Hugo A. Rennert de que «la supresión se debiera a cualquiera de las causas que diariamente surgían en la vida del teatro», suponiendo que la comedia «fuese nunca prohibida». Cfr. de dichos autores, *Vida de Lope de Vega*, Salamanca, Anaya, 1968, pág. 302. Resume Kossoff que cuando Lope dice «sólo vn día» se expresa en términos de una representación o dos representaciones que pudieran sumarse a la única realizada, y descarta así supuestas «prohibiciones» o «supresiones» no fundamentadas. Obviamente, si una o tan sólo dos representaciones eran la norma, como anota el mismo Shergold (Kossoff [ed.], pág. 35, nota 5), el argumento previo pierde validez. Importa destacar no el número de representaciones (dos en un solo día, por ejemplo), sino que Lope realce el que se representó «sólo vn día», y que aluda a ciertas «causas». Éstas suponen una anomalía en relación tanto con el número de representaciones como con el deseo del público. Representó la obra la compañía de Manuel Vallejo, el 3 de febrero de 1632 (fecha que se cuestiona), y cuatro años más tarde (el 6 de septiembre de 1636) Juan Martínez. A estas alturas Lope lleva muerto un largo año. Véase A. Castro, Hugo A. Rennert [1968], pág. 453; Gigas [1921], pág. 602. N. D. Shergold y J. E. Varey, «Some Palace Performances of the Seventeenth-Century Plays», *Bulletin of Hispanic Studies*, XL (1963), pág. 220, quienes fijan la primera representación en 1633, y añaden otra, en palacio, en septiembre de 1635. Pero lo que cuenta es la fecha de la edición *Suelta* (1634) que incluye el «Prólogo» al que hacemos referencia. Notemos de nuevo que el autógrafo se data el 1 de agosto de 1631; la «licencia», el 9 de mayo de 1632; y la primera representación —de acuerdo con Shergold y Vareyen—, en 1633. Han pasado dos largos años desde que Lope firmó el autógrafo; se retira de pronto la obra —pese a la excelente recepción que tuvo—; Lope salta al estribo y la imprime *(editio princeps)* en Barcelona. Firma su aprobación fray Francisco de Palau, «del Orden de Predicadores», el 23 de julio de 1634.

vino a suplir en forma de lectura, indica el mismo Lope, la negada como representación[28].

Resumamos, pues: a) que entre el autógrafo de *El castigo sin venganza* y la censura pasan nueve meses; b) que entre el autógrafo y la primera puesta en escena transcurren dos años; c) que de la fecha del autógrafo (1 de agosto de 1631) a la impresión de la *Suelta* (1634) se suceden tres. Pero se han barajado otras causas. Una de ellas, la posible asociación con el grave problema, tanto político como personal, entre el príncipe Carlos (1545-1568), su padre Felipe II, y la joven esposa de éste, Isabel de Valois. La esmerada atención que el príncipe, dada tal vez su minusvalía física, recibió de la atractiva esposa, de la que se decía que estaba prendado, dio lugar a chismes y comentarios. Murió prisionero en el castillo de Arévalo, en misteriosas circunstancias que se juzgaron como sospechosas. Sin embargo, del hecho histórico a la representación de *El castigo* median unos setenta años, toda una nueva generación que difícilmente podría establecer de inmediato tal asociación[29]. El tema de «Don Carlos», tanto el literario (que desarrollan más tarde Schiller y Verdi) como el histórico, se trasvasó extensamente a las tablas, según documentó hace años Gigas, que cita un buen número de comedias que se representaron en torno al frustrado heredero. También se ha barajado una velada alusión a la vida de Felipe IV, mujeriego como el duque de Ferrara[30].

---

[28] «Se sabe», escriben Shergold y Varey [1971], pág. 37, «que las compañías cambiaban con frecuencia las comedias que representaban y que raras veces se daba la misma obra, aunque fuese nueva, durante más de cinco días o seis días seguidos». José Deleito y Piñuela [1988], págs. 164 y ss., habla de una duración máxima de quince días a en la Corte y de tres o cuatro en los demás pueblos. Véase al respecto R. Subirats, «Contribution à l'établissement du répertoire théâtral à la cour de Philippe IV et de Charles II», *Bulletin Hispanique*, LXXIX (1977), págs. 401-479; Díez Borque [1978], pág. 28.

[29] Cfr. Gigas [1921], 589-604. En relación con el príncipe Carlos, véase Meier [1948], págs. 243-246; *El castigo sin venganza*, ed. de L. García Lorenzo [1985], págs. 269-277.

[30] Con velada ironía escribe Lope al duque de Sessa sobre el rey, en el verano de 1628: «Su Majestad, Dios le guarde, vino ayer de Aranjuez. Fue a la Casa de Campo, donde le aguardaba la Reina. Tuvieron comedia y con notable regocijo de su buena venida se fueron a Palacio. Créese piadosamente que durmieron juntos», *Cartas*, núm. 136, pág. 270.

Por otra parte, el motivo de la reina que rechaza o acepta el amor del príncipe, lo mismo que el rey tirano que asesina a su hijo por adulterio e incesto, con múltiples transformaciones y variantes, pertenece al folclore paneuropeo, con derivaciones, como veremos, en Bandello. A. Castro y Hugo A. Rennert rechazan toda asociación entre la razón por la que «esta Tragedia se hizo en la corte sólo un día» y el Carlos histórico. Y no fue tampoco anómala la demora de la licencia por parte de Pedro Vargas Machuca, documenta Kossoff. Realza Vargas la «verdad» del «raro caso»; su «decoro» y su «ejemplaridad»[31].

Ni tampoco se prohíbe una segunda representación porque se ponga en solfa la conducta depravada de un poderoso aristócrata, ya que se guarda, explica Rozas haciéndose eco de la aprobación de Vargas Machuca, «el decoro para la grandeza». Se desarrolla un tema que no inventó Lope y que se ubica fuera de España, y concluye este crítico que no es más grave de lo que se dice —siendo tragedia— en obras de la misma época[32]. Pero no se guarda tan «respetuosamente», se podría argüir, el decoro hacia la grandeza. El espectador se encuentra, ya en el primer cuadro del acto I, con un poderoso duque embozado, cabeza de un distinguido estado (Ferrara), que recorre a media noche, acompañado de su secretario y siervo, las callejas de su territorio en busca de libidinoso entretenimiento. A estas alturas, en escritos que salen casi paralelamente con *El castigo,* Lope cuestiona los valores políticos y morales de los dirigentes. Recordemos, por ejemplo, los famosos romancillos («Barquillas» y «Soledades») que escribe a raíz de la muerte de Marta de Nevares, e incluye a última hora en *La Dorotea* (1632). La crítica política, social, y no menos moral, es certera, aguda: «velas de mentiras», «remos de lisonjas», «fieros huracanes» («Pobre barquilla», vv. 43-44; 81), y alude, alegóricamente, al trueque de los antiguos valores: el concepto del honor invertido; el encumbramiento social debido al «favor»; la «nueva nobleza» arraigada en el señoritis-

---

[31] A. David Kossoff, *op. cit.*, págs. 33-34. Tal asociación con el príncipe Carlos ya había sido adelantada por Schack, Gayangos, Lista, Hartzenbusch y Klein. Véase *El castigo sin venganza,* ed. de A. van Dam [1968], pág. 57.

[32] J. M. Rozas [1987], págs. 176-177.

mo del dinero; la arrogancia y la postura desafiante de la nueva clase: «de medio arriba romanos, / de medio abajo romeros»
(«A mis soledades voy», vv. 77-81; 63-64)[33]. Cervantes había ya avisado sobre la representación en las tablas de casos relativos a la en-
copetada nobleza que derivaban en «cosas de perjuicio de algunos reyes y en deshonra de algunos linajes» (*Don Quijote*, I, 48).
Lo mismo había anotado Lope, paradójicamente, hacía ya
unos veinte años, en el *Arte nuevo:* «o que la autoridad real no
debe / andar fingida entre la humilde plebe» (vv. 162-164).

Por otra parte, *El castigo sin venganza* se sitúa como escritura y producción teatral (1631-1633) en el período más angus-
tioso de la vida de Lope (entre 1629 y 1635). La calumnia le
llueve (la «envidia» es su término favorito) ante príncipes y
nobles. Es el tema fundamental de la «Epístola a Claudio».
Rozas supone, con bien hilados argumentos, que enmascarado bajo la figura de Ricardo —en explicación también de las
«causas» de una sola representación— se oculta don José
Pellicer. Obtuvo éste, en abierta competición con Lope, el
puesto de Cronista Real. Lo califica como su mayor enemigo.
Ricardo es, al igual que Pellicer, «cronista» de la Corte de Ferrara (vv. 2405-2408), indica Rozas. Y rastrea con asombrosa erudición cómo Lope, en otros textos, se expresa duramente
contra Pellicer. Así en *Laurel de Apolo, La noche de San Juan, La
Dorotea*, «Égloga a Claudio» (más bien «Epístola»), *Rimas de
Burguillos, La Gatomaquia*. Detrás del hablar literario de Febo
de *El castigo sin venganza* —el gracioso que con frecuencia se

---

[33] Sobre el estado de la «Corte» escribe Lope en el estío de 1628: «[...] que
este lugar todo es mentiras, malos deseos, envidias, pretensiones, quejas y ne-
cedades. Nadie vende, nadie compra, todos parecemos judíos, esperando lo
que no ha de venir. Lástima tengo a los que gobiernan, cuyo celo es santo y
cuyo cuidado es insufrible», *Cartas*, núm. 136, pág. 270. Al respecto, y teniendo en mente *El castigo sin venganza*, escribe Peter W. Evans: «Lope's major tar-
get of criticism is a system of values: the root causes of the age's malaise lie
buried here» [1979], págs. 325-326. Véase sobre el ciclo de las «Soledades» y
«Barquillas» de Lope nuestro estudio [1979], págs. 235-267, y nuestra edición
de Lope de Vega, *Poesía selecta* [1984], págs. 404-408; 413-417; Alan S. Trueblood, *Experience and Artistic Expression in Lope de Vega: The Making of La Dorotea*, Cambridge, Mass., Harvard University Press, 1974, págs. 580-602. El mismo
tono caracteriza la «Égloga a Claudio». Debió escribirse durante el año de 1631.
Se alude a *La Dorotea* como obra aún no impresa; *OS*, IX, págs. 355-372.

29

oculta bajo la figura de Belardo— asume Rozas al mismo
Lope. Sin embargo, la crítica «cultidiablesca» (vv. 1-58) contrarresta un tanto el argumento, ya que procede del mismo
Ricardo, y coincide con Febo y con el Duque en que «personas tales» (léase poetas de la «nueva ola»), «poca tienen cari-
dad» (v. 52). Ricardo habla de prestado; se justifica incluso: «si
a sus licencias apelo, / no me darás culpa alguna» (vv. 21-22).
Y de ninguna manera se califica de «cultidiablesco»[34]. Más
bien, es el adjetivo que aplica a quienes se caracterizan por el
exagerado uso del hipérbaton («el no juntar las dicciones»),
que el mismo Duque asocia con gente del diablo (vv. 55-56).
La suposición de que detrás de la anómala producción de *El
castigo* estén las intrigas de Pellicer, en su puesto de cronista en
Palacio, es válida como hipótesis, sin olvidar que el comenta-
rista de Góngora incluyó, en la *Fama póstuma*, un elogioso en-
comio en ocasión de la muerte del Fénix. Sí hay, es cierto, una
severa censura contra la «nueva seta» y el decir «cultidiablesco».
Pero procede ésta, indistintamente, de Febo (vv. 19-21), Ricardo (vv. 5-16), el Duque (vv. 25-35) y hasta de Batín. El mismo
Lope se deja atraer en escritos de este período por reconoci-
dos cultismos («argentar», «fulminar», «infausto», «lustro», «nocturno», «rutilante»), y por relumbrantes imágenes de nuevo
cuño (así en la décima «Aurora del claro día», vv. 1624-1654). En
la misma onda se podría considerar el frecuente uso del oxímoron («claras confusiones»), de la elipsis, la paranomasia o
la antítesis. La metáfora «solfa nocturna» (v. 1764) señala obvias huellas del gongorismo, lo mismo que el cultismo «li-

---

[34] El término «cultidiablesco» en relación con los malos imitadores de
Góngora fue lugar casi común en la última obra de Lope. En el soneto que,
significativamente, titula «A la nueva lengua» *(Laurel de Apolo, con otras rimas,*
Madrid, 1630, fols. 123r-v), escrito en forma dialogada, satiriza el hablar confuso de una criada, quien imita la nueva jerga lírica. Julio, en *La Dorotea,* define el término «cultidiablesco» como «vn compuesto de diablo y culto» *(La
Dorotea,* ed. de Edwin S. Morby, Madrid, Castalia, 1968, pág. 366). En *Rimas
humanas y divinas del Licenciado Tomé de Burguillos* (Madrid, 1634), fol. 14v, se
contrasta el verso «sencillo» (Lope) frente a las «rimas sonoras» del rival (Góngora). Condena al mal poeta cultista en otro soneto dialogado del mismo
libro, titulado: «Conjura un culto y hablan los dos de medio soneto abajo»
(fol. 60v). Cfr. Emilio Orozco Díaz, *Lope y Góngora frente a frente,* Madrid, Gredos, 1973, págs. 379-380.

sonja» (v. 1796), sin aparente intención de satirizar un estilo o modalidad lírica.

Pese a todo, la conclusión final de Rozas es digna de sopesar. *«El castigo* tuvo problemas con la administración, sobre todo el día del estreno, porque Pellicer, como en 1629, en otra comedia *(La noche de San Juan),* la denunció»[35]. Lo que supone que Pellicer asistiera al primer *opening* u oyera —si éste fue el caso— los buenos comentarios sobre la representación; o que conociera en detalle la trama. El primer cuadro del primer acto, concluye Rozas, fue montado *ad hoc* para atacar a «Ricardo-Pellicer». Lo evidencia: 1) el asociar a Pellicer con el Ricardo de *El castigo* («inmortal instigador de un poderoso en locas correrías nocturnas», indica Rozas), y con el presente en *El Burguillos;* 2) el relacionarlo con su oficio y cargo de cronista; 3) el hacer corresponder el vocablo «cultidiablesco», es decir, culterano en *El castigo,* con el presente en *Laurel, La Dorotea* y *Burguillos;* y, finalmente, 4) el establecer cierta semejanza entre los problemas existentes en el matrimonio de Pellicer (el otro *love-affair)* con la fábula que cuenta Batín (vv. 2374-2391). Está evocada en *La Dorotea, La Gatomaquia* y en el *Tomé de Burguillos,* en el conocido soneto titulado «Casóse un galán con una dama y después andaba celoso»[36]. La segunda conclusión de Rozas es más arriesgada: «no hay duda de que don José, el "cultidiablesco", es también ese marido "cornudo" (el "maridillo", v. 39) presente en la primera escena de *El castigo,* camuflado más tarde en la fábula de Esopo».

*El castigo sin venganza* se escribe también desde una toma de conciencia de una nueva forma de comedia; y de un espectador (cortesano ahora) que la admira y aplaude. Tal enfrentamiento con Pellicer tendría un doble cariz que habría que detallar; es decir, de crítica —y hasta de sátira—, pero a la vez de asimilación por parte de Lope, convertido a estas alturas

---

[35] Anita K. Stoll, «Politics, Patronage, and Society in *La noche de San Juan*», *Bulletin of the Comediantes,* 39, 1 (1987), págs. 127-137; Rozas [1987], págs. 172-178, y más recientemente Luis Iglesias Feijoo [2001], págs. 171-187.

[36] Véase Cyril A. Jones, «Introduction», en Lope de Vega, *El castigo sin venganza* [1966], págs. 2-7; A. David Kossoff, «Introducción», *op. cit.,* págs. 32-36.

en un magnífico lector (lo fue de Góngora y de Quevedo en su «ciclo de senectute»)[37] del teatro ajeno. Lo muestran los extensos soliloquios (únicos en esta obra); el desarrollo profundo de la psicología de Casandra mientras descubre, cautelosamente, el amor que hacia ella siente Federico; las dualidades que enfrentan al Duque (amor hacia el hijo como padre frente al cruento castigo como juez); las de Federico (seguir amando a Casandra, pero casarse con Aurora para salvar las apariencias), y no menos en la figuración de Casandra. Ésta juega con valentía —frente a la cobardía de Federico— su destino en las fronteras de un terrible amor pasional que se presiente como muerte ineludible. El subtítulo de la edición de 1647 *(Cuando Lope quiere, quiere)* es la primera declaración crítica de su gran validez como tragedia. Pero anómalo es, resumiendo, que la obra se publique, en contra de lo acostumbrado, en edición *Suelta;* que Lope especifique, elusivamente, varias de las razones; que en la tercera edición se altere el título, con una expresión no menos enigmática, pero referida al tono del texto leído y no a la representación. El nuevo editor (sagaz crítico) confirmaba así la asimilación y maestría por parte de Lope del nuevo «gusto», lo que consolida el viejo arte dramático del popular autor. Afirmaba también la maestría de Lope frente a los nuevos dramaturgos: Calderón, Mira de Amescua, Diamante, Cubillo[38], y rompe así con el tan trillado término de «tragicomedia». La primera recepción crítica de *El castigo* fue, pues, unánime: lo mismo como palabra declamada (oída) que como palabra leída; es decir, escrita.

---

[37] Véase nuestro estudio «Los engaños de la escritura: las *Rimas de Tomé de Burguillos* de Lope de Vega», en *Lope de Vega y los orígenes del teatro español, op. cit.*, págs. 547-563.

[38] Destaca entre los nuevos dramaturgos Felipe Godínez, de ascendencia de judíos conversos. Su comedia *Las lágrimas de David* disfrutó de gran popularidad. Escribe también *La reyna Ester* (Lope, *La hermosa Ester*). En carta comenta Lope sobre la comedia *La Godina:* «Dícenme que es más judía que de los godos, parto indigno de un hombre de entendimiento; tales son los de los autores» *(Cartas,* núm. 140, pág. 277).

Amor, muerte y honor son los tres grandes ejes semánticos que mueven la acción de *El castigo sin venganza*. El primero abre y cierra la obra; el segundo se entrevé a partir del encuentro de Federico con Casandra (vv. 340-350), y el tercero va tejiendo, a modo de lanzadera, el encuentro, el clímax y la caída final de los tres personajes centrales: el duque de Ferrara, Casandra y Federico. La estructura de su argumento le llegaba a Lope de lejos. Él mismo la identifica en el «Prólogo» a la edición *Suelta*: «Su historia anduvo escrita», escribe, «en lengua latina, francesa, alemana, toscana y castellana». El término «historia» (es decir, cuento, anécdota) delata una tradición literaria fácilmente identificable. Acertaba Lope al especificar las lenguas en las que la historia de Mateo Bandello (1485-1561) se había difundido. De la «toscana» procede de hecho el hueso limpio de la anécdota. Se cuenta en la *Prima Parte de le Novelle del Bandello* (Lucca, 1554, núm. XLIV) con el título «Il marchese Niccolò terzo da Este trovato il figliuolo con la matrigna in adulterio, a tutti dui in un medesimo giorno fa tagliar il capo in Ferrara»[39]. Se realza el motivo del adulterio, y las consecuencias ejemplares en que deriva la caída moral de los amantes. Detrás está también un hecho histórico que se remonta a 1425, bajo el reinado de Nicolò III d'Este[40]. Pero la relación entre Lope y el *novelliere* italiano fue hace años fijada, con inusitada claridad, por don Marcelino Menéndez y Pelayo en sus *Orígenes de la novela;* posteriormente por Eugène Kohler y Antonio Gasparetti[41].

[39] D. T. Rotunda, *Motif-Index of the Italian Novella in Prose,* Bloomington, Indiana University Press, 1942; Othon Arróniz, *La influencia italiana en el nacimiento de la comedia española,* Madrid, 1969; Joaquín Arce, «El italiano y lo italiano en Lope de Vega», en *Literaturas italiana y española frente a frente,* Madrid, Espasa-Calpe, 1982, págs. 259-282.

[40] Gigas [1921], págs. 589-604; van Dam (ed., 1928).

[41] M. Menéndez y Pelayo, *Orígenes de la novela,* Santander, Aldus, col. Edición nacional de las obras completas de Menéndez Pelayo, vols. 13-16, 1943. Véase en particular el vol. 15, págs. 34-35; Eugène Kohler [1939], págs. 116-142; Antonio Gasparetti [1939], *passim;* y el magnífico resumen en Gail Bradbury [1980], págs. 53-56.

Determinan cómo un total de diez comedias de Lope tienen sus raíces en *Le Novelle* de Bandello[42]. Establecen a la vez posibles relaciones con otras comedias cuyos motivos se encuentran en el autor italiano, y en leyendas y tradiciones populares en las que se inspiran ambos. Tal podría ser el caso, arguye Gail Bradbury, de *El perro del hortelano* y *La esclava de su galán*[43], en las que diferencia entre lo que podríamos llamar «fuentes comunes» y «fuentes directas».

La traducción francesa de Bandello se presentó con un llamativo título *(Histoires tragiques)* que tuvo que cautivar a primera vista al lector que examinaba la colección, lejos, como vemos, del genérico *Novelle*[44]. Lope aludió a tal captación en *Las fortunas de Diana,* indicando cómo las novelas de origen italiano eran libros de grande «entretenimiento». Las elogia por su «ejemplaridad»[45]. Lo que nos coloca, a la hora de fijar las «fuentes» de *El castigo sin venganza,* a medio camino entre la versión original en lengua toscana y la traducción al castellano de la versión libre francesa, llevada a cabo por Pierre Boisteau y François Belleforest. Se difunde ésta entre 1559 y 1582. De entre las doscientas ocho *novelle* que contiene la colección de Bandello, Boisteau y Belleforest traducen tan

[42] Las siguientes comedias de Lope se basan, de acuerdo con lo expuesto, en las novelas de Bandello, *Carlos el perseguido* (escrita antes de 1596), *Ac.,* XV, Bandello, IV, 5; *Los bandos de Sena* (1597-1603); *Ac. N.,* III, Bandello, I, 49; *El padrino desposado* (1598-1600), *Ac. N.,* VIII, Bandello, III, 54; *La quinta de Florencia* (1598-1603), *Ac.,* XV, Bandello, II, 45; *El mayordomo de la Duquesa de Amalfi* (1599-1603); *Ac.,* XV, Bandello, I, 6; *Castelvines y Monteses* (1606-1612), *Ac.,* XV, Bandello, II, 9; *El castigo del discreto* (1606-1608), *Ac. N.,* IV, Bandello, I, 35 (la fuente de esta última obra fue señalada por primera vez por William L. Fichter en su edición de Nueva York, Instituto de las Españas, 1925); *La mayor victoria* (1615-1924), *Ac.,* XV, Bandello, I, 18; *El desdén vengado* (1617), *Ac.,* XV, Bandello, III, 17; *El castigo sin venganza* (1631), *Ac.,* XV, Bandello, I, 44. Véase Amado Alonso [1962], págs. 193-220; Emile Gigas [1921], págs. 289-604; Menéndez Pidal [1958], págs. 123-152.

[43] Lope de Vega, *El perro del hortelano, El castigo sin venganza,* ed. de A. David Kossoff, *op. cit., Ac. N.,* XIII, págs. 205-246; y *Ac.,* XV, págs. 233-272, respectivamente.

[44] René Sturel, *Bandello en France,* París, Burdeos, 1918; *The French Bandello: A Selection. The Original Text of Four of Belleforest's Histoires Tragiques,* ed. de Frank Scott, Hook, Missouri University Press, 1948.

[45] Lope de Vega, *Novelas a Marcia Leonarda,* ed. de Francisco Rico, Madrid, Alianza Editorial, 1968, pág. 28.

# VEINTE Y VNA
# PARTE
## VERDADERA DE LAS
### OMEDIAS. DEL FENIX DE

España Frei Lope Felix de Vega Carpio, del Abito de San
Iuan, Familiar del Santo Oficio de la Inquisicion,
Procurador Fiscal de la Camara Apostolica,
sacadas de sus originales.

*DEDICADAS A DOÑA ELENA*
*Damiana de Iuren Samano y Sotomayor, muger de Iulio Cesar*
*Scazuola, Comendador de Molinos y Laguna Rota, de la Orden*
*de Calatraua, Embaxador de Lorena, Tesorero General de*
*la Santa Cruzada, y Media Annata, y señor*
*de la villa de Tielmes.*

*Nulla suit Lopio Musarum sacra Poësis,*
*Illa perire potest, iste perire nequit.*

66. y 2.

Año    1635.

## CON PRIVILEGIO.

*En Madrid, Por la viuda de Alonso Martin.*

A costa de Diego Logroño, mercader de libros.
*Vendese en sus casas, en la calle Real de las Descalças.*

Portada, edición *Parte XXI*.

sólo setenta y tres. Reescriben, en cierta manera, a Bandello: añaden nuevos pasajes, cambian detalles, varían la línea del argumento y le otorgan ese aire trágico con el que se anuncia la colección. El divulgado aforismo *traduttore-traditore* (que el mismo Cervantes tiene en mente en *Don Quijote*, II, 62) definiría la imaginativa labor. Una selección previa de Belleforest, publicada en 1558, se traduce fielmente al castellano con título casi idéntico *(Historias trágicas exemplares)*[46]. Sale la colección en Salamanca, en 1589, y en catorce años conoció dos ediciones (Madrid, 1596; Valladolid, 1603)[47]. De aquí recoge Lope la línea argumental de *El castigo,* al igual que la trama para otras tres comedias: *La quinta de Florencia, El desdén vengado* y *Castelvines y Monteses.* Lo confirma la caracterización que Bandello presenta de la Marquesa frente al agudo retrato que Belleforest hace del Marqués, compungido ante la muerte de su hijo. Se realza así el final trágico: el «castigo». Más aún: la versión italiana da énfasis a la ejemplaridad moral del «caso»; la traducción libre francesa y, del mismo modo, la castellana, se concentran en el destino ineludible, patético, de los dos amantes. Establecen una polaridad de simetrías y correspondencias que caracterizan la tragedia de Lope. Así se anuncia el relato en la versión castellana: «De un marqués de Ferrara que, sin respeto del amor paternal, hizo degollar a su propio hijo porque le halló en adulterio con su madrastra, a la cual también hizo cortar la cabeza en la cárcel»[48].

---

[46] Van Dam publica la versión española (ed. cit., 1928, págs. 60-82), cuyo título completo reza: *Historias trágicas exemplares de Pedro Boisteau y Francisco de Belleforest.* De acuerdo con Antonio Palau y Dulcet, *Manual del librero hispano-americano,* vol. II, Barcelona, Librería Anticuaria A. Palau, 1949, circularon durante el siglo XVI varias ediciones de las novelas de Bandello en el original. Alude a una publicada en Venecia (1556) por Alfonso de Ulloa. Véase Gail Bradbury [1980], pág. 65, notas 13 y 14; Gigas [1921], pág. 590, alude a una edición temprana de la versión española que sale en Salamanca, en 1584.

[47] El relato corresponde, en la versión de Boisteau y Belleforest, a la parte I, núm. 11; *Historias trágicas,* núm. 11, fols. 289v-319v. Véase «Apéndice 4».

[48] Bradbury resume sobre los protagonistas de *El castigo sin venganza:* «the protagonists of *El castigo sin venganza* owe some of their complexities and ambivalence to the characterization of the Belleforest story» [1980], pág. 63. Hubiera sido útil que la breve colección de ensayos sobre la tragedia de Lope, con texto tomado de la edición de A. David Kossoff, y el «Cuaderno de Dirección»

La referencia bíblica, traída a colación por el mismo Lope en *El castigo* (vv. 2508-2511), se ha establecido también como fuente del relato; o al menos de la acción final del Duque y de la conducta de los amantes. La cultura bíblica de Lope era asombrosa[49]. Lo testifican sus continuas alusiones a personajes tipificados en parte por los *exempla* medievales. Sus figuras se constituyen en modelos de ejemplaridad (Job, Jacob, Ruth, Raquel, David, Salomón, Samuel, etc.). La *Jerusalén conquistada*, poema épico al aire de Torquato Tasso *(Gerusalemme liberata*, 1575), y *Pastores de Belén* —extensa *Arcadia* a lo divino— están empedrados con múltiples referencias entresacadas del Antiguo Testamento[50]. En *Pastores de Belén* se registran, por ejemplo, escandalosos casos de incesto, adulterio, amor pasional, celos y hasta de castigos «con venganza». Sus varias estampas, con cargados matices eróticos (véase, por ejemplo, el episodio de «Susana y los jueces»), contrasta diametralmente con el correr narrativo del relato; con su motivo central. Tal es el caso de Amón y Tamar, traídos a colación en *El castigo sin venganza;* o la extensa secuencia dedicada al adulterio, traición y final muerte de Absalón. David llora en la vejez su vida adúltera con Betsabé. En *Peribáñez y el comendador de Ocaña*, por ejemplo, el comendador envía a su recién nombrado capitán a la guerra para así poder gozar de Casilda. Tal hizo David con Urías para disfrutar de Betsabé, esposa de éste. Y tanto el incesto bíblico como sus derivaciones (Tamar, Amón, Absalón) tuvieron múltiples repercusiones en las artes pictóricas y plásticas; no menos en las tablas del siglo XVII[51]. Tirso

de Miguel Narros *(El castigo sin venganza*, ed. de L. García Lorenzo, *op. cit.*, págs. 49-55), incluyesen el cuento de Bandello en la versión de Belleforest, que se recoge, como hemos señalado, en *Historias trágicas exemplares*, en vez de la traducción (de Carla Matteini) del cuento de Bandello. La nota que introduce la traducción («El cuento de Bandello en el que se inspiró Lope para crear *El castigo sin venganza»)* no tiene, después de lo documentado, tanto interés literario como la versión española. Véase al respecto Manuel Alvar [1987], págs. 206-222.

[49] A. Carreño, *El romancero lírico de Lope de Vega, op. cit.*, págs. 185-233.

[50] A. David Kossoff, *op. cit.*, añade *La Dragontea* (Canto III y VIII, 5) de 1598, y las comedias *La condesa Matilde, La madre de la mejor* y *La limpieza no manchada*. La lista podría ser exhaustiva.

[51] Otto Rank, «The Incest of Amón and Tamar», *Tulane Drama Review*, VII (1963), págs. 38-43.

de Molina y Calderón son dos casos dignos de destacar[52]. Los motivos bíblicos en obras dramáticas de Lope, como en otros géneros (lírica, prosa) son, pues, recurrentes. Y sus referencias funcionan, creemos, a modo de *exemplum*, símil o «figura» literaria. Justifican la conducta del duque de Ferrara, quien al final de la obra ejerce, como acertadamente indica Kossoff, la función de padre y juez. Lo son del mismo modo las alusiones míticas, las anécdotas interpoladas (fábulas de Esopo), al igual que los ejemplos históricos (Lucrecia, Tarquino). Si el nervio central del drama es el adulterio y el incesto (son las causas inmediatas del «deshonor» y del castigo), ambos están registrados, como tabú, en el origen primitivo del hombre. Se extienden al folclore paneuropeo (leyendas, baladas, relatos breves), y forman el principio social y antropológico de toda sociedad. Están en el albor de nuestra civilización, indica Lévi-Strauss. Perviven en mitos, creencias etnográficas y estructuras antropológicas[53].

Se pueden precisar, sin embargo, ciertos paralelos bíblicos que se han establecido como «fuentes», pero que mejor se clasificarían como motivos recurrentes o *topoi*. Tal es el caso de Amón, quien viola a su hermana Tamar (estupro e incesto), y recibe la muerte (castigo) de manos de Absalón (2 Sam. 16, 21). A éste le da muerte Joab al usar las concubinas de su padre David e intentar su sucesión. Finalmente, se destaca en la cumbre jerárquica el mismo Rey David, quien le usurpa a Urías su atractiva esposa y ordena a traición la muerte de éste (2 Sam. 11). El aniquilamiento de los dos hijos fue percibido por David —al igual que por el duque de Ferrara— como justo castigo a sus desmanes morales. El adulterio está en la base de los tres casos bíblicos. En el caso de Amón se añade el incesto; en el

---

[52] Véase, *La venganza de Tamar*, ed. de A. K. Paterson, Cambridge, Cambridge University Press, 1969; *Los cabellos de Absalón, La hija del aire*, ed. de Francisco Ruiz Ramón, Madrid, 1987. En *El mayor monstruo del mundo* desarrolla Calderón la tragedia de Herodes y Mariene. La venganza de Tamar como tema teatral fue anteriormente desarrollada por Tirso y Claramonte; finalmente por Godínez y Calderón.

[53] Claude Lévi-Strauss, *Structural Anthropology*, trad. de Claire Jacobson y Brooke Grundfest, Nueva York, Basic Books, 1963; *The Elementary Structure of Kinship*, Boston, Beacon Press, 1969, pág. 480.

de Absalón, la traición. Y como en *El castigo*, se establece una intensa relación de amor entre el padre (David) y los hijos. Éste se duele de sus muertes. En ambos casos, el castigo es ajeno a la mano del padre. Quien da muerte a Amón es su hermano Absalón; a éste Joab. Tales alusiones ya están en el relato de las *Historias trágicas ejemplares,* donde se alude al «castigo», a las causas que lo motivan, a los amores incestuosos, al deshonor familiar y a la deshonra del linaje. Se incide, mostró magistralmente Manuel Alvar, en el estado incestuoso del *affair.* El énfasis procede de la versión francesa, apenas resaltado en el original de Bandello. Se califica de «amor loco e incestuoso» el que siente la marquesa (madrastra), y se intensifica al tildarla de «loca e incestuosa» y de «incestuosa mujer». Se caracterizan sus amores de «incestuosos» y se alude, más en concreto, al «hijo usurpando la cama de su padre». El narrador insiste en cómo «el conde Hugo ha hollado el lecho nupcial del marqués de Ferrara su padre», y añade la moraleja ejemplar: «ha hecho contra vos lo que no deve hacer hijo ninguno con su padre».

Las figuras bíblicas casan, pues, dentro del arquetipo de violencia sexual en el que se acomoda el incesto, el adulterio y la traición. Absalón representa la ambición de Federico, y observa Alvar cómo Lope la convierte «en el motivo aparente que rige la obra entera». Sin embargo, se realza en Federico no menos su cobardía, y la sumisión ciega a la voluntad del padre. Se retrae cobardemente ante la posibilidad de que sus amores secretos con Casandra se hagan públicos (vv. 2270-2275). El falso interés que muestra por la mano de Aurora (vv. 2256-2274) es un sutil recurso para ocultar los amores con Casandra y mantener así, indefinidamente, el *statu quo.* Si el matrimonio del Duque con Casandra obedeció a conveniencias políticas, el que traman Federico y Aurora obedece a su propia cobardía. Su mismo origen bastardo limita toda ambición. La traición, de ser central, tan sólo compete a Federico. Y es tan sólo una parte mínima de la trama: la justificación pública (el engaño) que inventa el Duque para salvaguardar su honor. Otra clave para el incesto la presenta el caso de Amón con Tamar (hermanos) que gozó de una rica tradición literaria. Pero aquí las diferencias, al igual que las semejanzas, son significativas.

Sin embargo, Alvar alude a una analogía pasada por alto: las confidencias que Amón tuvo con su amigo Jonadab y los consejos que de éste recibe se invierten, paralelamente, en las confidencias que la Marquesa tiene, de acuerdo con la versión española *(Historias trágicas exemplares)* con su sierva. Se doblan en *El castigo* en la confesión que Casandra hace a Lucrecia de sus infortunios amorosos con el duque (vv. 996-1072) y en los consejos que Casandra recibe de aquélla (vv. 1098-1113).

Si de las «causas» del castigo se constituyen los motivos que generan la trama, éstos se alternan bien entre el adulterio y el incesto (privados) y la traición (privada y pública), o bien en la conjunción de los tres. Aunque conviene matizar diferencias de énfasis o intensidad. Los desmanes sexuales están en todo el correr de la vida del Duque: desde el «antes» de la primera escena —el hijo bastardo, Federico, es su consecuencia— hasta el «después» de su unión con Casandra, con amargas alusiones por parte de ésta a su vida licenciosa (vv. 1005-1007). A la hora de ejecutar el castigo, el Duque lo ve (al igual que David) como retribución a su donjuanismo. Su conducta de vicioso solterón funciona a modo de negativa «ejemplaridad» que revierte en la conducta del hijo (vv. 2516-2518). Pero el incesto va más lejos: implica no sólo la usurpación del lecho nupcial del padre, sino también su sustitución; la deposición de su hombría y, en términos freudianos, la castración. Aquí se cumple también la otra «traición»: la privada de Federico frente a la «oficial» por la que es acusado y ejecutado. El padre pasa en breve jornada, como en las tragedias calderonianas, de solterón a casado y de casado a cornudo[54].

La moralidad crítica victoriana condenó con excesivo rigor los desmanes de los amantes de *El castigo sin venganza,* al ver en su «juegos de manos» marcados tintes pecaminosos. La pa-

---

[54] Alexander A. Parker, «The Father-son Conflict in the Drama of Calderón», *Forum for Modern Languages Studies,* II (1966), págs. 99-113; Daniel Rogers, «Tienen los celos pasos de ladrones: Silence in Calderón's *El médico de su honra»*, *Hispanic Review,* XXXIII (1965), págs. 273-289; A. Rothe, «Padre y familia en el Siglo de Oro», *Iberoromania,* 7 (1978), págs. 120-167; y el imprescindible y clásico estudio de Ricardo del Arco y Garay, *La sociedad española en las obras dramáticas de Lope de Vega,* Madrid, Escelicer, 1941.

sividad, en un principio, de Casandra frente a la lánguida melancolía de Federico, perdidamente enamorado (acto II), contrasta en el tercer acto con la agresividad de ésta frente a la distancia que le quiere imponer Federico al planear su desposorio con Aurora. Tal intercambio referencial lo establece también el mito (Fedra e Hipólito). Lo realza el simbolismo del primer encuentro (en las aguas de un río), el distante tratamiento que imponen las fórmulas de cortesía («vos» frente a «Vuestra Alteza»), la ceremonia del «besamanos», los frecuentes abrazos y, finalmente, los besos apasionados (vv. 2074-2077). El caminar de Federico hacia Casandra es lento, pero gradual; el de ésta hacia el alnado más comedido, pese a la frustración que siente como esposa «mal maridada», atendida tan sólo una primera y única noche (v. 1034) por el casquivano Duque[55]. El trazado psicológico de estas relaciones, que se va urdiendo bajo veladas insinuaciones, es magistral. Las analizó con gran sutileza Wilson en un clásico trabajo[56]. La iniciativa en la demanda amorosa por parte del macho corresponde al pudor femenino por parte de la hembra, que se contrarresta, al final, con el allanamiento de las fórmulas de cortesía. Vencidas éstas, la mujer se torna en protagonista en la frontera siempre de una muerte presentida. Y si bien Lope silencia la edad de los amantes en el texto (las notará el espectador sobre las tablas), en Bandello, Casandra figura de quince años; Federico entre dieciséis y diecisiete. La versión española les asig-

---

[55] El motivo de la «bella malmaridada» fue objeto de romances, villancicos y canciones; lo llevó Lope a las tablas en dos reconocidas comedias, *La bella malmaridada*, de 1596 (ed. de Donald McGrady y Susanne Freeman, Charlottesville, Biblioteca Siglo de Oro, 1986), y en la posterior, *La malcasada* (*Ac. N.*, XII), págs. 515-550, escrita entre 1605-1615. En canciones se divulgó el octosílabo «casada soy por ventura, / mas no ajena de tristura». Tanto la canción como la comedia se recogen en *La pícara Justina* al comentarse, «una comedia hicieron los estudiantes en Mansilla [...] La música fue buena, y cantaron el cantar de la bella Malmaridada que fue pronóstico de mis sucesos» (Francisco López de Úbeda, *La pícara Justina*, ed. de Julio Poyol y Alonso, Madrid, Imprenta de Fortanet, 1912, III, pág. 322); Enrique Gastón, «Malmaridadas en Lope de Vega», *Actas de las cuartas jornadas de investigación interdisciplinaria. Literatura y vida cotidiana* (Zaragoza, Universidad, 1987), págs. 131-147; Marsha Swislocki, «El romance de *La adúltera* en algunas obras dramáticas de Lope de Vega: pretextos, intertextos y contextos», *Bulletin of Hispanic Studies*, 63 (julio de 1986), págs. 213-223.

[56] Cfr. [1957], pág. 15; [1959], págs. 303-316.

na entre dieciocho y veinte, respectivamente. El Duque se concibe como hombre maduro, cuarentón[57].

Las referencias bíblicas al incesto, extremadamente grave y hasta inconcebible en la cultura hebrea, son mínimas. Lo condena San Pablo en términos tajantes: «el culpable debe ser entregado a Satán para la perdición de su carne» (1 Cor. 5-13), y especifica que ni siquiera se da esta culpa entre los gentiles. Se prohíbe bajo pena de muerte (Lev. 18, 6-18; 20, 11-21). La relación madre/hijo se establece en el primer acto de *El castigo,* tanto por parte de Casandra (vv. 488-497) como de Federico (vv. 519-521). La última referencia entre madrastra e hijastro, en boca del Duque, se ensombrece de fina ironía (vv. 2575-2578), a sabiendas —acaba de leer la secreta denuncia— de lo acaecido, durante su ausencia, entre hijastro y madrastra. Por otra parte, el motivo del incesto se aminora, dada la no consanguineidad (por *affinitas)* entre los dos amantes. La disposición punitiva sobre las relaciones adúlteras son no menos rigurosas en la tradición hebrea. Sin embargo, son múltiples los casos que se enumeran. Lo que implica la extensión y la frecuencia de la culpa, y la necesidad de legislar sobre el castigo. Pero vayamos al texto de Lope. La acusación que el Duque lee reza:

> Señor, mirad por vuestra casa atento;
> que el Conde y la Duquesa en vuestra ausencia...
> ofenden con infame atrevimiento
> vuestra cama y honor. [...]

La intensidad del adjetivo «infame» expresa la implicación emotiva del acusador ante el *affair,* posiblemente Aurora, o algún otro cortesano. Vio ésta a Federico acariciando con sus labios las mejillas de Casandra (vv. 2076-2077). La única persona implicada en el asunto, tanto desde el punto de vista amoroso como familiar (Aurora es sobrina del Duque y prima, en segundo grado, de Federico), es Aurora. Su nombre se carga

---

[57] Lévi-Strauss escribe sobre la revulsión que sienten la mayoría de las sociedades hacia el solterón. Cfr. *Man, Culture, and Society,* ed. de Harry L. Shapiro, Nueva York, Oxford University Press, 1960, págs. 268-269.

de sugestivo simbolismo. El memorial especifica la jerarquía de los acusados (Duquesa, Conde) y realza, sobre todo, tres términos claves: «mirad por vuestra casa» (v. 2488), «ofenden con infame atrevimiento» (v. 2489) y «vuestra cama y honor» (v. 2489). El honor de linaje («casa») y de jerarquía están en juego. Y lo está no menos «la cama» del Duque. Al concretarse la jerarquía de los amantes, y no el grado de consanguineidad (alnado, madrastra; madre e hijastro) se acentúa la atención hacia el adulterio como «causa deshonrosa», y se pone el énfasis en la otra «traición» (la íntima y privada): la destitución del Duque del lecho conyugal y, simbólicamente, la anulación de su función como marido y como padre. Alvar, contrarrestando el énfasis de la lectura bíblica de A. David Kossoff, resume categóricamente cómo la «tragedia de Lope se configura para que todo se cumpla como un terrible incesto»[58].

El mito de Fedra está también aludido en la versión española de la *novella* de Bandello, como está en su sombra el mito de Edipo y sus complejas relaciones psicoanalíticas. Asocian ambos, al igual que las referencias bíblicas, la anulación del poder reproductivo del Duque. Deriva a su vez en una miríada de símbolos: la vuelta del hijo al seno de la madre, y la muerte de ambos a modo de unión final. Casandra tendría su reflejo en la Yocasta griega de Sófocles; Federico en el Edipo: en la búsqueda de la madre que nunca conoció[59]. Casandra se muestra hacia él atractiva, gentil, condescendiente. En ambos casos se recorre un camino hacia este encuentro que se torna en ritual y no menos en simbólico: Federico sacando en sus brazos a Casandra de las aguas de un río (vv. 340-341). Tal acción adquiere una gran virtualidad polisémica. Establece la configuración de Casandra como madre (vv. 488; 559-560), que se revela, en el nivel del discurso dramático, en el trata-

---

[58] Kossoff (ed.,1968, págs. 30-36); Alvar [1987], pág. 219.

[59] La figura de Casandra aparece en el *Agamenón* de Esquilo. A la Casandra mítica se le atribuyen numerosas profecías sobre el destino de las mujeres troyanas hechas prisioneras con la caída de Troya. Agamenón la mata por celos. Se destaca por su belleza, virginidad y sabiduría. La trae a colación Boccaccio en *De claris mulieribus*, y en el *Filóstrato*, y pasa a ser figura secundaria en Chaucer y Shakespeare («Troilo y Criseida»).

miento de «señora» (vv. 349, 499, 871, 1398), y de «soy vuestro hijo» (v. 402) por parte de Federico frente al «vos» por parte de Casandra (vv. 495-497). Descubre ésta con cautela y aguda psicología los impulsos amorosos de Federico. Frente a la fría incontinencia con que la presenta Bandello, contrasta en *El castigo* (tercer acto) su marcada lascivia. Federico nace ritual y simbólicamente de Casandra (vv. 508-517). Ésta le da forma como hijo (vv. 401-402), y en ella se constituye como amante. Casandra es en este sentido su principio y su forma; su mismo lecho (origen) y su fin mismo (muerte). Es decir, en ella recorre el ciclo vital y literario que va del triunfo a la caída. La referencia mítica a «Sirena» (v. 2016); la tradición literaria que la asocia con Fedra; la comunicación que se establece en términos de «madre» e «hijo», estructuran la base del incesto. Es éste, de acuerdo con Otto Rank, símbolo del impulso creativo. Federico es para Casandra la virilidad que le niega el Duque. En Federico recupera ésta su frustrada maternidad. El motivo tiene un largo recorrido: es tratado en la novela amorosa de Juan Pérez de Montalbán, *La mayor confusión,* en *Los hermanos amantes,* por ejemplo, de Vélez de Guevara[60], y en los *Desengaños amorosos* de María de Zayas.

Ya Sigmund Freud, en *La interpretación de los sueños (Die Traumdeutung),* y en *Totem y tabú (Totem und Tabu),* asentó la primera interpretación psicoanalítica del incesto. Su ejemplo literario fue el *Edipo* de Sófocles[61]. El llamado «complejo de Edipo» conlleva la muerte del padre y la sustitución de éste, como anotamos, por el hijo en el lecho materno de Yocasta. Se opone al complejo de Electra: deseo deliberado de la muerte de la madre y de una relación sexual con el padre. El incesto se constituye, explica Freud en *Totem y tabú* (apoyándose en los estudios de Wundt, quien analiza los ritos y las

---

[60] Otto Rank, *Das Incest-Motiv in Dichtung und Saga,* Leipzig, Franz Deuticke, 1912. Véase en la narrativa amorosa del siglo XVII, *Novelas amorosas de diversos ingenios del siglo XVII,* ed. de Evangelina Rodríguez, Madrid, 1986, págs. 9-69; A. Green, *Un oeil en trop. Le complexe d'Oedipe* (París, 1969).

[61] Sigmund Freud, *Totem und Tabu,* en *Gesammelte Werke,* vol. 9, Frankfurt am Main, Fischer, 1974, pág. 7; René Girard, «Totem and Taboo and the Incest Prohibition», en *Violence and the Sacred,* trad. de Patrick Gregory, Baltimore y Londres, The Johns Hopkins University Press, 1972, págs. 193-222.

creencias de ciertos aborígenes australianos), en tabú. Precede tal ley, continúa, a cualquier creencia religiosa. Está en el origen de la sociedad humana[62]. El «Totem» es el progenitor de la tribu; el espíritu tutelar y protector. Durante la ausencia del Duque —se desplaza a Roma a prestar ayuda militar al Papa de donde vuelve como gran héroe— se infringe el tabú: la relación adúltera e incestuosa entre Federico y Casandra. Al contrario que en *El castigo, Edipo rey* de Sófocles se abre con el incesto ya cometido. Edipo y Yocasta vivieron ambos como marido y mujer, y tienen al inicio del drama varios hijos. Pero como en *Edipo,* la violación del tabú se castiga, de acuerdo con Freud, con la muerte (ejecución) que es ejercida por el mismo tótem (el Rey, el Duque) en forma de venganza. Y, como en Edipo, mientras los personajes tratan más de suprimir o acallar sus impulsos incestuosos, más inevitablemente —*fatum*— determinan su destino. La huida es, paradójicamente, una mutua búsqueda. Las semejanzas son, como vemos, más próximas que las que se puedan subrayar en los *exempla* bíblicos. «Toda la obra no es otra cosa que la angustia de esta tensión patética», explica de nuevo Manuel Alvar. Ya no hay adulterio ni violación, sino incesto de madre e hijo[63].

Todo impulso inconsciente hacia la unión incestuosa, explica Freud, se reprime por su carácter prohibido. Pero tanto el impulso como la prohibición están latentes. El primero (el deseo de la unión sexual), como sublimación del placer; el segundo, como prohibición. De no existir ésta, es decir, de no ser tabú, el impulso se manifestaría en el consciente y en la ac-

---

[62] Lévi-Strauss, *Les structures élémentaires de la parenté* (París, 1949), pág. 606.

[63] Alvar [1987], pág. 219. *Las siete partidas* definen el incesto de la siguiente manera: «Un pecado que llaman en latín *incestus,* que quiere decir tanto como "pecado que ome faze yaciendo a sabiendas con su pariente, o con pariente de su muger, o de otra con quien huviese yacido, fasta el cuarto agrado; o se yoguiese alguno con su madrastra, o con su madre, o fija, o con su cuñada o con su nuera, o si alguno yoguiese con su muger de Orden o con su fijada o con su comadre".» Como se ve, hasta el «cuarto grado» de consanguinidad es uno de los casos de incesto punible. La prohibición del incesto (véase el derecho canónico) se extendía a tener relaciones con aquellos familiares con los que era ilegal contraer matrimonio. Incluía a los primos carnales, si bien éstos podían estar dispensados por la Iglesia. El derecho canónico considera tanto las prohibiciones como las excepciones.

ción. Entre el impulso y la prohibición (la llamada «psicomaquia» o lucha interior) se sitúan, simbólicamente, las formas de cortesía entre Federico y Casandra, las furtivas miradas, los modales, los gestos (se ha hablado de una «retórica oblicua») que se rompen con la consumación sexual. La progresión hacia este clímax es digna de destacar. Federico besa tres veces la mano de Casandra. Al principio, como signo de respeto y sumisión hacia la dignidad jerárquica que ésta representa. Sirven los besos «destos vasallos ejemplo» (v. 875). El segundo beso (vv. 876-878) viene a ser un signo de obediencia al Duque («a quien respeto»). El tercero se constituye en reprimido placer, ya «que la que sale del alma / sin fuerza de gusto ajeno, / es verdadera obediencia»[64]. El final abrazo de Casandra se torna, literalmente, en firme «cadena» (vv. 887-888). Tales imágenes —abrazos, cadena— están extensamente aludidas en el texto (vv. 340-341; 538-539; 556, 570, 774). Y como vimos, la final comunicación a través de las manos va cargada de «gusto ajeno». Otra serie de imágenes, con una rica tradición en el bestiario medieval, apura al máximo la *hybris* de este *ménage à trois*. El Duque se describe como león (de la Iglesia, del Estado, v. 2397); como «perro» (v. 2737), por traición a Casandra. Es gran guerrero, equiparable a «Aquiles» (v. 2126), a Héctor (v. 2409). Es indomable caballo; «potro salvaje», por usar el «término casto», indica Casandra (v. 1359), obvio eufemismo que oculta una descarnada alusión erótica. Federico lo califica de «vicioso padre» (v. 291). La sublimación del amor que Federico percibe como imposible se devela en las imágenes míticas en torno a Faetonte (vv. 567-569), Ícaro, al astuto Sinón y Jasón (v. 1474), al Pelícano (vv. 1510-1513). Federico es calificado de ser «más traidor que el mismo Ulises» (v. 2042). Batín lo compara con Paris, cuyo amor por Helena atrajo la ruina del reino (v. 1744). Y es calificado también de traidor por el mismo Duque (vv. 2522, 2613, 2999), por lo que tal calificativo adquiere dobles connotaciones. Del mismo modo, Casandra, dado el poder irreprimible de su pasión (vv. 1474-1477), es el mítico Argos; es Circe (v. 2138)

---

[64] Geraldine Cleary Nichols [1977], pág. 227.

46

y es, como vimos, Sirena (vv. 2016-2019). Es también la mítica Helena (v. 643), cuya belleza acarreó la ruina de Troya. Y es, sobre todo, la Casandra mítica cuyas calamitosas profecías (sus quejas contra el Duque) nunca fueron escuchadas (vv. 1136-1137; 1978-1980; 2026, 2287-2288). Rotundamente se niega a ser silla, escritorio o retrato (vv. 1064-1067); función o utensilio. Pasividad, adorno u objeto.

En el contexto de la cultura que Lope representa se le hace intolerable a un hombre, consagrado como mujeriego, que su mujer le ponga los cuernos. Se agrava si el acto procede del propio hijo, y si el cornudo representa la máxima categoría política y social. Dentro de tales estructuras, el Duque castiga como juez a su hijo; pero como hombre el veredicto (ahora vengativo) cae también sobre Casandra. Todo se cruza en un juego abismal de motivos, terriblemente humanos. «Homo sum», podría exclamar el Duque, en frase de Terencio, «humani nihil alienum puto» *(Heautontimorúmenos)*. También están como claves recurrentes (o *topoi)* la propia *poiesis* de Lope: cancioneros del siglo xv en forma de glosas, cuentos folclóricos incrustados, fábula esópica, rivalidades literarias, posible trasfondo histórico —lejano o próximo— y un lío de vivencias personales y autobiográficas. Se revelan éstas en las simpatías no acalladas —vividas en propia carne— que siente Lope hacia la mujer adúltera, sexualmente insatisfecha, casada por conveniencias políticas, extremadamente bella, pero desdeñada. Batín exclama: «¡Qué bizarra es la Duquesa!»; «No he visto mujer tan linda» (vv. 623, 630). Frustrada ante el «vicioso» Duque (v. 291), busca otro amante que la atienda y cobije. A su lado tiene Lope a Marta de Nevares cuyas relaciones rompieron toda moral (se lo recordaron con frecuencia sus enemigos), y las lejanas con Elena Osorio, de la que se vio abruptamente desplazado por intereses económicos. La villana del prostíbulo tiene en Cintia un eco muy cercano en *La Dorotea*[65], obra que

[65] Cfr. Alan S. Trueblood, *Experience and Artistic Expression in Lope de Vega: The Making of La Dorotea*, Cambridge (Mass.), Harvard University Press, 1974, págs. 266-323, y la contralectura («la otra ladera») en Francisco Márquez Villanueva, «Literatura, lengua y moral en *La Dorotea*», en *Lope de Vega: vida y valores,* Río Piedras, Puerto Rico, Editorial de la Universidad de Puerto Rico, 1988, págs. 143-267.

a la hora de salir *El castigo* está Lope a punto de rematar. Y lo tiene en la calleja en la que se ubican las mancebías y hasta en los individuos que las frecuentan.

Tanto la referencia bíblica como la cultural o mítica no funcionan, en el pleno sentido filológico, como «fuentes» de la «tragedia» de Lope. Están en el relato de *Historias trágicas exemplares,* al que Lope alude en *Novelas a Marcia Leonarda,* y están en la misma inmediatez teatral: desde Tirso a Calderón. Tales referencias —la única fuente es el Bandello libremente acomodado al lector francés, y traspuesto como «exemplar» (con obvias consecuencias para Cervantes)— no cubren todo el andar de la obra. Su misma coherencia dramática se podría cuestionar al relacionar el primer cuadro como obvia controversia literaria frente al siguiente (la ribera del río), ambos dentro del primer acto. Se tiende, a veces con impertinencia, a ver detrás de toda obra clásica o maestra *(El castigo sin venganza* lo es) una mina casi irreductible de textos que se supone que el dramaturgo, con asombrosa erudición, leyó, consultó y finalmente asimiló. Gran proeza sería la de Lope, capaz de alternar extensas lecturas en busca de argumentos con la prolífica creación lírica y dramática que raya en el desmayo. Y no olvidemos su extensa obra en prosa. Lo que anularía la declaración «En horas veinticuatro / pasaban de la musa al teatro»: los tres días para *La noche de San Juan;* las seis semanas para *El castigo.* El genio literario trabaja (ignora a veces el erudito) a golpe de intuiciones, de furor imaginativo que surge con frecuencia de una anécdota escueta *(Bodas de sangre* de Lorca viene al caso)[66], bien leída, comentada u oída. Los medios de comunicación son prolíficos: cultura popular, folclore, comentario que se hace en la academia literaria, chisme oído en una esquina, en medio de la plaza, reyerta literaria, envidias; o un ardiente deseo de figurar, de estar siempre en «cartel». Y no menos, obviamente, el relato leído, contado o declamado. A fuerza de imaginación e inventiva verbal se cubre de jugosa carne el hueso limpio del relato. A veces se contiene en un

---

[66] Carlos de Arce, *El crimen de Níjar: el origen de Bodas de Sangre,* Calella, Seuda, 1988.

par de líneas, en un breve párrafo. *El castigo sin venganza* se fue haciendo como discurso dramático y, al igual que *La Dorotea* (5, 1), a base de muchos borrones. Las tachaduras que presenta el manuscrito son múltiples; la mayoría, como ya observamos, propias. Éstas se constituyen no menos en «fuentes». La caligrafía tachada delata unas huellas (un pre-texto) que es superpuesto por otro (texto). En la búsqueda de ese inicio —*beginning*— se tienta el proceso creativo del dramaturgo. Convoca en la combinación y alteración de los signos la verdadera «fuente» del texto. Se visualiza la palabra como connotación, dentro del paradigma que la enuncia, y como representación plástica y activa en la voz del personaje que la declama ajustada al código de un lenguaje continuamente situacional. En palabras de Paul Julian Smith, «there can be no possibility of acces to "authentic" or "primary" text, for any printed version of a comedia will be to some extent a palimpsest, bearing the trace of radical emendations at each stage of the dramatic process»[67]. De ahí la relatividad de toda edición de *El castigo sin venganza* que se califique de «crítica». Ésta debiera simultanear, en doble o triple columna, tanto las varias versiones finales como las «otras», las tachadas o enmendadas.

## UNA POÉTICA PARA «EL CASTIGO SIN VENGANZA»

*El castigo sin venganza* se ha leído también a partir del tema del honor, de la coherencia psicológica y moral y que refleja el entramado espacial entre personajes y acciones; como figuración emblemática de la llamada ideología barroca, y hasta como resultado, como vimos, de una polémica con el gongorismo cuyo frente principal fue Pellicer. Lo que más arduamente se ha cuestionado es la personalidad teatral del Duque como figura trágica. Así la vio Alexander A. Parker, en oposición, por ejemplo, a Arnold G. Reichenberger, quien indica que Lope desaprovecha «the tragic potentialities in the character of the

[67] Paul Julian Smith, *Writing in the Margin: Spanish Literature of the Golden Age*, Oxford, Claredon Press, 1988, pág. 128.

Duque»[68]. Pedro Vargas Machuca, el primer lector y crítico del texto, había definido *El castigo* como «trágico suceso», en obvia alusión a sus fuentes. Y de «tragedia» caracteriza la obra Lope; insiste tres veces, como hemos visto, en dicho término. Si el arrepentimiento del Duque es sincero, el reverso de la situación, vuelto de Roma, unifica el clímax de su triunfo como caudillo militar frente a la destrucción moral con la que se enfrenta: como figura del *pater familias* deshonrado. Roma actúa como espacio simbólico del nacimiento del «hombre nuevo»: padre, esposo, jefe de Estado. Su primer acto será atender las peticiones de sus súbditos; es decir, gobernar prudentemente. Lo indica Ricardo: «con que ha sido tal la enmienda / que traemos otro Duque» (vv. 2356-2357). En versos más adelante expresa de nuevo: «el Duque se ha vuelto humilde, / y parece que desprecia / los laureles de su triunfo» (vv. 2369-2371). Lo que responde a una primera decisión que no cumplió, de acuerdo con lo expresado en el acto I: «todo lo pondré en olvido» (v. 173).

Desde esta presencia central del Duque se ha leído, pues, *El castigo sin venganza*, y se han pospuesto las otras dos figuras (Federico y Casandra) a un segundo plano. Tal entrelazado, triple, es difícil, creemos, de separar. Sin el *love affair* y sin la previa caída de Casandra no habría tragedia, como tampoco la habría sin las desmesuras e imprudencias del Duque: sin la soledad a la que somete a Federico, solo con Casandra en palacio, o sin la indiferencia y frialdad del jerarca hacia ésta. El Duque se debate, en admirados soliloquios, para conciliar la ley del honor, escindido entre la función de juez, jefe de Estado y padre. En la misma soledad se debate Federico intentando refrenar un amor que prevé en principio como imposible. Y al mismo dilema se enfrenta Casandra, consciente de la violencia que acarrea la ruptura de la castidad matrimonial. Pero el Duque es autor de su propio destino. Por el contrario, a Federico y Casandra se lo impone un mal juego del hado: una caída y un encuentro fortuito. Adquieren éstas señaladas connotaciones simbólicas y trágicas.

[68] Reichenberger [1959], págs. 303-316; Parker [1959], págs. 42-59. Sobre las lecturas críticas anotadas, véanse Menéndez Pidal [1958], págs. 123-152; Alonso [1962], págs. 193-218; May [1960], págs. 154-182; Kossoff (ed.) [1968]; págs. 28-38; Dixon [1973], págs. 63-81, entre otros.

La posición que representa el Duque, y la caída vertical que sufre, lo constituyen con pleno derecho, y en contra de la opinión de Reichenberger, en figura trágica. Su donjuanismo destruye una estructura familiar y expone en el proceso la fragilidad propia de la condición humana. En su recorrido se exhibe un agradable vivir (valga la redundancia) que revela al espectador la fragilidad de la condición humana. A la caída final (acto III) se llega bordeando, metafórica y literalmente, el límite del ser humano. Se instaura en su mismo borde. Se revela a base de círculos y contradictorias polaridades: la muerte concebida en la sublimidad del éxtasis amoroso; la naturaleza desplazada por los rígidos códigos que impone la cultura; la oposición entre civilización («castigo») y salvajismo («venganza»); entre historia y ficción; representación y metarrepresentación. *El castigo sin venganza* impone como lectura crítica un sistema de relaciones en el que ni lo simbólico ni lo real se dan como significados absolutos, primarios. La figura central se sitúa en un punto en donde converge un sistema de dualidades y opuestos. Dramatiza una serie de actitudes básicas que definen el conflicto de la existencia humana[69]. Asume ésta atributos simultáneamente contradictorios: el inmoral don Juan frente al nuevo hombre arrepentido; la vuelta y aclamación del héroe (Roma), coronado de laureles frente a la derrota íntima, moral y social (palacio de Ferrara). El héroe trágico se halla suspendido en un espacio de opuestos que instaura, pues, la propia naturaleza: en esa media frontera entre un estado civilizado que impone un castigo aparentemente digno, pero que lo desencadena una conducta inmoral; pública (Duque) y privada (Federico y Casandra)[70]. En las posibles correspondencias del título (la «sin venganza» pública frente a la rabiosa vindicación en privado), caben también

[69] Charles Segal, *Tragedy and Civilization: An Interpretation of Sophocles*, Cambridge (Mass.), Harvard University Press, 1981, págs. 10-21.
[70] Cfr. Wardropper [1987], págs. 191-205.

otras lecturas críticas. La verdad tiene varias voces. Se sitúa en diferentes espacios; con diferentes ritmos, acciones y hasta enunciaciones estróficas.

Diríamos que el primer cuadro de *El castigo sin venganza* le sería familiar al espectador del siglo XVII: un Duque embozado, jefe de un importante Estado, sale acompañado de sus criados (Febo y Ricardo). Ronda las mancebías, a modo de frenética despedida de solterón, la noche antes de su desposorio. Busca al alimón prostitutas (Cintia) y mujeres casadas[71]. La capa negra bajo la que esconde su figura se extiende, metafóricamente, a la noche que encubre sus acciones, y a la versión oficial del castigo que oculta el verdadero motivo de la «sin venganza». La capa nocturna —la noche— tiene su correspondencia en el microcosmos individual que representa el Duque[72]. Se dobla también, como engaño, en la cobertura que arroja sobre el cuerpo desmayado de Casandra, al final del tercer acto (vv. 2942; 2993-2995). Federico la atraviesa con su espada desconociendo la identidad del anónimo bulto. En el claro oscuro de la silueta del Duque se augura, en el primer cuadro, el *fatum* trágico que desencadena su nocturno deambular. El adulterio de la mujer casada frente al cornudo «maridillo» (vv. 39-40) que la consiente, se invertirá en las acciones de Federico y Casandra frente al Duque (también marido cornudo) que las motiva. Un complejo sistema de simetrías y paralelismo en oposición, de ambigüedades y correlaciones, se establecen como *poiesis* dramática. Se doblan en una re-

---

[71] Véase, por ejemplo, Calderón, *El médico de su honra;* Lope de Vega (atribuido), *La estrella de Sevilla;* van Dam (ed.) [1928], págs. 112-114. Las opiniones divergen, como se ha visto, a la hora de calificar la conducta del Duque. Para Pring-Mill [1961], págs. xxxiv-xxxv, es un «monstruo y un bárbaro»; «de feroz sangre fría» lo califica E. M. Wilson [1963], págs. 295-296, pues se satisface contemplando la muerte de Casandra. Más radical y aún más extremo es May [1960], pág. 154, para quien el Duque es «vicious, tyrannical and pompous, undergoes a conversion in which it is impossible to believe». Sin embargo, para Meier [1948], la acción del Duque casa dentro de su función de *pater familias.* Más equilibrada es la opinión de Kossoff (ed.) [1968], pág. 31: «[...] es absurdo tratar al Duque como a un monstruo; el hijo le traiciona con su mujer y antes había descubierto su despecho por haber perdido el derecho a la sucesión»; Geraldine Cleary Nichols [1977], págs. 209-214.

[72] John Varey [1987], 223-239.

currencia de referencias y acciones (primer cuadro, último cuadro), tanto textuales y espaciales como simbólicas.

Pero vayamos más lejos. La «capa» del Duque encubre, pues, una identidad que metafóricamente revierte en el título de la obra y en la versión oficial que motivó la «causa» del castigo. Tales referentes, aparentemente dispares, constituyen todo un sistema de estructuras y simetrías que se intercambian simultáneamente. Polarizan incluso la versión del castigo: la que queda escrita en los anales del ducado frente a la representada, durante la ausencia del Duque, por Federico y Casandra. La causa del castigo —su historia— la sostiene la denuncia escrita que el Duque ficcionaliza al ejecutar a los dos amantes por causas que, sutilmente, imagina y representa ante los cortesanos. Éstos actúan como espectadores de un engaño: el del castigo y el de la propia causa. El engaño inicial («capa», «noche», «sombra») se dobla así en el final en donde lo aparente se impone como real y lo fabulado como histórico. Federico atraviesa el bulto de Casandra (vv. 2972-2973) creyendo que oculta al «conjurador» contra el Duque. Éste pidió que lo ejecutara como símbolo de lealtad. Al descubrir el «engaño», paga con su muerte el otro «engaño». El Duque clama ante sus cortesanos que Federico mató a Casandra, «no más / de porque fue su madrastra, / y le dijo que tenía / mejor hijo en sus entrañas / para heredarme» (vv. 2982-2986). Parentesco («madrastra») y celos («mejor hijo») son los motivos que, de acuerdo con el Duque, movieron a Federico a matar a Casandra. R. D. F. Pring-Mill lo expresó en apretado conceptismo: «Federico is punished for a crime he did not commit in revenge for a crime which he did»[73]. Constituye parte de la ironía trágica que caracteriza *El castigo:* la diferencia entre lo que sabe y presencia el espectador, y lo que desconoce, oculta o tergiversa el personaje central. Instaura una lectura de doble filo. Oculta la verdad de un hecho acaecido y justifica el castigo con un pretexto imaginado. Se castiga así públicamente, y en silencio, la doble traición. Es la regla que impone un grave caso de deshonor: el poder manipula cínicamente el cierre o final.

[73] Pring-Mill [1961], «Introduction», págs. xxxiii-xxxiv.

El Duque esconde su «figura» (acto I), los actos de Federico y Casandra que revela la acusación escrita, y su propio «deshonor» al alterar los motivos del castigo. La «linda burla» que abre la obra como gesto (v. 1) se desplaza, en el final de la acción, como remedo trágico. Se complementa con el cuerpo cubierto de Casandra, y con los últimos versos con que Batín cierra la acción: «Aquí acaba, / senado, aquella tragedia / del castigo sin venganza, / que siendo en Italia asombro, / hoy es ejemplo en España» (vv. 3017-3021). En el juego de los tres términos establece también la figuración irónica. Es significativo que Batín, el gracioso, cierre la obra; pero aún más que la defina como «aquella tragedia / del castigo sin venganza». Pero tanto el Duque como un buen número de cortesanos conocen las otras «causas» del «castigo». Las conoce el anónimo autor de la denuncia; también Aurora, testigo de la escena amorosa entre Federico y Casandra (vv. 2039-2077), y también su confidente, el marqués Gonzaga, lo mismo que los confidentes de Federico (Batín) y Casandra (Lucrecia). Sospechoso ante el resto de los cortesanos fue el estado melancólico de Federico, que se complementa con la insatisfacción sexual de Casandra —sus quejas—, cuya cama el Duque tan sólo visitó el día de sus bodas (v. 1034). El caso de «deshonor» es, pues, un secreto a voces. Y es irónica la acusación «oficial» que el Duque anuncia ante sus cortesanos —una rebelión inventada— y que justifica el cruento castigo. Los celos que el Duque asocia a Federico ante el nuevo heredero son, al igual que las conjuras del «anónimo bulto» (bajo él Casandra), otro engaño. Tal heredero tan sólo podría ser hijo de Federico. Padre (Duque) e hijo (Conde) se invierten como «dobles». Federico, al ejecutar a Casandra, daría muerte, de acuerdo con la falsa acusación del Duque, a su propio hijo. Precluye con tal acto su propia muerte como hijo del padre que lo manda ejecutar. Y el hijo simbólico (sin nacer) sería doble del «real» (ambos «bastardos»): éste de la figura del padre al desplazar al Duque (la verdadera «conjuración») de su lecho nupcial.

La sustitución del Duque por el Conde en el lecho de Casandra conllevó la sustitución de la madrastra y esposa por la amada. En escena Federico ejecuta, sin saberlo, a la primera. Y él muere, vengativamente, por la usurpación de la segunda.

Se distorsiona del mismo modo la ejecución de la justicia que parece aplicarse por causas aparentemente verdaderas. El «maridillo» inicial (cornudo) se complementa, si bien en diferentes niveles, con el final (el Duque), al igual que se complementa, metafóricamente, la muerte de la madre y de la esposa (acto I) con la de la amada (acto III). El Duque da muerte, real y simbólicamente, a todas las funciones que representa Casandra: madrastra, madre putativa, esposa, duquesa, amada incestuosa. Con Federico muere el «hijastro», pero sobre todo el «amante» adúltero: el hijo (bastardo) del Duque; en menos grado, el Conde. El engaño se dobla, pues, como acción teatral, como referente social, político y hasta filosófico. Pervierte la jerarquía del poder, de la palabra (versión oficial frente a acusación privada), y de la acción. El castigo revierte, paradójicamente, sobre quien ordena la ejecución.

Los motivos «privados» del castigo conllevaban lesa penalidad. La «publicidad» de la afrenta, considera el Duque, doblaría aún más (hijo y esposa) la infamia cometida. La razón pública de la muerte de la primera víctima responde a motivos políticos («conjuración»); la de Federico, a causas criminales; por una doble traición: la aparente (pública) y la real (privada) (vv. 2697, 2700, 2992). La ejecución se establece, pues, a base de dos acusaciones aparentemente falsas. Federico, al desplazar al padre del lecho materno (adulterio, incesto), usurpó su cargo político y el Estado que preside. La traición pública, tanto de Casandra (verso 2994) como de Federico (v. 2999), tiene su contrarréplica en la privada (adulterio, traición). Del mismo modo, la «sin venganza» oficial se contrapone con la «venganza» privada. El castigo que trama el Duque es político; el que se representa y siguen los espectadores (dentro y fuera de las tablas) es moral: el honor de un jefe de Estado que exige silenciar la afrenta cometida en privado. Ésta se hila como un caso extremo de amor que da en trágica muerte. La dialogía se establece, pues, a partir del epigramático título: un «castigo» que se aplica públicamente como transgresión política, cuando lo que se ventila es, en verdad, un caso de honor que atañe a un jefe de Estado. Éste actúa públicamente como juez y jefe; pero en privado como padre, marido y hombre. La inversión «con venganza» / «sin venganza» implantaría la figura del padre y la del hombre a la cabeza del sistema jerárquico ya con raíces en Bandello. Recordemos cómo la «novella» dio en historia trágica (versión francesa) y, finalmente, en «historia trágica exemplar» (española). Lo que la tradición constituyó como «asombro» dio en Lope en «ejemplo» gráfico.

La falsa versión del castigo oculta el deshonor del Duque[74]. Éste se sitúa en un espacio interior: en el «adentro» que le impone la ceguera de sus propias acciones. Por el contrario, el resto de los personajes, a excepción de Federico y Casandra, trasponen el «afuera», y son a la vez personajes y espectadores en la representación que arma el Duque ante sus cortesanos. La comedia representada en el cuadro del primer acto, en la que el Duque se oye aludido en sus acciones, tiene de nuevo correspondencia con la escena dentro de la escena del cuadro final del tercer acto. Imita y a la vez falsifica las razones que originaron su trazado. Desde este punto de vista se invierte fácilmente el paradójico título de la obra que es no menos cierto como engañoso. Las razones públicas del castigo (las «falsas») las dictamina la justicia; las privadas («verdaderas») una terrible venganza. Se ventilan no tan sólo los engaños trágicos del Duque, la fortuita caída en el amor del Conde y Casandra, sino incluso un irónico juego de disyunciones: un castigo oficial que se declara «sin venganza», frente al privado que da en feroz vindicación. La historia es manipulada por la ficción; la representada *(mimesis)* por la fábula *(poiesis)* que la jerarquía política, imaginativamente, impone y presenta ante sus cortesanos. Toda lectura crítica se instaura en ese reencuentro continuo, y hasta dialéctico, entre el que escribió la acusación (adulterio, incesto, lesa traición), su primer lector (el Duque), la presentación de las «causas» y la ejecución final del castigo: el imaginado frente al real. El Duque actúa aquí como autor teatral, en su doble función de personaje fuera y dentro de la propia representación.

La falla trágica del Duque no es tan sólo moral, como apunta Alexander A. Parker; es política (imprudencia) y hasta

[74] Julio Caro Baroja, «Honor y vergüenza», en J. G. Peristiany *et al.* (eds.), *El concepto del honor en la sociedad mediterránea*, Barcelona, Labor, 1968, págs 77-94.

ontológica (ceguera crítica). Pone en movimiento acciones y versiones cuyas secuencias causales es incapaz de controlar o juzgar. La imprudencia caracteriza a todo mal gobernante. Se extiende a la maquiavélica manipulación de hechos y acciones y a la misma versión escrita en los anales del estado de Ferrara. La «capa», lo mismo que la «linda burla» que abre la primera escena, funciona a modo de extenso emblema. Delatan el doble sentido: distorsionar las «causas» de un castigo al proclamarlo (ya a partir del título que anuncia la representación) como «sin venganza». Sobre tal sintagma recae la atención del espectador, capaz de juzgar irónicamente las paradojas del rótulo al final del tercer acto. El Duque vivirá en la mente de los espectadores, ya fuera de las tablas y concluida la tragedia, enajenado por las otras «causas» con las que tiene que vivir, amargamente, en privado. Falto de heredero, entregará en manos de sus vasallos su Estado, lo que quiso evitar con su casamiento. Erró al forjarlo por conveniencias políticas. Aquí se cumple también la otra venganza. Su único apoyo es la misericordia divina que él mismo impetra para su hijo antes de ser ajusticiado. Su soledad es personal, familiar y hasta metafísica: solo consigo mismo y a la vez ausente de los otros. La otra, que se abre con una «linda burla» (decepción cómica), y con un Duque enmascarado, da fin con otra doble decepción, ya terriblemente trágica[75].

Si el honor es el gran tema de *El castigo*, éste se supedita invariablemente, como apunta Parker, a la acción. Siempre partiendo de que el Duque sea la figura más relevante, y de que Casandra y Federico ocupen un segundo plano. Si alteramos el orden del binomio —aquí el énfasis en la representación también tiene la palabra—, o si se establece una dinámica relación alterna entre las tres figuras centrales[76] (Duque, Federico, Casandra), la proposición previa (el honor como lectura privilegiada)[77], pierde parte de su validez crítica. El mismo tí-

[75] Varey [1987], págs. 223-239.

[76] Varey [1987], pág. 239, propone cuatro personajes centrales: el Duque, Casandra, Federico y Aurora.

[77] Véase el amplio estudio de R. Larson, *The Honor Plays of Lope de Vega*, Cambridge (Mass.), Harvard University Press, 1977; en concreto lo que se refiere a *El castigo sin venganza*, págs. 131-158.

tulo de la obra da la clave para otra lectura aún más elemental[78]: la fundada en el ritual que implica la violencia y que delata el término «castigo», y la preposición «sin» (o «con») «venganza». La disyuntiva devela de nuevo un orden paradójico. Es decir, un castigo que, como vimos, no es (y es) vengativo a la vez. Es cierto que el Duque no es instrumento directo de la ejecución, pese a lo establecido por el código del honor[79]. Quien ejecuta a Casandra es, como ya indicamos, Federico; a éste el marqués Gonzaga, su rival por la mano de Aurora. Pero la versión «sin venganza» la impone el poder político y social que ejerce el Duque sobre sus súbditos: los espectadores. Controla así la violencia que de ser instituida por él mismo tendería a ser cíclica. Como juez y jefe político somete el acto del castigo a una decisión procesal que avala el canon jurídico. Dirime éste a quien castiga u ordena la ejecución:

> DUQUE          Cielos,
> hoy se ha de ver mi casa
> no más de vuestro castigo.
> Alzad la divina vara.
> No es venganza de mi agravio,
> que yo no quiero tomarla
> en vuestra ofensa, y de un hijo
> ya fuera bárbara hazaña.

---

[78] El primero en aludir a la posible reversión del título fue J. L. Klein, *Geschichte des Dramas*, X, *Das spanische Drama*, III, Leipzig, Weigel, 1874, que cita Jones (ed.) [1966], pág. 9. Posteriormente Menéndez Pidal [1958] sugirió que tal vez el título inicial pudo ser la «venganza como castigo». Wilson [1963] apunta a la glosa «castigo divino, no humana venganza», al igual que Parker [1959] y Dixon [1973] aluden a otra variante: *El rigor sin templanza. La venganza sin castigo (La vengeance sans chatiment)* fue, indica van Dam [1928], págs. 48-50; 93, el título de la traducción de la obra al francés.

[79] García Valdecasas [1958], pág. 176, apunta que la ley del honor exigía que el mismo ofendido se tomara la venganza por su mano. Contra tal opción se declara Lope en *Novelas a Marcia Leonarda*: «Y he sido de parecer siempre que no se lava bien la mancha de la honra del agraviado con la sangre del que le ofendió, porque lo que fue no puede dejar de ser, y es desatino creer que se quita, porque se mate al ofensor, la ofensa del ofendido: lo que hay en esto es que el agraviado se queda con su agravio, y el otro, muerto, satisfaciendo los deseos de la venganza, pero no las calidades de la honra, que para ser perfecta no ha de ser ofendida» (ed. de Francisco Rico, Madrid, Alianza Editorial, 1968, pág. 141).

Éste ha de ser un castigo
vuestro no más, porque valga
para que perdone el cielo
el rigor por la templanza.
Seré padre y no marido,
dando la justicia santa
a un pecado sin vergüenza
un castigo sin venganza.

(vv. 2834-2849).

La figura dramática del Duque de Ferrara es compleja y sinuosa; uno de los personajes más elusivos del teatro clásico español. Sus andanzas sobre las tablas, desde la apertura de la primera escena hasta el final, hilan una secuencia de motivos dispares: arrogancia, engreimiento e interés político (acto I), conveniencia y acomodo social, mediación y triunfo militar (acto II) y, finalmente, vuelto de Roma, revelación *(anagnorisis)*, consideración de la justicia, castigo y tragedia (acto III). Probamos ya en otra ocasión (1990, 1991) la constitución trágica del duque de Ferrara, y los múltiples reveses o peripecias que iban conformando su carácter: engaños, ocultaciones, ambigüedades, encubrimientos, ceguera, manipulación de los hechos acaecidos o representados en escena. Mantienen correspondencia con espacios o ámbitos dramáticos (externos e internos; públicos y privados), con la causa del castigo (la ficticia frente a la real), ajeno éste a toda fuerza o pasión vengativa. El final impone la disyuntiva entre la historia de los hechos —lo que aconteció en palacio—, y la metahistoria de lo contado: la deliberación y razón del castigo, y la versión oficial frente al desenlace. Se impone lo que deber ser (el castigo ejemplar) frente a lo que fue (la venganza por el deshonor). Las correspondencias simétricas son múltiples. El Duque que sale enmascarado en el primer cuadro («Debajo de ser disfraz / hay licencia para todo», expresa Ricardo, vv. 5-6) es el mismo que enmascara ante el espectador el final de la tragedia y sus propios hechos. Los hechos de la «madre» y las «niñas» de los primeros versos (vv. 61-62) se transfieren a los de Casandra (su mujer) en la tercera jornada, donde el Duque recuerda «que aquéllas eran amigas, / y Casandra es mi mujer» (vv. 2514-2515).

La dualidad implícita en el personaje está ya presente en el primer cuadro (I): el gobernante que sale disfrazado en busca de la opinión pública frente al libertino en rondas amorosas (Varey [1987], págs. 223-239)[80]. El ser individual se disocia del social, indica González García (1993, pág. 18), el jerarca del galán disfrazado. Del mismo modo se alternan dos espacios escénicos y sociales: el palacio frente a la calleja. Tal dualidad pulsa todo el vivir del duque de Ferrara. En el antes del contrato matrimonial están Cintia y otras numerosas «mujercillas»; en el después, Casandra, destinada a ser esposa por conveniencias y arreglos políticos entre el duque de Ferrara y el de Mantua. El espacio fragmentado del inicio conjura la desarmonía cósmica. Pasamos del espacio urbano (calle) al *amoenus*, del natural al simbólico: el encuentro de Federico con Casandra en el margen de un río. Aquí se conjura el tópico del amor como destino (Parker [1957], pág. 161), en radical contraste con el mercantil de las callejas. El encuentro fortuito de Casandra con Federico, causado por el carruaje que se vuelca, la caída, la llegada providencial del Conde, que saca en brazos del agua a Casandra (Wardropper [1987], págs. 191-205), determinan también la imposición del hado trágico. Define un amor natural lleno de dilemas psicológicos y no menos políticos. Se preconiza ya la presencia de la muerte, negados los amantes a toda posibilidad de recobro. El Duque, mientras ronda las callejas de su Estado, oye voces que llegan desde su interior (actores que representan una comedia); Federico oye las voces de una dama (figura de la Sirena mítica, vv. 340-357) cuyo encanto le es imposible rechazar.

[80] El encuentro de Federico y Casandra en las aguas de un riachuelo, el reflejo de ambos en la parte más honda en la que vuelca el carruaje, en un recodo sombrío, el recobro del cuerpo de Casandra a punto de perecer ahogada, en brazos de Federico, asocia el mito de Narciso y la caída fortuita con el objeto del deseo. La fusión simbólica y mítica preludia la dramática e incestuosa. Porque el incesto, en ese impulso de unirse con el otro, siendo éste parte de uno mismo, es a su modo una contemplación narcisística. Viéndose como otro se crean imágenes de sí mismo, del mismo modo que se recrean en el reflejo de las aguas de ambos amantes. Quien se contempla a sí mismo funde su yo con el objeto contemplado: su propio cuerpo fundido simbólicamente, en este caso con el de Casandra, aniquilándose ambos en el reflejo mutuo: el uno en el otro. La endogamia es una forma de acumular y fortalecer el poder.

Tales disyuntivas y contraposiciones aparejan otras seme-jantes. Delinean la compleja constitución de los otros perso-najes de esta tragedia: Casandra como esposa desdeñada; Fe-derico como heredero desplazado, hijo bastardo del Duque e hijastro de Casandra. Dan forma a un complejo sistema de emociones y de pareceres contrastados. Si el matrimonio del Duque se ve como grave yerro («y fue casarme traición / que hago a mi propio gusto», vv. 667-668), acertada es la petición de Aurora quien pide al Duque que la case con Federico. Sus relaciones han sido extensas: se conocen desde niños. Expre-sa ésta: «Una ley, un amor, un albedrío, / una fe nos gobier-na, / que con el matrimonio será eterna» (vv. 718-720). En el acto II, el Duque aparece como personaje triplemente escin-dido: entre las callejas que vuelve a visitar, el palacio donde convive con la esposa que desdeña, y la llamada a la guerra convocada por el Papa. Al cortesano galán se añade la figura del militar. Su alianza con Roma, de donde vuelve converti-do en victorioso Marte, la vuelta a su ducado decidido a po-ner en orden su vida y su Estado (como esposo y como gober-nante), intensifican la ironía trágica. Configura al aristócrata frente al galán difrazado. En el cenit de su triunfo se perfila el agravio y la destrucción de su Estado. Y Casandra vive escin-dida entre las exigencias sociales (ante las que no claudica), y la pasión natural de un amor que abraza como frustración y como venganza por el que le han negado.

## La ironía trágica de «el castigo»

No es el castigo oficial el que causa la conmiseración y la piedad de los espectadores; más bien la razón privada que da muerte a un amor pasional e imposible. Ajeno a pactos polí-ticos se corta de tajo. Surgió naturalmente como con el correr del agua en donde se engendra[81]. Lope defendió a golpe de rode-

---

[81] Mircea Eliade, *Images et symboles*, París, Gallimard, 1952, pág. 150, escribe cómo la emergencia de las aguas repite el acto cosmogónico de la manifesta-ción formal del re-nacimiento.

61

la y pluma esta naturalidad del amor-pasión. Le dio pábulo en los conocidos versos del romance «Medianoche era por filo» del ciclo del «Conde Claros» que, con frecuencia, trae a colación: «que los yerros por amores, / dignos son de perdonar»[82]. El Duque tampoco tenía otra opción. Develar la verdadera causa (así en Bandello) implicaría su muerte política, moral y no menos social. El título establece en la base del texto la ironía trágica: la diferencia entre lo que se dice que ocurrió y se sabe como ocurrido. La función metonímica del sustantivo inicial («castigo») apunta, como sujeto y como atributo, a un sistema de opuestos, entre ellos a «perdón», inconcebible en la estructura patriarcal que el Duque representa. En el orden sintagmático, la conjunción adversativa «sin» se contrapone a la instrumental «con». Ambos términos («castigo», *vindicatione)* tienen un largo desarrollo en el derecho penal de la época[83].

La alteración, pues, de las conjunciones —«sin»/«con»— sugiere una red de posibles lecturas críticas: a) el «castigo» como «ejemplo» de un extremo caso de deshonor (adulterio, incesto); b) como «ejemplar» consecuencia de la depravada moral representada por un jefe de Estado, mujeriego e imprudente, ajeno a sus cargos; c) como «castigo» a una traición que se dobla, a modo de venganza, en múltiples niveles; y d) como resultado de un engaño totalizador. Éste abre la pri-

---

[82] Tal *motto* es frecuente en las obras de Lope lo mismo que la figura del conde. Aparece en las comedias *Dios hace reyes (Ac. N.,* IV, 601b), *El Galán de la membrilla (Ac.,* IX, 125a); *El labrador de Tormes (Ac. N.,* VII, 12a), y el *El vaquero de Moraña (Ac.,* VII, 551b y 592b), lo mismo en *Los yerros por amor (Ac. N.,* X, 540-567), y *De la puente del mundo (Ac.,* II, 435b). Cfr. Ramón Menéndez Pidal, *De Cervantes y Lope de Vega,* Madrid, Espasa-Calpe, 1958, págs. 79 y ss.; Lope de Vega, *Poesía selecta,* ed. de A. Carreño, Madrid, Cátedra, 2003, pág. 13, nota 1.

[83] El castigo que conlleva el pecado, indica Dixon [1970], pág. 163 y nota 11, siguiendo a Santo Tomás de Aquino, es un acto de justicia conmutativa en cuanto que es un asunto que cae bajo la jurisdicción de la justicia pública; sin embargo, al caer bajo los derechos que le otorga la jurisdicción de la defensa individual, deviene en venganza (si bien un tipo de venganza virtuosa): «[...] punitio peccatorum, secundum quod pertionet ad publicam justitiam, est actus justitiae commutativae; secundum autem quod pertinent ad immunitatem alicujus personae singularis, a qua injuria propulsatur, pertinet ad virtutem vindicationis» *(Summa Theologica,* II, II qu. 108, art.).

mera escena («linda burla») y remite al «ejemplo» (público y privado) de la última. Porque el amor de Casandra hacia Federico lo provocan también, a modo de venganza, los desdenes del Duque. Y la indiferencia de Federico hacia Aurora tiene su correspondencia vengativa al rechazar ésta sus planes de unión conyugal (vv. 2193-2196). Vengativa es la amenaza que Casandra lanza a Federico de casarse éste con Aurora. Del Duque se vengó Federico al verse desplazado, dada su ilegitimidad (bastardo) como heredero, y dobla así con su inmoralidad la previa del padre. Y dobla también las acciones del padre en su falso interés por casarse con Aurora para salvar tan sólo las apariencias. La sin «venganza» del Duque tiene una previa referencia en la «venganza» de Casandra, sexualmente frustrada. Se revela en la confesión que ésta hace a Lucrecia (vv. 996-1073); en la pérdida de sus derechos como mujer, y en su posición como representante del poder. Del mismo modo que la venganza se constituye en excusa para el adulterio, el mismo amor será excusa para la venganza[84]. De ahí que la ironía, explica May, «pervades every part of the play». Más explícito es Pring-Mill: «and part of the irony lies in the fact that he [Duque] has to kill his wife and son for a wrong which is like the wrongs he has done himself»[85]. Su retórica es aún más extensa y profunda: envuelve la íntima relación entre la tragedia como representación y el título (su *misreading*) que la anuncia[86].

---

[84] Dunn [1957], págs. 213-222.

[85] May [1986], pág. 154; Pring-Mill [1961], pág. xxxii, y, en el mismo sentido, David M. Gitlitz [1980], págs. 19-41.

[86] Se ha especulado sobre el origen del título de la obra. Van Dam lo ve como una asociación entre los términos «castigo» y «venganza», presente en la *novella* de Bandello; pero ya hemos descartado la procedencia italiana como fuente «directa». Creemos más bien que surge como sintagma formularizado en obras de la época. «Agravio» (secreto) y «venganza» (secreta) se fijó en la mente del espectador de la comedia de Calderón *(A secreto agravio, secreta venganza)*. Por el mismo año que Lope redacta *El castigo*, la compañía de Vallejo, que representa la obra de Lope, representó la de Calderón *De un castigo tres venganzas* (o *De un castigo dos venganzas)*, indica Dixon. Concluye este crítico: «indeed Lope may well have intended the paradoxical antithesis *El castigo sin venganza* as a provocative parody of these, a fit title for an unusually subtle and ironic *drama de honor*». Véase la reseña de la edición de *El castigo sin venganza* de Cyril A. Jones en *Forum for Modern Languages Studies*, 3 (1967), pág. 190. La misma

Los actos de Federico y Casandra, dentro del sistema patriarcal que el Duque preside, desestabilizan la relación de parentesco establecida. Federico quebrantó el pacto conyugal entre el Duque y Casandra; ésta el contrato con el ducado que encabeza y con sus vasallos. Tal pacto aseguraba, de acuerdo con Lévi-Strauss, un orden político[87]. Se vio amenazado, en este caso, por la falta de un heredero legítimo. Pero el intercambio inicial del Duque («prostitutas» por «mujer honrada») fue tan sólo aparente. De vuelta de Roma, ya convertido, se altera de nuevo: el marido «arrepentido» frente a la esposa deshonrada (adúltera e incestuosa). Las acciones siguientes al desposorio quebraron también la relación establecida. Casandra, al negarse a tener herederos, amenaza la seguridad del Estado, dada la falta de un descendiente legítimo. Fracasa en este sentido el pacto conyugal. La violencia se polariza sutilmente en varios niveles. En todo sistema patriarcal, la usurpación de la hembra impone un trágico elemento desestabilizador. El acceso y la posesión del cuerpo femenino implica la desposesión del propio lecho. La imagen se extiende, metonímicamente, al palacio, a la ciudad e incluso al Estado. La posesión real y simbólica del cuerpo representa, así como en el poema «Lucrece» de Shakespeare, el poder. Tal usurpación es una trágica afrenta. Conlleva la ruptura del parentesco establecido. En juego está también el problema de la mujer casta frente a la incestuosa, incapaz ya de producir, por impura, un hijo heredero legítimo.

El honor del noble procede de su genealogía. Es tanto colectivo como individual. La castidad de la mujer es inseparable de su importancia social. La mujer manchada contamina el linaje. De ahí que «honor», «nombre» y «fama» se asocien tradicionalmente con la mujer, en concreto con su castidad.

urdimbre presenta Tirso en *El celoso prudente*, y el mismo Lope en *El toledano vengado (Ac. N., II)*, comedia esta de dudosa atribución. Véase J. M. Cossío, «La secreta venganza en Lope, Tirso y Calderón», *Fénix*, 4 (1935), págs. 501-515. El «castigo sin venganza», escribe T. E. May [1987], pág. 165, «is a venganza sin castigo»; Menéndez Pidal [1958], págs. 132-152.

[87] Lévi Strauss, *The Elementary Structure of Kinship, op. cit.*, págs. 480 y ss.; René Girard, *Violence and the Sacred*, Baltimore, The Johns Hopkins University Press, 1977, págs. 223-249.

Ésta legitimiza la paternidad de cualquier descendiente, la legalidad de la herencia y el derecho jurídico del Estado. La mujer sin honra ya «ningún valor tiene», expresa don Julián en relación con La Cava, en *El último godo* (96a), comedia atribuible a Lope[88]. La adúltera Casandra pierde todo valor como tal en ese sistema de intercambio político que el Duque estableció con sus vasallos. Violó también un pacto establecido. La palabra escrita —la denuncia del memorial— tan sólo se podrá destruir con la muerte de la voz que le dio origen. Pero toda cultura patriarcal ha de ocultar su propio sacrificio violento. De esta manera se podrá reestablecer de nuevo el orden. Lope estructura dramáticamente, en *El castigo sin venganza*, las estrategias de una sociedad patriarcal concebidas desde el poder: la autoridad con precedentes bíblicos (Absalón) y clásicos *(Orestiada)*. Las entrevé sutilmente en el mismo rótulo que anunció la obra. El Duque viene hecho, pues, como personaje trágico. Lo constituyen una serie de acciones que culminan con el rechazo de la recién esposada y su licenciosa vida después de casado. Pero son sus infidelidades las que hacen que esposa e hijo le traicionen, indica Wilson. El abandono de la esposa es debido a la pasión adúltera del Duque («the adulterous passion») expresa Reichenberger; en el Duque está la gran falla trágica, anota T. E. May[89]. Es un don Juan más estático y menos pendenciero que el tradicional, pero no menos pervertido sexualmente. Se asumen, a partir de las amargas quejas de Casandra, sus habituales correrías. Llega a palacio al amanecer (v. 1045), y no sólo no mira a Casandra, sino que hasta la desdeña (v. 1132), y llega a arrepentirse de estar casado (v. 1155). Tan sólo dos grandes virtudes le salvan: su lealtad al «Papa» (léase rey), quien le corona de

[88] Véase, por ejemplo, la comedia de Lope *Los yerros por amor (Ac. N.,* X, págs. 540-567). Como proverbio incluye estos versos Gonzalo Correas, *Vocabulario de refranes y frases proverbiales (1627),* ed. de Louis Combet, Burdeos, Institut d'Études Ibériques et Ibéro-américaines de l'Université, 1967, pág. 466a. Véase también *Spanish Ballads,* ed. de C. Colin Smith, Oxford, Pergamon Press, 1969, págs. 171-183; Ramón Menéndez Pidal [1958], págs. 79 y ss.

[89] Wilson [1963], págs. 65-98; Reichenberger [1959], págs. 303-316; May [1960], pág. 156; Margaret A. van Antwerp [1981], pág. 206.

«laureles» y «cruces» (vv. 2097-2186), y el amor paternal hacia Federico, víctima, en un simétrico reflejo de acciones, de los vicios del padre. «Father and son», explica Margaret A. van Antwerp, «are irrevocably linked by the fatal symmetry of repetition». Casandra califica a Federico, ajena a la ironía, de ser «retrato» del duque (v. 2656)[90]. En el mismo sentido se expresa el duque: «Ya sé que [Federico] me ha retratado / tan igual en todo estado, / que por mí le habéis tenido» (vv. 2657-2659). El amor de éste hacia el hijo funciona en detrimento de su caída. No calcula bien la soledad de ambos jóvenes (Federico, Casandra) en palacio; menos el peligro de la joven esposa, hermosa, jovial, frente al melancólico Conde. Sus múltiples imprudencias apuran aún más la ceguera. Su conducta, como la del comendador de *Fuente Ovejuna*, se constituye en ejemplo *ex contrario*. El pesimismo que se desprende es, en el plano político, abrumador. Situado en Ferrara, tal lugar —como lo fueron para Shakespeare Verona, Padua y Venecia— se torna a su vez en metáfora espacial e histórica de la España del siglo XVII: ideología, valores, códigos de conducta, comportamientos. Deviene en un intenso microcosmos cuyas polaridades y estructuras apuntan en múltiples sentidos. Con la caída de Federico muere el presente y el futuro del Duque.

Si el amor es la otra causa que desencadena la tragedia, una segunda lectura determina la prevalencia de Casandra y Federico. La presencia en escena de ambos es casi continua (a excepción del primer cuadro), y les corresponde el 60 por 100 de los versos declamados. Al contrario que el Duque, Casandra, al igual que Federico, se constituye en figura trágica en el convivir cotidiano: durante los cuatro meses que dura la ausencia del Duque. Todo castigo como acción implica unas

---

[90] La configuración de Federico, al final del segundo acto, como «parody of resurrection», de acuerdo con Janet H. Murray [1979], págs. 17-29, es inapropiada, ya que el término crítico («parodia») implica un proceso intertextual entre dos textos (A, B), dos convenciones o dos sistemas que se complementan en cuanto que uno (B) distorsiona elementos del primero (A). Federico se expresa dentro de la convención lírica del amor cortés, fija en los cancioneros; la asume y la adopta; en ningún modo la distorsiona. En términos más amplios T. E. May ve la obra de Lope «as a parody of the sacrifice of the son» que nosotros somos incapaces de percibir.

víctimas. Ambas son, aparentemente, las más inocentes. Destaca Casandra sobre Federico. Ésta fue la primera en sacrificarse y en ser sacrificada. Satisfizo con su desposorio las conveniencias del Duque y los deseos de su rijoso padre. Fue para el Duque un pretexto: solucionar con su boda los problemas políticos con sus vasallos al prometerles un heredero legítimo. Casandra sacrifica su juventud y hermosura a intereses ajenos. Es la gran frustrada como mujer, víctima, dado su sexo y posición, de una conveniencia política que le es impuesta. Jugó con gran valentía su última baza: su amor por Federico frente a la muerte que ansiosamente presentía. Clamó por el derecho de ser requerida, sexual y afectivamente, como esposa y amante, y se negó a servir de utensilio, objeto o mueble de adorno. Su frustración es doble: como esposa (duerme sin marido) y, potencialmente, como madre, al negarle el Duque la posibilidad de tener un hijo. Se deshacen en ella dos mitos claves en la concepción de la esposa-madre: el androcéntrico y el genocéntrico; la diosa de atractiva belleza como objeto de culto y vasallaje; de equilibrio y fertilidad. Su degradación por parte del Duque se contrarresta con su rebeldía a ser «cosificada». Adquiere una nueva dimensión femenina —y no menos feminista—, y se sitúa, como mujer rebelde ante un matrimonio injustamente impuesto, en los bordes de la modernidad. Forastera en la corte de Ferrara, es la única voz que se alza, frente a la sumisión de Federico y de los vasallos, contra el Duque, calificándolo de «esposo tirano» (v. 1381) y de «bárbaro» (v. 1564).

Frente al Duque, que se presenta en el primer cuadro como personaje sombrío, a media luz, Casandra, en contraste, aparece en el siguiente como luminosa, brillante, tentadora. La acción se desplaza de la medianoche al filo de la siesta (mediodía), en plena canícula estival. La calleja oscura contrasta también con la orilla fluvial, bucólica. Obvios matices simbólicos asocian personajes, espacios y tiempos dramáticos. Casandra sale del agua como fulgurante Venus en brazos de su «alnado»: Federico. El carruaje en el que venía, camino de Ferrara, se atolla al pasar una breve corriente que se remansa en un recodo y oculta su profundidad bajo unos alisos que le dan sombra. El engaño se dobla incluso en el plano natural y cósmico: en el mismo *locus amoenus (Et in Arcadia, Ego)* del simbólico encuentro. Las consecuencias de este «accidente», al igual que las correrías del Duque, son no menos desastrosas. En el seno del agua nace también Federico como sustituto del padre, y surge Casandra como celosa «amante». Al recibir a Casandra, expresa Federico:

> Hoy el Duque, mi señor,
> en dos divide mi ser,
> que del cuerpo pudo hacer
> que mi ser primero fuese,
> para que el alma debiese
> a mi segundo nacer.

(vv. 502-507).

En el proceso de la representación se va paulatinamente alterando el papel impuesto como esposa (cultura) por el de adúltera (naturaleza). Ninguno de estos dos personajes (Casandra, Federico) está marcado por las exigencias de Estado que rigen las acciones del resto de los personajes. Es ésta, significativamente, la única escena que se desarrolla al aire libre. Tal nacimiento en las aguas (bíblico, simbólico, mítico) tiene una larga tradición. Sus múltiples interpretaciones rayan en lo psicoanalítico. Las caídas («morales») del Duque son hábito, costumbre; por el contrario, la de Casandra en el río es, por física, fortuita. Y lo es, en estas circunstancias, el encuentro con Federico. Aquí están también las raíces del sino trágico, premonitorio, que urde la casualidad. La boda del Duque conllevó un cambio radical para Federico en la relación con su padre: deja de ser heredero y pasa a primer plano su posición de hijo bastardo. La boda se constituye también en un elemento perturbador: frente a Casandra (encuentro), frente al Duque (desposorio), y frente a Aurora, quien termina siendo desdeñada por Federico. Los papeles se alteran en el tercer acto al negarse ésta a desposarse con su primo.

En esta relación múltiple se hila también la madeja de la tragedia, y no tan sólo, como opina Alexander A. Parker, en la figura del Duque. Casandra es víctima de un destino impuesto. Fue políticamente contratada para ser la esposa; y, del mismo modo, la víctima. Su papel se urdió caprichosamente a sus espaldas. La misma oposición de espacios dramáticos, de situaciones temporales (calleja nocturna/ribera bucólica; medianoche/mediodía), conforma la constitución psicológica de Casandra frente al Duque. Determinan incluso los destinos inversos que mueven a las tres figuras claves. La caída de Casandra (el *fatum* de los clásicos) fue un juego fortuito de la caprichosa Fortuna. Semeja la «caída» de Calisto en *La Celestina*[91]; la de Casilda en *Peribáñez* quien, vuelta del desmayo que le produce, se encuentra frente al Comendador prendado furiosamente de su belleza. De ahí que Eros sea la fuerza matriz del conflicto dramático: es la enfermedad que provoca melancolía y tristeza en Federico; el amor-pasión en Casandra. Es en ambos una inaplazable posesión que se sitúa en la frontera entre el gozo sublime y el seguro morir. Se justifica así el amor adúltero causado por desdén o desprecio, y la incontinencia sexual de la recién desposada, que cavila sola en su lecho mientras su marido ronda calles y puertas ajenas. El Duque fue haciendo su destino a través de sus «indignos pasos» (v. 1377). A Casandra y a Federico se lo impusieron la voluntad de sus padres, y las «ruedas» de un carruaje que apuntan, a modo de otro gran emblema, al caprichoso girar de la Fortuna. La historia de los amantes viene a ser el reverso de Macbeth y Lady Macbeth: en un principio irresolutos; atrevidos después de la declaración amorosa. La «lástima» que Casandra siente hacia Federico (v. 1910), dado su estado depresivo, inclina finalmente el fiel de la balanza. Las alusiones son, en este sentido, continuas (vv. 2050, 2187, 2197). La conmiseración que pedía Aristóteles surge del mismo modo por la muerte de los dos amantes, sacrificados sobre un altar dedicado a un ídolo sin cara: el honor trocado, como lo fue Casandra, en interés personal, social, político y hasta económico.

---

[91] José F. Montesinos, «Dos reminiscencias de *La Celestina* en comedias de Lope de Vega», en *Estudios sobre Lope de Vega*, Salmanca, Anaya, 1967, págs. 101-105; las *addenda* de J. Oliver Asín, «Más reminiscencias de *"La Celestina"* en el teatro de Lope de Vega», *Revista de Filología Española*, XV (1928), págs. 74 y ss.; la genealogía literaria de *La Celestina* con *El caballero de Olmedo* ha sido harto probada; cfr. Rico [1981], págs. 27-30, notas 31-34, lo mismo que con *La Dorotea*. Cfr. Alan S. Trueblood, *Experience and Artistic Expression*, *op. cit.*, págs. 177 y ss.; V. Gutiérrez, «La Celestina en las comedias de Lope de Vega», *Explicación de textos literarios*, IV, 2 (1975), págs. 161-168.

Aurora, nombre que instaura la tradicion bucólica, representa la restitución de la mujer a su posición o función legítima dentro del orden simbólico. Cierra el último pacto matrimonial. Como sobrina del Duque es el único futuro que se puede prever para su Estado. De nuevo, el simbolismo nominal —Aurora— se llena de múltiples sugerencias (vv. 795, 1624). Confía al marqués Gonzaga el encuentro amoroso de Federico y Casandra (vv. 2039-2110); sospecha del estado melancólico de Federico; anuncia el conflicto y hasta lo adelanta en la negativa del Conde a casarse con ella (acto III). La búsqueda de tales móviles, su final decisión de desposarse con el Marqués, permiten al Duque constatar la verdad de la denuncia. Al contrario que Casandra, es calculadora, racional. Detesta fingir; aborrece el doble juego. «If Casandra is the inspirer of the Icarus in man», escribe Janet H. Murray, «Aurora represents the Daedalian spirit of reason and penetration»[92]. Está hecha de un solo hilo. Así le explica a Federico: «déjame casar, y advierte / que antes me daré la muerte / que ayudar lo que has fingido» (vv. 2194-2196). Utiliza los celos *(topoi* en la comedia) para despertar el amor de Federico hacia ella. Al igual que el matrimonio del Duque, el de Aurora con el Marqués lo originan nuevas conveniencias políticas. Casandra es elegida como víctima; por el contrario, Aurora altera planes y elige a sus víctimas.

Los personajes de Ricardo y Febo funcionan a modo de comodines. Acompañan en el primer cuadro al Duque en sus aventuras. Son voceros, como ya anotamos, de las inquietudes poéticas del autor: criticar la terminología en boga de los nuevos dramaturgos, llena de espléndidas metáforas, en un afán de codearse Lope en el mismo terreno. Batín, diminutivo de Bato, figura de «rústico», es más complejo. Rompe el prototipo de la llamada «figura de donaire». Si bien actúa como gracioso (vv. 351-352; 412-467; 936-957), posee una rara intuición sobre la condición humana. Está al tanto de las relaciones entre Federico y Casandra, pese a no presenciar ninguna escena de intimidad entre los dos (vv. 1313-1315). Y prevé el final trágico. De ahí que oportunamente pida al mar-

---

[92] Janet H. Murray [1979], págs. 17-29.

qués Gonzaga y a Aurora entrar a su servicio, a punto de partir éstos para Mantua (vv. 2779-2781). Con Lucrecia dobla, paródicamente, las acciones de los señores a quienes sirve: Lucrecia a Casandra, Batín a Federico. El gracioso tiene un papel más activo. Alude con finas observaciones al desajuste del casamiento entre el Duque y Casandra, a lo armonioso que resultaría de ser entre Casandra y Federico, y clama contra las leyes que alteran la posibilidad de tal unión. Se hace eco Lucrecia al aludir a ese posible «nieto» del Duque tenido entre Casandra y Federico (vv. 1098-1103).

Pero es Batín además un hábil disimulador (vv. 2784-2803); inteligente y astuto. Guarda un silencio prudente sobre el *affair* (vv. 2416-2419), y se mantiene distante cuando presiente la tragedia próxima. Usa del enigma para aludir a un tercer elemento que presiente como posible (vv. 261-290). Es la contrafigura del altivo, ciego de sí mismo e imprudente, Duque. Su alusión a «santo fingido» (v. 2800), refiriéndose a la nueva vida del Duque, que ha dado lugar a algunos críticos para interpretarla como falsa, se ha de tomar como graciosa agudeza. La opinión contraria, objetiva, se expresa, como veremos, por boca de Ricardo. El viaje a Roma, real y no menos simbólico, originó en el Duque el cambio radical. De hecho, su primer acto fue leer las demandas de sus súbditos, y acceder a sus peticiones y ruegos. May es más radical, pues le niega al Duque su arrepentimiento y conversión, crucial en una equilibrada lectura del texto de Lope. Lo califica de «the worst sinner of all»[93]. Para A. David Kossoff, «lo que ocurre no es una conversión, un cambio violento, sino una reforma que era de esperar». Van Dam, en su «Introducción» (ed. de 1969) anota: «El lector moderno tropieza con dificultades para creer en la conversión del Duque, cuyos antecedentes no puede olvidar tan fácilmente.» Recordemos que antes del viaje vivió despreocupado del bienestar de su Estado; con la «vuelta», el Duque ha cambiado como jerarca, como político y como esposo. La ironía pervierte, trágicamente, el reverso de tal conducta, y se apunta Lope así un doble acierto.

---

[93] May [1960], pág. 177.

La tragedia viene ensartada por una serie de *topoi* propios de la obra dramática de Lope. Éstos se extienden a la referencia espacial *(locus amoenus)*, a la relación amorosa entre los personajes (padre, hijo, esposa), a la expresión del amor a base de establecidos clichés poéticos —fraseología del *eroici furori*—, a la trama secundaria, y al mismo itinerario de la figura del Duque (triunfo, caída). Es lugar común en la comedia la presencia del gobernante que, disfrazado, sale de noche para inquirir la opinión que de él tienen sus súbditos (vv. 136-146). Lo es el amor no correspondido, y su contemplación como fuerza destructiva. Y lo es el envío de la carta anónima, la «cadena» que se recibe como albricias (la que da Calisto en *La Celestina),* el enjuiciamiento público, la sustitución de la figura del padre por la del juez (recordemos *El alcalde de Zalamea* de Calderón), al igual que imágenes recurrentes asentadas tanto en la poesía de los cancioneros, italiana (Petrarca) y renacentista (Garcilaso, Camões), como las imágenes tomadas del bestiario medieval. La fija la archiconocida imagen del «pelícano» (Federico, v. 1503), y el poder generativo de la mítica ave Fénix (v. 2114). Asocian, como imágenes recurrentes, vida y muerte. Y es técnica un tanto trillada el juego de la representación en la representación, que ya Lope había previamente experimentado, y que lleva a sus últimas consecuencias escénicas en la *Noche de San Juan,* en donde los reyes son espectadores de la obra, y se doblan a la vez como actores dentro de la representación. Recordemos cómo en *Fuente Ovejuna* el pueblo ensaya en escena el juicio, previo al que tendrán frente a los monarcas. El Duque oye representadas sus acciones en el cuadro primero. Él mismo traza en el tercer acto el cuadro final del castigo. La inquietante imaginación de lo prohibido (Federico, Casandra), que se urde como doble de la representada, adquiere, pues, múltiples formas[94]. En

---

[94] Wardropper [1987], pág. 189.

el último cuadro, como en el primero, los actores pasan a ser espectadores de otra representación. La retórica de la comedia en la comedia *(Play within Play)* tiene una larga tradición en el teatro de la época, lo mismo español que isabelino[95]. La metáfora de la comedia como espejo de la vida *(imitatio vitae)* se vuelve, en este sentido, del revés.

En esta configuración de la tragedia de Lope, caracterizada por una gran economía dramática (no sobra una escena), todo adquiere significación. El teatro es arte de la representación. Se cumple como acción visual y como palabra oída, actualizada. Ésta, al igual que la vestimenta, el mobiliario, el gesto, la mímica, el silencio dramático y hasta la pausa retórica adquieren plena significación. El espacio exterior (ribera, orilla) asocia el encuentro casual. Establece unas ligaduras ajenas a pactos o conveniencias políticas. El interior (palacio) da pie a la intriga amorosa, a la acusación y al castigo. Lo rigen unas reglas de pleitesía (el «besamanos»), y unas fórmulas de comunicación social. Del mismo modo, la noche asocia sombra, engaño, lascivia; el encuentro en el agua del río entre Federico y Casandra, claridad, purificación, inocencia. Las pervierte el sino que imponen las ruedas del coche que giran. Desde esta múltiple perspectiva se configura también la *poiesis* trágica de *El castigo sin venganza.*

---

[95] Recuérdese *Hamlet* y, del mismo Lope, *Lo fingido verdadero (Ac.,* IV). En *La noche de San Juan* introduce a los reyes en el escenario, en una sonada velada a la que asisten los monarcas. Los reyes como espectadores se doblan así al verse representados como personajes. Espectadores y actores coinciden en un mismo plano temporal. El Duque se oye aludido en el acto I, en la escena de una comedia que está siendo representada; él mismo traza su propio acto al final. Es así personaje en la comedia aludida y en la suya; actor al urdir el final, claro ejemplo del llamado metateatro. Thomas Austin O'Connor, «Is the Spanish *"Comedia"* a Metatheater?», *Hispanic Review,* 43 (1975), págs. 275-289; Margaret A. van Antwerp [1981], pág. 212. Siguiendo a Lionel Abel, *Metatheatre: a New View of Dramatic Form,* Nueva York, Hill and Wang, 1963, pág. 60, Susan L. Fischer considera *El castigo sin venganza* como «metaplay in the fundamental sense that it is self-referringly dramatic, turning back into itself to reflect upon the invention that it is» [1981], pág. 25. Véase además Stephen Lipmann, «Metatheater' and the Criticism of the *Comedia*», *Modern Languages Notes,* 91 (1976), págs. 231-246; Robert J. Nelson, *Play within a Play,* New Haven, Yale University Press, 1958, págs. 11-35.

Lo que lleva a determinar la problemática de su género al borde de una tragicomedia que ya es más tragedia. La acción de Batín con Lucrecia en brazos (vv. 351-362), parodiando la acción de su amo, al igual que las alusiones al Duque como «santo fingido», y su sutil perspicacia entre irónica y humorística (fábula esópica, anécdota del caballo y del león), menoscaban la concepción de *El castigo* como tragedia pura, encasillada más bien dentro del género acertadamente definido por Lope de «tragicomedia». Se da, como en ésta, la típica acción secundaria en varios planos: de señores (Aurora, el marqués Gonzaga) y de criados (Batín, Lucrecia). Con el desplazamiento espacial de la acción (calleja nocturna, orilla fluvial, palacio), lo mismo que con los lapsos temporales entre el acto segundo, por ejemplo, y el tercero, Lope rompe las clásicas unidades. Es la época estival cuando Casandra llega a Ferrara. El Duque pasa cuatro meses en su campaña militar. Vuelve ya en pleno otoño. El transcurso de la acción del drama se sitúa en dos zonas temporales significativas: el estío da lugar al nacimiento simbólico y a la consumación de la pasión amorosa. El otoño asocia la vuelta del héroe, su caída moral y la muerte de los dos amantes. Se ejecuta el castigo. La acción deja de ser del mismo modo continua: comedia galante (cuadro primero), realización del amor adúltero (acto II), conocimiento de la transgresión sexual *(anagnórisis)* y cumplimiento de la «sin venganza» (acto III)[96].

Pero es Lope quien insiste en rotular su obra como tragedia, avalada como tal por la tradición literaria. Tanto el Duque como Federico y Casandra se constituyen en todo rigor, como vimos, en figuras trágicas. «Lo trágico y lo cómico mezclado», había expresado Lope en el *Arte nuevo*, «harán grave una parte, otra ridícula, / que aquesta variedad deleita mucho» (vv. 174; 177-178). La tragicomedia, explica años atrás en la «Dedicatoria» a *Las almenas de Toro*, es mezcla de «las personas y los estilos»[97]. La comedia, siguiendo

---

[96] Nortrop Frye, *Anatomy of Criticism*, Princeton, Princeton University Press, 1971, págs. 206-233; Terence Cave, *Recognitions: A Study in Poetics*, Oxford, Clarendon Press, 1988, págs. 10-24; 25-54.

[97] *Ac.*, VIII, pág. 241.

la exégesis que Robertelio Utinense hizo de la *Poética* de Aristóteles, «imita las humildes acciones de los hombres», frente a la tragedia, «at vero tragedia praestantiores imitator». «Tragedia es aquella que contiene», explica Santillana, «en sy caída de grandes rreyes e príncipes»[98]. Ya Aristóteles concebía la «inevitable caída del héroe» a partir de una irremediable «falla» por él desconocida. Pedía que sus acciones causasen admiración (triunfo en este caso del héroe como militar), y que debieran ser ejemplares. En *El castigo sin venganza* destaca el Duque por su cargo y por su edad *(virilis)* frente al resto *(juvenis)*. Pero su caída adquiere doble sentido. Destaca sobre ésta la muerte de los amantes quienes adquieren también verdaderas proporciones trágicas al luchar contra un *fatum* inevitable: la incontenible fuerza de la pasión amorosa. Casandra se establece también en este sentido como figura compleja.

Tanto el «castigo» como las triples caídas son ejemplares. Las avala también la tradición literaria. Cristóbal de Virués define la tragedia como un caso (o casos) de ejemplaridad. No importa tanto el motivo como los personajes en juego, el estilo (elevada *elocutio)*, el propósito psicológico (mover los afectos) y el sentido patético: causar en los espectadores conmiseración[99]. Tales características se dan conjuntamente en los tres personajes centrales de la tragedia de Lope. Pertenecen, al igual que Aurora y el marqués Gonzaga, a la alta nobleza. La acción se ubica en una afamada corte, de gran rango literario. Si tenemos en cuenta que la base argumental parte de un posible hecho histórico, se acentúan aún más las características trágicas. «Tragedia semper est de altissimis personis et in alti-

---

[98] «Carta de doña Violante de Prades», *Comedieta de Ponza*, ed. de Maxim Kerkhof, Groningen, Rijkuniversiteit, 1976, págs. 508-509, citado por Domingo Ynduráin [1987], pág. 143, nota 2. Juan de la Cueva, *Coro febeo de romances historiales*, 1588, diferencia la tragedía de la comedia: «Aunque el trágico y lo cómico es uno ya, y una cuenta, que ombres altos y ombres baxos en ambos se representan, quien vestido, quien en personas, en nada se diferencia assi, que ya es todo uno, un Pan y una Libra, Eurípides y Terencio, el risueño Plauto y Séneca.»

[99] Aristóteles, *Poética*, ed. de Valentín García Yebra, Madrid, Gredos, 1974, 1449b, 20-30; 1454b, 10; 1449, 10; Cristóbal Suárez de Figueroa, *El pasajero*, ed. de M.ª Isabel López Bascuñana, Barcelona, PPU, 1988, pág. 167.

sono stilo conscripta», la definía Badío[100]. Lo es también desde el acto final de la «sin venganza», de acuerdo con Cristóbal Suárez de Figueroa en *El pasajero*: «Si un príncipe es burlado, luego se agravia y ofende, la ofensa pide venganza; la venganza causa alboroto y fines desastrosos; con que se viene a entrar en la jurisdicción de lo trágico»[101]. Tanto Morby como Reichenberger precluyen para la tragedia la muerte. La del Duque, aunque ni física ni pública, adquiere otros niveles. Acaece en privado: en el plano familiar, político y moral. Sus rasgos los define López Pinciano en *Philosophia antigua poética*: «Si el que va a matar [...] mata al que no conoce, siendo pariente o bienqueriente, como padre, hermano o hijo, enamorado, será esta acción la más trágica y aún deleytosa de todas [...], trae más conmiseración que otra alguna»[102]. Pero si el énfasis de la representación se concentra en la pareja Federico-Casandra, aquí también se cumple la preceptiva de lo trágico como género y como poética. Se complementa en la estructura versificada de la obra. Hemos destacado préstamos gongoristas en forma de imágenes (vv. 256-290), fórmulas retóricas, sintagmas propios de tal discurso, encadenamiento silogístico, y no menos el conceptismo propio de la lírica amorosa, tradicional y cortesana.

La versificación de *El castigo,* por insólita, es no menos signo de lo trágico. Sobresale, por inusitado en Lope, la prevalencia de cinco soliloquios, únicos en la tragedia española, y la continua adecuación de estrofa, personaje y situación[103]. La

---

[100] Cfr. *Familiaria in Terentium Praenotamenta* por *Publii Terentii Aphri... Comedia,* Roma, Claudio Mani y Stephanus Balan, 1502, fol. a VI, v.º, citado por Alberto Blecua en su «Introducción» a Lope de Vega, *Peribáñez y el Comendador de Ocaña; Fuente ovejuna,* Madrid, Alianza Editorial, 1981, págs. 8, y 47, nota 3.

[101] *El pasajero,* ed. cit., I, pág. 222.

[102] Ed. cit. («Epístola VIII»).

[103] Los describe Lope en *Arte nuevo de hacer comedias:* «los soliloquios pinte de manera / que se transforme todo el recitante, / y, con mudarse a sí, mude al oyente [...]», recogiendo posiblemente el consejo de Horacio *(Ars poetica,* 101, 3): «Ut ridentibus arrident, / ita flentibus adsunt / humani vultus: si vis me flere, / dolendum est / primum ibse tibi [...]». Lope, en *Lo fingido verdadero,* documenta Dixon [1973], págs. 65-66, nota 7, escribe: «Pero como el poeta no es posible / que escriba con afecto y con blandura / sentimientos de amor, si no le tiene / [...] / así el representante, si no siente / las pasiones de amor, es imposible / que pueda, gran señor, representarlas» *(Ac.,* IV, 58b).

carta que acusa se escribe en una octava (vv. 2467-2491); la reflexión sobre lo leído en fulgurantes décimas (vv. 2492-2551). Eran, como el mismo Lope determinara en el *Arte nuevo* (v. 307), «¡buenas para quejas!». El soliloquio final del Duque ante el castigo que contempla se da entrecortado. El espectador puede percibir el desarrollo mental del personaje: su agobio personal. Sobresalen las fórmulas exclamativas e interrogaciones. Se cambia el tipo de estrofas (décimas, redondillas, romance) en los tres extensos monólogos (vv. 2492-2551; 2738-2759; 2834-2914). Tal irregularidad plastifica, auditivamente, la lucha interior de los personajes. Son en el mismo sentido significativos los cambios bruscos de metros arbitrarios y el extenso uso de tercetos. Reflejan la gravedad de las decisiones en cuanto al gobierno del Estado o los planes del matrimonio. Y lo es, sobre todo, el uso de quintillas, nunca utilizadas por Lope, como indica Rozas, en las obras que comprende el período de 1630-1635. En quintillas dobles (vv. 1811-2030) se glosan amor y muerte. Sirven de epicentro y de premonición (vv. 1999-2005), ya entrevista en la función cortesana del «besamanos» (vv. 870-886). Paralelo, pues, con lo trágico es el entrecruzamiento polimétrico; el paso brusco de una a otra forma; el uso de quintillas en lugar que Lope nunca usó antes[104]; la abundancia de soliloquios entrecortados. El de Casandra, por ejemplo, viene dado en quintillas (vv. 1811-1858); el del Duque, en décimas (vv. 2492-2551) y en liras de seis versos (vv. 2612-2635). Y es no menos significativo el extenso uso de la silva. En este metro acaba Lope de escribir el extenso poema del *Laurel de Apolo,* y días después que *El castigo* sale en la misma estrofa *Huerto deshecho,* un amargado canto al desengaño y a la frustración personal. La redondilla y la quintilla casan con el diálogo amoroso; el terceto con la formulación grave; la décima es el mejor vehículo de la queja y del soliloquio. Entra como estrofa tardía[105]. En

[104] Anota de nuevo Dixon al respecto [1973], pág. 71: «Of nine other authentic, datable plays after 1615, only one, *Del monte sale,* contains *quintillas;* and no other dated play after 1610 has an act ending in the metre»; Morley y Bruerton [1968], págs. 108-113; 201-205.

[105] Cfr. Morley y Bruerton [1968]; Marín [1962].

ella se expresa, en extenso soliloquio, el Segismundo de Calderón *(La vida es sueño).* Y no menos significativa es la presencia, como ya indicamos, de la silva que tanto usará Calderón en *La hija del aire.* Lope está atento también al variado uso de la polimetría ajena.

Es significativo también el cambio de romance a décima (v. 468); el de redondilla a décima (v. 1624), y el de romance a redondilla. En romance narra Aurora al Marqués el conflicto amoroso entre Federico y Casandra («Está atento. / Yo te confieso que quise / al Conde, de quien lo fui», vv. 2039-2041) para pasar a redondilla. La estrofa complementa la situación psicológica del personaje. Se combina en un juego de ritmos alternantes: el lento e interrogativo del soliloquio; el lógico y pausado del soneto; el alegre y cantarín de la quintilla y la décima, y el meditado y lento del terceto. Lo inusitado de tal sistema realza el cariz trágico de *El castigo sin venganza,* el decoro de sus héroes rayando una «frontera moral» siempre en débil equilibrio[106].

Sin embargo, la tensión dramática no se establece tan sólo en la confrontación de variados discursos estróficos; se vive también en la relación de personajes, acciones y cuadros (el primero frente al final); de códigos lingüísticos y poéticos. El amor cortés idealizado por imposible contrasta con el goce sexual de los dos amantes (Federico, Casandra); y éste con el sentido de justicia y de honor de casta que impone el Duque, y que niegan sus propias aventuras amorosas. Se contrasta a la vez con la sutil sorna de Batín, con los extensos símiles que entresaca del folclore, y con la alusión descarnada a prostitutas (Cintia) frente al alambicado uso de frases, en la misma escena, de cuño gongorista. Y al igual que la acción nocturna inicial contrasta frontalmente con la desarrollada a mediodía, en el primer acto, el heroísmo militar tiene su complemento en el furor amoroso de los amantes. El triunfo del Duque contrasta con su gran caída, vuelto a Ferrara, rota la moral familiar. El duque y su familia se constituyen así en la unidad dramática *par excellence*[107].

---

[106] A. C. Schlesinger, «Tragedy and the Moral Frontier», *Transactions of the American Philological Association,* 84 (1953), págs. 164-175.

[107] María del Carmen Bobes, *Semiología de la obra dramática,* Madrid, Taurus, 1987, pág. 216.

Tal unidad está supeditada en la representación a un tiempo humano (el desarrollo de las relaciones), y a un tiempo dramático: el desarrollo de éstas sobre las tablas. Las primeras convocan un pasado y un presente temporal; un espacio dramático en un tiempo siempre en presente: la representación. El tiempo del drama distingue así, de acuerdo con María del Carmen Bobes, tres niveles: a) el de las acciones o situaciones; b) el de las palabras (discurso), y c) el de la representación[108]. Pero el tiempo teatral de *El castigo sin venganza* invoca también un futuro. La vida del Duque será aún más trágica que la muerte de sus víctimas. Se le hace difícil al espectador separar, dado su pasado libertino, el «castigo» de la «sin venganza». Las causas de éste son un secreto que, férreamente, quiso ocultar ante los cortesanos que las conocían. Y tal «secreto» es, por otra parte, incomunicable. Pisando los talones a Calderón, Lope definitivamente nos coloca, con *El castigo sin venganza*, ante la perplejidad del hombre de todos los tiempos.

*Nuevas lecturas críticas*

Las disquisiciones sobre el «El Duque, santo fingido» (v. 2800) en boca de Batín, comenta Ignacio Arellano [1990], es una observación «escéptica y negativa sobre la pretendida evolución moral del Duque». Porque, de acuerdo con Batín —el gracioso menos gracioso del teatro de Lope—, el Duque está hecho de un solo filón. Vuelto de Roma, cabizbajo y pensativo ante el final trágico que prevé, asume, de acuerdo con el gracioso, una falsa pose moral. Ann L. Mackenzie no cree que el Duque regrese de Roma arrepentido («Some of us, however, might not share their convinced belief that the Duke returns from Italy *[sic]* a converted man»). El Duque vuelve, creemos, radicalmente transformado: acepta las leyes y responsabilidades del matrimonio antes rechazadas. A tal opi-

---

[108] *Ibíd.*, pág. 221. Sobre la relación personaje, espacio, discurso dramático y lenguaje en *El castigo sin venganza*, véase el excelente estudio de Peter W. Evans [1979], págs. 320-334.

nión se oponen T. E. May y Wilson. Basado el primero en la famosa frase de Batín de ser el Duque un «santo fingido» (v. 2800), incide en que su conversión es falsa e hipócrita (vv. 154-184). Considera su conducta propia de un villano. Sin embargo, el mismo Duque reconoce que ha vivido «libremente, y sin casarme» (v. 166), dispuesto sin embargo a que todo lo «pondré en olvido» (v. 173). Pero importa el cuidadoso análisis del estado mental *(frame of mind)* de Batín en este discurso (vv. 2784-2803). Repasa en forma refleja y hasta epigramática la condición del criado y su falta de medro social: «Servir mucho y medrar poco / es un linaje de agravio / que al más cuerdo, que al más sabio / o le mata o vuelve loco» (vv. 2784-2787). Discurre sobre el Conde, a quien califica de «endiablado» (v. 2792) y de no saber qué tiene (v. 2793). Y califica a la Duquesa de «insufrible y desigual» (v. 2797), al Duque de misántropo, de que habla consigo a solas a modo de un hombre que anda buscando «algo que se le ha perdido» (v. 2802).

Por lo que se deduce, y dentro del texto en el que se ubica el sintagma «santo fingido», que los juicios que emite Batín sobre los tres caracteres centrales (el Conde es «endiablado», la Duquesa «insufrible y desigual» y el Duque un «santo fingido»), definirían a las tres figuras centrales de la tragedia. Pero de ningún modo conlleva un juicio extenso o caracterizador sobre el Duque. El hablar a solas, el andar pensativo en busca de una solución («buscando / algo que se ha perdido») infiere el andar distraído, ensimismado. No es ni ha sido así su conducta previa: abierto, sociable, ameno. El «santo fingido» amolda la nueva caracterización del Duque, de ningún modo alude o deniega el cambio de su conducta, vuelto de Roma, dedicado a gobernar sus Estados, a leer las quejas y avisos de sus vasallos. Batín es un carácter doble, acomodaticio; su habla ambigua, anfibológica. Sabe demasiado, y al final está en riesgo su seguridad. Conoce las razones de las melancolías del Conde, de los arrebatos coléricos de la Duquesa. Y hasta sospecha que lo sabe todo Aurora. Lo deduce de su precipitado deseo de casarse con el marqués Gonzaga y de alejarse de Ferrara. Y se revela el doble juego al describirle el Duque a Casandra: «No se ha visto, que yo sepa, / tan pacífica madrastra / con su alnado», y afirma rotundamente: «es muy discreta / y muy virtuosa y santa» (vv. 2416-2419). La referencia al monje de la orden de la Camáldula, símil que Batín también asocia con la nueva persona del Duque, y que fija categóricamente el refranero —«la que es gata será gata, / la que es perra, será perra / *in secula seculorum*» (vv. 2389-2391)—, confirma la opinión de Batín. Pero éste ya ha cambiado de amo (ahora es el marqués Gonzaga), de señora (Aurora), y hasta de espacio (Ferrara por Mantua), y justifica con tal dicho su mudanza en busca de mejor provecho. Batín ha dado en criado oportunista, ambicioso y desleal. Sus opiniones sobre el Duque contrastan radicalmente con las previas afirmaciones de Ricardo: «el Duque es un santo ya» (v. 2363); «se ha vuelto humilde» (v. 2369) y «traemos otro Duque» (v. 2357). Este ha enterrado su pasado como mujeriego («ya no hay damas, ya no hay cenas», v. 2358); ha doblegado su orgullo como militar («ya no hay broqueles ni espadas», v. 2359) y ha dado en el esposo atento, recogido y fervoroso: «ya solamente se acuerda / de Casandra» (vv. 2360-2361). Concluye al respecto Lawrence (1994, pág. 69): «The sincerity of the Duke's conversion is a question which either the dialogue under discussion nor any other scene in the play is designed to address, and one which the context of Batín and Aurora's dialogue renders impertinent.»

Díez Borque corrobora que el Duque «no sólo vuelve como héroe triunfante [...] sino también transformado en persona virtuosa» (ed., 1988, págs. 71-72). Concluye que el protagonista «es un Duque, reconquistado para la virtud, que castiga, pero no se venga» (pág. 75). Le es difícil a la profesora Mackenzie aceptar la afirmación de Ricardo —«el Duque es un santo ya», v. 2363—, y prefiere concluir con el gracioso Batín que es un «santo fingido», v. 2800). La corrobora con la segunda afirmación del gracioso quien, ante la declaración del Duque de iniciar vida nueva («Yo pienso de hoy más quererla / sola en el mundo, obligado / desta discreta fineza; / y cansado juntamente / de mis mocedades necias», vv. 2438-2442), responde bufonescamente: «Milagro ha sido del Papa / llevar, señor, a la guerra / al Duque Luis de Ferrara, / y que un ermitaño vuelva. / Por Dios, que puedes fundar / otra Camáldula» (vv. 2443-2448). La asociación de esta orden de los frailes de la Camáldula con el desenfreno sexual ha sido extensamente anotada en las ediciones más recientes de *El castigo sin venganza*. El Duque vuelve del campo de batalla ansioso de ver a Casandra. Le explica Aurora: «Por verte / toda la gente dejó» (vv. 2249-2250). Y Ricardo insiste: «ya no hay damas [...] ya solamente se acuerda / de Casandra, ni hay amor / más que el Conde y la Duquesa: / el Duque es un santo ya» (vv. 2358-2363), y concluye «se ha vuelto humilde» (v. 2369). El mismo Duque afirma públicamente: «Sepan / mis vasallos que otro soy» (vv. 2448-2449). Fervorosamente dedicado a su esposa, se lo recuerda a Casandra el mismo Federico: «bien muestra el amor que os tiene» (v. 2256).

Pero hagamos otro giro basado en las siguientes preguntas: ¿corresponde la nueva conducta del Duque, a partir del acto II, a la configuración del personaje trágico, vuelto sobre sí mismo, arrepentido, o reafirma la vida libertina y disoluta que le lleva a la solución final? ¿Es el arrepentimiento clave en la constitución del *hybris* de este personaje o es, por el contrario, parte de su constitución, de su cinismo? Veamos *El castigo sin venganza* dentro del género en que el mismo Lope lo encuadra[109]. Porque, como indica Amado Alonso (1962, pág. 212), se vislumbra en cada palabra «la voz y los pasos implacables de la tragedia». La hilan el problema del destino, el amor ligado al incesto y a la muerte. Y la confrontación de los tres personajes: la furia del Duque, la irresolución de Federico, la llama de la pasión implacable de Casandra. El prólogo a la *Suelta* declara sin titubeos, como ya vimos, que es una tragedia «al estilo español». Siendo así, la misma morfología del personaje central conlleva un reverso de fortuna. El Duque

---

[109] De la Barrera (533b-534a) incluye en su *Catálogo* un total de diez comedias cuyo título inicial lo formula el sintagma «castigo» («de la miseria», «del discreto», «en la arrogancia», «en su cautela», «merecido», etc.). Sin embargo, «venganza», como sus derivados «vengadora», «vengar», «vengada», «vengarse», ocupan un total de veinticuatro títulos. Destaca en este grupo la *Venganza de Agamenón*, que es una versión libre de la *Electra* de Sófocles, llevada a cabo por el maestro Fernán Pérez de Oliva (1494-1533), quien ocupaba la cátedra de Filosofía Moral en la Universidad de Salamanca, de la que fue elegido rector. Gran aficionado a los trágicos griegos, llevó a cabo una tradución libre, en prosa, de *Hécuba triste* de Eurípides, y refunde *El nacimiento de Hércules* o *Comedia de Amphitrion* de Plauto.

pasa de mujeriego a esposo casto; de gobernante disoluto a prudente y de triunfante militar a desplazado del lecho nupcial. De esta forma, el vencedor en Roma es destituido como padre, esposo y jefe de Estado en el preciso momento en que decide afirmase como tal. Contemplando a un Duque arrepentido, al final del tercer acto, la tragedia contrasta la vida virtuosa del Duque frente a la corrupta del hijo (Federico) y de la esposa (Casandra). Los papeles se invierten trágicamente: el hijo es reflejo de las acciones previas del padre: el virtuoso y fiel da en adúltero. Del mismo modo, la esposa casta da en incestuosa. Por el contrario, el gobernante libertino se torna al final en prudente y en comedido juez[110].

Si es cierto que detrás de *El castigo sin venganza* está como subtexto *La vida es sueño*, según sugiere la profesora Mackenzie, también Juan Manuel Rozas y hasta González Echevarría (aunque éste por razones distintas), el paradigma de la obra de Calderón podría arrojar nuevas luces sobre la radical transfor-

---

[110] La semántica de «venganza» no va frecuentemente asociada, en los títulos que incluye A. de la Barrera (590a), con el termino «tragedia», pero sí con «honor». Así, *Venganza, honor y amor*, también *Venganza honrosa*, que atribuye a Gaspar de Aguilar; *Venganza de amor* de don Sebastián Francisco de Medrano, *Venganza hay si hay injurias* de Alonso de Batres (que escribe por el año en que sale la tragedia de Lope). Menciona la pieza Montalbán en *Para todos* (1632). Batres escribió cuatro décimas con ocasión de la muerte de Lope (que se incluyen en *Fama póstuma* [1636; *OS*, XX, 144]), y una silva a la muerte de Montalbán, gran admirador de Lope (*Lágrimas panegíricas*, 1639). Recordemos también *Venganza y el amor logrados*, de don Luis Enríquez de Fonseca, y *La venganza y el amor*, de don Diego de Villegas. En relación con los celos, el *Vengar por celos por no poder confesarlos*, de José Roced de la Fuente, sin olvidar el subtítulo de la tragedia de Calderón, *A secreto agravio, secreta venganza* o *Vengarse en fuego y en agua*, con variantes en el sintagma enunciativo *Vengar con el fuego el fuego, y el fuego de Meleagro*, de don Antonio de Zamora. Ya Lope había jugado con el sintagma, en señaladas variantes, en sus comedias *El vencido vencedor* (*Ac. N.*, X, 152-186), *La vengadora de las mujeres* (*Ac. N.*, XIII), *La venganza piadosa* (*Ac. N.*, I, 481-512) y *La venganza venturosa* (*Ac. N.*, X, 187-226), cuya relación con *El castigo sin venganza* es tan sólo con el título que la anuncia; sin olvidar *La venganza honrosa* y *La mayor venganza de honor*. Castigo y venganza aparecen en las comedias de Tirso, tales como *El celoso prudente* (1611) y *La venganza de Tamar* (anterior a 1634); de Calderón, *De un castigo tres venganzas* (escrita entre 1625 y 1626), *El médico de su honra* (antes de 1629), *A secreto agravio, secreta venganza* (hacia 1635). Pero al contrario que en *El castigo sin venganza* de Lope, la venganza queda desplazada por el castigo.

mación del duque de Ferrara. Basilio altera su conducta en el tercer acto; lo mismo (asumimos) el Duque. Otros rasgos de *La vida es sueño* se pueden rastrear en la tragedia de Lope. Recordemos los famosos versos en boca de Federico: «Bien dicen que nuestra vida / es sueño, y que toda es sueño» (vv. 928-929). La frase no guarda, como alusión tópica, ninguna relación con *La vida es sueño*, como tampoco lo guarda el sintagma «frenesí» (v. 934), pese a la interpretación de Fichter, que recoge Kossoff (ed., 1968, pág. 274), y rechaza Díez Borque (ed., 1988, pág. 165). Lo mismo se podría decir sobre el comentario cómico de Batín, quien se imagina cayendo del balcón (vv. 942-944). Otra asociación podría ser la referencia que hace el Duque a la necesidad de encarcelar, a partir de su nacimiento, a las mujeres para evitar de este modo el posible deshonor que puedan acarrear: «Si andan los hombres a mirar antojos, / encierren en castillos las mujeres / desde que nacen, contra tantos ojos» (vv. 1171-1173).

Ann L. Mackenzie alude a otras reminiscencias calderonianas en *El castigo sin venganza*, por ejemplo, en la declaración que Casandra dirige al Conde: «Conde, tú serás mi muerte», a lo que éste le responde: «Y yo, aunque muerto, estoy tal / que me alegro, con perderte, / que sea el alma inmortal, / por no dejar de quererte» (vv. 2026-2030). Tales versos, omitidos en la *editio princeps* y en la *Parte XXI*, se hallan en el manuscrito, aunque «tachados con unas rayas transversales, si bien de forma distinta a lo habitual en Lope», explica Díez Borque. Añade: «Me atrevo a pensar que en la supresión de los versos 2026-2030 [...] puede haber alguna razón de autocensura de Lope o de los editores, habida cuenta de que cabe ver cierta irreverencia en esa "alma inmortal" enamorada, en esa muerte de amor» (ed., 1988, pág. 224). Tal vez fue Vargas Machuca, el primer censor de la obra, quien llevó a cabo la supresión. En un pasaje comparable de *El galán fantasma* de Calderón, sugiere Ann L. Mackenzie (1991, pág. 504), también se atribuye al alma la habilidad de sentir emociones después de la muerte. Esto provocó, en 1689, el desacuerdo con el censor de comedias, Pedro Francisco Lanini Sagredo. Pidió la supresión de dos versos en el acto II en donde un Duque, enamorado de Julia, declara la intención de originar celos en Astolfo, el galán fantasma, supuestamente muerto, «que si el alma no muere con la vida, / bastárale en tal calma, / para que tenga celos, tener alma». Observa el censor: «que el alma dividida de la porción humana puede tener celos, es error, porque el alma separada de la porción mortal no tiene pena, ni gloria de las cosas terrenas, sola es capaz de gozar del bien de la gloria, o la pena eterna o temporal del purgatorio, o infierno».

J. M. Ruano de la Haza, en la edición y estudio de *La vida es sueño,* ha mostrado la presencia de dos versiones de *La vida es sueño*. La primera es llamada versión zaragozana, que supone escrita en 1630. Siendo así, los versos previamente aludidos de *El castigo sin venganza* tendrían sentido como referencia directa a *La vida es sueño*. La edición de otra suelta de *La vida es sueño,* descubierta por Ann L. Mackenzie en la Sidney Jones Library (University of Liverpool), atribuida a Lope, reafirma la presencia de una primera versión de *La vida es sueño* anterior a *El castigo sin venganza*. Entre ambas se podrían destacar otros paralelos: a) la llegada a un reino extraño de una joven extranjera, acompañada de su séquito; b) la caída de Casandra en el río/ribera frente a la caída de Rosaura a los pies del monte donde se halla la torre de Segismundo; c) el encuentro fortuito con el hombre (Federico, Segismundo) que trocará radicalmente su futuro; d) el inicio a partir de tal encuentro de una relación amorosa, que se va develando envuelta en una clara fraseología neoplatónica. Segismundo nace al amor y al sentimiento ante la presencia de Rosaura; Federico ante la de Casandra. Y en ambas obras, e) la acción se centra en torno a un jerarca (el rey Basilio de Polonia, el duque de Ferrara), desviados ambos de los *affairs* del Estado, aunque atentos a su sucesión. En ambos casos, el hijo (natural o bastardo) ha sido desplazado como heredero. Tal motivo dirige los fines políticos. El sello matrimonial, de variada índole, atestigua políticamente la continuidad y la preservación del orden jerárquico. Caracteriza también a ambos jerarcas una grave falla en el arte de gobernar: al Duque su vida licenciosa y un matrimonio pactado por conveniencias políticas; al rey Basilio su dedicación, un tanto incongruente, al estudio de los astros. El monarca sabio se contrasta con el Duque galán. La ausencia de un heredero legítimo en ambas Estados (corte de Polonia, corte de Ferrara) mueve el andar de la acción central. Una errada lectura de Basilio, como una imprudente decisión del Duque, marcan el destino alterno y variado de ambos. En *El castigo,* el conde Federico es rechazado por hijo bastardo; el príncipe Segismundo porque los astros profetizaron un gobierno tiránico. La formulación en tríadas establece otros paralelos. Por ejemplo, en el acto II de *El castigo sin venganza* el grupo A (Duque /Casandra/Federico) se delinea antagónicamente frente al grupo B (Aurora/Federico/Casandra). Semejante proposición se podría establecer en *La vida es sueño*: Rosaura/Segismundo/Clotaldo (A), frente a Estrella/Astolfo/Rosaura (B). El matrimonio sin amor (realidad social) se opone en *El castigo sin venganza* al amor sin matrimonio (deseo reprimido). Del mismo modo en *La vida es sueño* la razón y el discurso lógico se impone sobre la afectividad y el derecho natural del hombre a ser libre. Los rígidos eslabones de una cultura patriarcal (Monarquía, Ducado) doblegan la relación natural de sus súbditos.

Pero el dar una respuesta a la conversión o no del Duque de Ferrara implica el imponer una lectura unívoca no sólo a la solución final de la tragedia —la trama maquiavélica de un gobernante sin escrúpulos, cínico—, sino establecer del mismo modo un único juicio caracterizador sobre tan compleja figura. Arrepentido de sus correrías amorosas, el castigo final recae sobre el mismo ejecutor: pierde de un golpe hijo y esposa. Se ahonda la dimensión humana de la tragedia. No arrepentido, disoluto, irónico, el final devendría en una farsa más, política y social, donde se trataría de salvar la irresponsabilidad de un mal gobernante. Socavaría el género en que el mismo Lope quiso encasillar su tragedia. La tragedia es innovadora, polisémica; presenta puntos de vista conflictivos, valores opuestos. Impone el caos, el desorden, la violencia. El héroe central representa pureza y a la vez corrupción; ley y a la vez infamia. Al final se dan la mano *katarsis* (purificación) y *catástrofe:* la destrucción de la familia. El conflicto y al desenlace vienen impuestos por las leyes asumidas por la comunidad social a la que pertenece el individuo. Como en las tragedias de Sófocles, la ironía, la paradoja y la ambigüedad son centrales en *El castigo sin venganza.* Recordemos la figura de Edipo o de Hipólito, situados ambos en el centro y, a la vez, en los confines del orden civilizado.

La ironía trágica marca los límites y las quimeras gnoseológicas del ser humano. Nietzsche en *El nacimiento de la tragedia* definía el héroe trágico como una imagen luminosa proyectada sobre una pared oscura. La vida se presenta escindida en opciones contrarias. Y la crisis del hombre es un reflejo de la crisis de la sociedad que habita. El drama se concentra sobre el hombre en su soledad y en su desdicha; más aún, en su dolor. Sus personajes, como en *El castigo sin venganza,* se mueven en el límite de la existencia humana, pero sin los gritos de la rebeldía o de la desesperación. El héroe no sabe transigir; no se dobla ante el desastre personal o familiar. El Ayante de Sófocles tiene un solo pensamiento, el recobro de la honra perdida; Antígona, el derecho del muerto a sepultura y Edipo, el esclarecer la verdad que, una vez revelada, purificará a Tebas. Electra venga la muerte paterna para que la casa se purifique. La ambigüedad es radical en la tragedia de Sófocles. La figura divina del rey tiene su doble en la figura del *pharmakos.* En *Edipo en Colono,* el rey es, afirma Girard, cazador y objeto de la caza, rey y tirano; envilece el Estado y a la vez lo salva. El aspecto trágico de *El castigo sin venganza* es también fruto de una serie de cegueras que constituyen la dicotomía del personaje central. El Duque, una vez desposado con la joven Casandra, resume sus correrías amorosas. Se ausenta y deja el palacio en manos del hijo y de la decepcionada esposa. Ignora las causas del alargado rostro, melancólico, de Federico, ya herido de amor hacia la madrastra, y no sospecha que una ausencia de cuatro meses puede invitar a los dos jóvenes, en la soledad del palacio, a encuentros más allá de lo familiar. Lo trágico del Duque es, como en las tragedias de Sófocles, una abrumadora falta de conocimiento, o la presencia de un conocimiento puramente ilusorio, basado en apariencias, falso. Éste se confronta radicalmente con la verdad de los otros. Una tragedia que, de acuerdo con Diller (1963, págs. 1-28), bordea las limitaciones y cegueras del conocimiento humano.

La caída de Casandra en la ribera de un río, su encuentro con Federico, que la saca en brazos y la conduce al palacio ducal, marcan *ab origine* su llegada. El espacio bucólico contrasta, como ya observamos, con el previo que recorre el Duque (callejas), y con el espacio interior en el que habitará la nueva pareja. Contrasta naturaleza *(physis)* frente a cultura, norma o ley *(nomos)*; el espacio abierto (ribera) frente al cerrado (cámaras del palacio); el nocturno (de noche, en el primer cuadro) frente al diurno: el día luminoso del encuentro. Por otra parte, el espacio cerrado, a media luz en las cámaras del palacio, el abandono del lecho nupcial y de la recién desposada, connotan no sólo esterilidad y negación maternal, sino una atrofia del rito natural del desposorio, del agasajo y del besamanos que les precede. Tales ritos, al igual que los religiosos y los funerarios dieron origen, de acuerdo con Giambattista Vico, a la sociedad civilizada. Establecieron la frontera entre el espacio salvaje y el civilizado. El personaje de la tragedia se sitúa en la frontera del estado civil que sostiene y rige. Sus acciones se enmascaran como legales, pero se sitúan en la barbarie del instinto vengativo y violento. La imposición del orden sobre el caos, de la realidad frente a la idealización, de la confusión y la propia ceguera frente a la clarividencia, son algunas de las proposiciones del género trágico. En la tragedia, la verdad tiene varias voces, varias caras y múltiples niveles: el duque mujeriego, la doncella sacrificada, la esposa de un jerarca disoluto, el alnado condenado desde la niñez a un matrimonio convencional, el desgobierno y abandono de los estados. La cadena de hechos está marcada también por el discurso dramático, entrecortado, vacilante en ritmo y forma en los dos primeros cuadros y la primera jornada; denso, parsimonioso, reflexivo en los extensos soliloquios de los actos II y III.

Esta reinterpretación de la tragedia en el barroco español, como un sistema de valores en oposición, y cuya función se establece con frecuencia en polaridades y en radicales simetrías, es pertinente y hasta esclarecedora. Ayuda a revelar las coordenadas de un sistema político también en crisis. Clarifica y establece la lógica que gobierna las expresiones del orden humano y de la obra literaria que refleja y transforma como artefacto artístico. Establece una cadena de funciones simbólicas que apunta a la precaria contingencia de un significado frente a otro, o a su relatividad heurística. Porque toda pieza dramática se define básicamente como un sistema de signos nunca absolutos; relativos al establecer unos con otros una serie de funciones plurivalentes. Representan modelos de la realidad, literaria o histórica o ambas, pero guardan su propia coherencia y lógica interna. Se puede hablar de códigos y de homologías dentro de un código. El significado de una tragedia no es tan sólo lo que pasa en escena, sino también la palabra que resuena, declamada, gesticulada, articulada, enhebrada en ritmo y rima, como función métrica, como relato lírico y como acontecer trágico.

Para René Girard, la sexualidad es siempre una fuente de desorden dentro, incluso, de las comunidades más pacíficas. Y tanto la sexualidad, el desorden como la violencia, están en el centro de *El castigo sin venganza*. Las dos últimas como consecuencia del desequilibrio o desarmonía sexual. El Duque se casa por conveniencia política (dar un heredero al trono, vv. 676-681) pero, una vez casado, tan solo visita a la recién desposada una noche en todo el mes (vv. 1034-1043). La violencia sexual tiene su contrarréplica: Casandra da oído a los instintos amorosos de Federico (vv. 1811-1825) y se niega a dar herederos al Duque (v. 1109). Vuelto de Roma, y durante una ausencia de cuatro meses, se ha cometido el adulterio y el Duque descubre a los culpables. El castigo —nueva retribución y nuevo acto de violencia— se oculta ante los vasallos. Se ordena a Federico que mate a Casandra cuyo cuerpo es tan solo un bulto[111]. Federico ignora su identidad. El vasallo enigmático (Casandra) es acusado falsamente de enemigo del Estado (vv. 2927-2953). Consecuentemente, cumplida la orden, Federico, acusado de matar por celos a Casandra, de quien se dice que estaba embarazada del nuevo heredero, cae abatido por la espada del marqués Gonzaga, el nuevo prometido de Aurora.

La violencia se desata porque un sujeto (Casandra) ha caído en manos del rival (Federico), quien no sólo la desea, sino que incluso llega a poseerla. El objetivo de Federico es simplemente erótico, el del Duque, por el contrario, más bien

---

[111] La muerte de Agamenón, en el *Agamenón* de Séneca, es semejante a la muerte de Casandra en *El castigo sin venganza*. Clitemnestra, celosa de Casandra, nombre también de la sibila de la *Odisea* que había profetizado la destrucción de Troya, envuelve a *Agamenón* en una capa o vestido sin aberturas. Así muere ajusticiada por mano de un servidor.

político: restablecer el lecho perdido y la prioridad sobre el contrario. Se ventila, pues, el derecho a la cohabitación (el duque marido) frente al usurpador (el hijo traidor). Sin embargo, y pese a la rivalidad, el padre y el hijo son reflejos mutuos; dobles de sí mismos. Federico es «retrato» de su progenitor, comenta Casandra (v. 2656). Y ésta es para Federico ya no su «madre», sino «su amiga» (v. 2624-2627). Federico vive torturado por deseos contrarios: entre el deber filial y la pasión lujuriosa; entre acompañar al Duque a Roma o permanecer en palacio; entre desplazar al padre como esposo o permanecer fiel a Aurora. Se perfila en su interior la imagen del hijo bueno, sumiso pero reflejo a la vez de los pasos del padre. Rostro alargado, melancolía, ansiedad, doble decisión (prometido de Aurora pero amante de Casandra) son el tormento que aflige al atormentado hijastro.

La misma disyunción vive el Duque entre matar al traidor que ha violado el espacio íntimo de su lecho y de su hombría o sacrificar sin venganza al hijo único. Solo pensarlo, expresa, «la sangre / muere en las venas heladas» (v. 2873). Porque todo sacrificio es, a la vez, una obligación sagrada y un acto criminal. Tan sólo la ejecución controlada evita la crisis política o social. Y para evitar la violencia recíproca se ha de convencer al auditorio de que la motiva la justicia y el bien del Estado, de ningún modo la venganza personal. El derecho de la sociedad o del Estado está sobre el personal. El rito del sacrificio —la muerte de Federico y Casandra— es una obligación sagrada, y ésta es, a la vez, deseable y temible. Lo sagrado en *El castigo sin venganza* es la invocación que hace el Duque del honor personal y social, de la autoridad que le otorga el Estado como entidad legal y del castigo divino que representa la mano justiciera. Quien ordena la ejecución es, a la vez, padre, jefe de Estado y marido cornudo, simbólicamente castrado. De ahí que a la hora de cerrar la tragedia, el Duque dictamine extensamente sobre el «castigo» y sobre la «venganza»; sobre su doble función como padre y como esposo. El que al final castigue como padre, símbolo putativo de la ley, del orden y de la autoridad, y no como esposo («Seré padre y no marido, / dando la justicia santa / a un pecado sin vergüenza / un castigo sin venganza», vv. 2846-2849) implica

90

mantener el *statu quo* que le impuso la sociedad que gobierna y representa en su orden institucional. Triunfa, pues, su voluntad y la razón de Estado.

El deber sagrado lo dictamina también la ineludible imposición del honor: «Pues sin culpa el más honrado», explica el Duque en extenso soliloquio, «te puede perder, honor, / bárbaro legislador / fue tu inventor, no letrado» (vv. 2816-2819). De ahí que se mantengan como secreto las verdaderas causas del castigo. Evita el deshonor público, salva la reputación del marido y logra que la violencia no sea recíproca. Verdad pública es que la tristeza de Federico proviene, casado el Duque, de perder su derecho como heredero al trono. Anula ésta la relación ilícita con su madrastra: el tabú. Y la misma razón justifica su muerte: celoso ante el nuevo heredero, mata a Casandra y muere así por criminal. El sacrificio o la muerte de los dos amantes es como ritual un gran acto de mediación entre la sociedad que impone un código, unas leyes, y que condena a quienes las infringen. Tiene su correspondencia, como ya indicamos, con el *phármakos* dentro de la tragedia griega. La víctima sacrificada participa de una naturaleza dual[112]. Por una parte, representa lo maligno y perverso, el insulto, la violencia; por otra, es objeto del culto divino. Más aun, con el fin de prever que la violencia sea recíproca, la víctima se escoge entre los miembros marginados de la sociedad. Casandra es para el Duque objeto, comodín social, adorno (vv. 1064-1067). Llegó a Ferrara para ser madre, y estaba sujeta a las severas leyes

---

[112] Derrida define el término a modo de chivo expiatorio (1972, pág. 130). En la misma línea se encuadra la definición de Vernant (1981, pág. 97). Para Girard (1977, págs. 94-95) viene a ser a modo de víctima (1977, pág. 94) que denota tanto atributos positivos como negativos. Recobra y conserva, de acuerdo con Frazer (1981, págs. 210-217), la pureza de la comunidad. El término en griego (φάρμακον, -ου) equivale a hechizo, magia; veneno y antídoto; enfermedad y remedio. Es el espacio del altar sagrado y del cuerpo deshechado; del interior y del exterior («intra muros/extra muros»), de lo demoníaco en cuanto que encama el poder del mal, pero a la vez de lo venerado, ya que aporta el remedio, la salvación. Conjuga la blasfemia y lo sagrado (Derrida, 1972, pág. 133). El drama vendría a ser una representación mimética del mecanismo expiatorio. La relación entre héroe y *phármakos* la establece con gran atino Robert L. Fiore en la obra de Ruiz de Alarcón *El dueño de las estrellas*. Sus notas son útiles y precisas.

del honor en su función de esposa, duquesa y madrastra. Era propiedad exclusiva del Duque. Su muerte no contiene ningún lamento, consideración o comentario. Sacrificadas las víctimas, se refuerzan las instituciones sociales: Aurora se casa con el marqués Gonzaga, se restaura el orden y sobre las tablas del corral esa fuerza devastadora, trágica *(phármakos)*, es aniquilada. Federico, en palabras del Duque, «pagó la maldad que hizo / por heredarme» (vv. 3016-3017).

No hay, pues, santo fingido, más bien un cambio moral sincero en *El castigo sin venganza*. En el juego de las dicotomías (pecador/santo, mujeriego/marido fiel, gobernante disoluto/ejecutor prudente) se establece la configuración dramática de la tragedia. De la misma heterogénea dualidad participan tanto Casandra como Federico. En contra de la tragedia aristotélica, no hay un héroe trágico bien definido, que conlleve exclusivamente todos los defectos y virtudes de los personajes de Sófocles. El Duque representa el papel que le imponen las reglas de código del honor. La sociedad triunfa sobre lo personal, la razón sobre los impulsos naturales. Las simetrías están reguladas por series de opuestos, sin posible conciliación o reencuentro. La escéptica postura del gracioso Batín ante el cambio del Duque se sitúa del mismo modo en dos polos ambivalentes. El cambio del Duque llega cuando sus relaciones matrimoniales con Casandra son, irónicamente, ya meras cenizas. Al jerarca ya virtuoso le alcanzan las fallas de las propias culpas. De ahí que el cierre de la obra implique una aceptación ciega de unas leyes que le impone el orden social, y que aplastan de este modo su ser como persona, si bien lo salvan como gobernante. Porque «no es la realidad objetiva [...] la que diferencia la venganza de la justicia, sino la actitud subjetiva del Duque al elegir una u otra vivencia: logra superar el impulso elemental y primitivo que le lleva a descargar su furia, apacigua el ánimo de manera que la razón es quien rige sus actos sobreponiéndose a la pasión», indica Ynduráin (1987, pág. 61).

Dar una respuesta a la conversión o no del duque de Ferrara conlleva imponer una lectura unívoca no sólo a la solución final de la tragedia, maquiavélica en muchos sentidos, sino a su compleja figura. Ya arrepentido de sus correrías amorosas, el castigo final se extiende del mismo modo a quien lo ordena[113]. Al contemplar la audiencia a un Duque no arrepentido, irónico, el castigo devendría en una farsa política y social. Tal final —o *closure*— socavaría tanto el título de la obra como el género en el que el mismo Lope quiso encasillar: *El castigo sin venganza* como tragedia. El final no impone una víctima sobre la otra o a un inocente sobre un culpable —todos lo son—, sino el horror ante un final trágico que conmueve por la cantidad de asombro que produce, y por el extremo inaudito al que llega la justicia ejemplar. Nada semejante había llevado Lope a las tablas del corral. Escindido en su interior, el duque de Ferrara es la mejor escultura teatral del hombre del Barroco: ni «santo fingido» ni verdadero; más bien una gran paradoja que enfrenta ambos posturas sin posible solución.

## Esquema métrico

### Acto primero

|               | Versos  | Número |
| ------------- | ------- | ------ |
| Redondillas   | 1-196   | 196    |
| Madrigal[114] | 197-205 | 8      |
| Redondillas   | 206-233 | 27     |
| Silva         | 234-339 | 105    |

[113] Con la salida de Batín de la corte de Ferrara, acompañando a Aurora y al marqués Gonzaga, se afirma la disgregación del Estado de Ferrara y de la casa ducal. La soledad es total para el Duque: queda sin mujer, sin hijo, sin heredero, sin la sobrina que iba a casar con Federico. El Duque vivirá abocado a un futuro vacío.

[114] Tanto van Dam [1928] como Morley y Bruerton [1968] y Jones [1966] clasifican estos versos como canción. Por el contrario, A. David Kossoff, en una extensa nota (ed., 1968, págs. 71-72), y siguiendo a Gasparetti [1939], pág. 34, la clasifica como silva, ya que como canción, dada la forma métrica en la que se presenta (paradigma), su «rima» y «silabeo», no «se halla en otra comedia de Lope», ni se documenta entre los muchos paradigmas de canción presentes en Segura Corvasi, *La canción petrarquista en la lírica española del Siglo de Oro*, Madrid, Instituto Miguel de Cervantes de Filología, 1949. El mismo tipo de rimas se halla en *El castigo* (vv. 234-242), continúa Kossoff, que tanto van Dam como Morley y Bruerton clasifican como silva. Por otra parte, la

| Romance (e-a) | 340-467 | 127 |
| Décimas | 468-527 | 59 |
| Romance (e-a) | 528-651 | 123 |
| Redondillas | 652-699 | 47 |
| Liras (de seis versos)[115] | 700-735 | 35 |
| Redondillas | 736-759 | 23 |
| Romance (e-o) | 760-993 | 233 |

### Acto segundo

| | Versos | Número |
| Décimas | 994-1113 | 119 |
| Tercetos[116] | 1114-1195 | 81 |

canción no se encuentra en las comedias («auténticas fechables») de Lope, escritas entre 1610-1618; *Cronología*, págs. 18 y 161. Al quite sale Rozas [1987], pág. 188, quien clasifica estos versos como madrigal, «ya que no otra cosa son nueve versos amorosos heptasílabos y endecasílabos». Sin embargo, y de acuerdo con Antonio Quilis, *Métrica española*, Barcelona, Ariel, 1984, pág. 145, el madrigal no tiene forma fija «en cuanto al número de sus estrofas ni al número de los versos que debe contener cada una de ellas», y especifica que el tema tratado debe ser de carácter amoroso e idílico; ha de ser breve y la combinación «armónica y sentenciosa». Karl Vossler, *La poesía de la soledad en España*, Buenos Aires, Losada, 1946, págs. 98-104, nos confirma la clasificación de Rozas al especificar que, ya desde el siglo XVII, se empezó a llamar silvas «a los poemas largos en forma de madrigal», y define la «silva española», frente al madrigal, como una «lira asimétrica que ha perdido la articulación de la estrofa». Véase también Tomás Navarro, *Métrica española*, Nueva York, Las Américas, 1966, pág. 240; Vern G. Williamsen, «The Structural Function of Polymetry in the Spanish *Comedia*», en Alva V. Eversole (ed.), *Perspectivas de la comedia*, vol 1: *Colección de ensayos sobre el teatro de Lope, Guillén de Castro, Calderón y otros*, Madrid, Castalia, 1978, págs. 33-47.

[115] Van Dam y Jones clasifican estos versos de «sextinas». Kossoff prefiere «lira de seis versos» (ed., 1968, pág. 73), e indica: «He seguido a Morley y Bruerton en llamar liras de seis versos los vv. 700-735 y 2612-2635, para evitar confusiones con la verdadera sextina petrarquista que no empleó Lope.» Presenta sextinas, sin embargo, en *El remedio en la desdicha, El Marqués de Mantua* y *El honrado hermano*, anteriores las tres a 1604. De hecho, esta forma tuvo, dada la rigidez de su esquema, poco arraigo entre los poetas y dramaturgos del siglo XVII, muy al contrario de la «lira», originalmente de «cinco versos». Véanse también vv. 2612-2635; Tomás Navarro [1966], pág. 240.

[116] El cuarto verso termina, observa acertadamente Díez Borque (ed., 1988, pág. 96), en forma de serventesio, evitando así dejar «versos sin rima». Véanse también vv. 2289-2340.

94

| | | |
|---|---|---|
| Redondillas | 1196-1295 | 99 |
| Romance (a-o) | 1296-1531 | 235 |
| Décimas | 1532-1591 | 59 |
| Redondillas | 1592-1623 | 31 |
| Décimas | 1624-1653 | 29 |
| Redondillas | 1654-1681 | 27 |
| Silva | 1682-1708 | 26 |
| Romance (o-a) | 1709-1796 | 87 |
| Soneto | 1797-1810 | 14 |
| Quintillas | 1811-2030 | 219 |

*Acto tercero*

| | Versos | Número |
|---|---|---|
| Romance (i-e) | 2031-2160 | 129 |
| Redondillas | 2161-2288 | 127 |
| Tercetos | 2289-2340 | 51 |
| Romance (e-a) | 2341-2466 | 125 |
| Endecasílabos pareados[117] | 2467-2483 | 16 |
| Octava[118] | 2484-2491 | 8 |
| Décimas | 2492-2551 | 59 |
| Romance (a-e) | 2552-2611 | 59 |
| Liras (de seis versos) | 2612-2635 | 23 |
| Redondillas | 2636-2823 | 187 |
| Romance (a-a) | 2824-3021 | 197 |

---

[117] Observemos que el v. 2473 va sin rima.
[118] Van Dam y Jones clasifican los vv. 2467-2491 como endecasílabos.
A. David Kossoff, siguiendo a Morley y Bruerton [1968], págs. 47 y 345, señala que los vv. 2484-2491 forman una octava (ed., 1968, pág. 345), y expresa que mediante «un cambio de versificación Lope aísla, como en un marco, la carta delatora que lleva al Duque a conocer la verdad dolorosa; entre endecasílabos pareados (sólo el v. 2473 está sin pareja) y décimas se halla engastada una octava cuya existencia v. D. (contra Buchanan) negaba rotundamente». Rozas [1987], págs. 187-188, apunta, de nuevo, con acierto: «Es única, desde luego, en este periodo, en cuatro rasgos: la mezcla de estrofas en un "curioso" monólogo lírico; en "cuatro cambios de metro arbitrarios"; en la abundancia de tercetos y en el uso de las quintillas, nunca utilizadas en las obras de 1630-1635, y desde 1613 no empleadas con tanta extensión», observación que recoge Díez Borque (ed., 1988, pág. 96).

#### Porcentaje general

| Estrofas | Total versos | Tanto por ciento |
|---|---|---|
| Romance | 1315 | 43,52 |
| Redondillas | 764 | 25,28 |
| Décimas | 325 | 10,75 |
| Quintillas | 219 | 7,24 |
| Silva | 139 | 4,60 |
| Tercetos | 132 | 4,36 |
| Liras | 58 | 1,9 |
| Endecasílabos pareados | 16 | 0,5 |
| Soneto | 14 | 0,4 |
| Octava | 8 | 0,2 |

# Esta edición

*El castigo sin venganza* es un texto irreductible a una sola lectura. Bruce W. Wardropper indica al respecto: «Insofar as he actually succeeded in writing nature rather than art, Lope's plays thwart systematic critical procedures»[119]. Como obra enigmática que ha confundido a sus lectores a lo largo de los años («has baffled its readers over the years») define Susan L. Fischer *El castigo sin venganza*[120]. Tal irreducción se plantea en el ámbito más básico: el textual. El hecho de que contemos con el autógrafo no soluciona algunos casos de *lectio difficilior*, que resulta bien de sistemáticas alteraciones *(transmutatio)*, y de frecuentes sustituciones *(immutatio)*. Lope apenas puntúa. Omite varias acotaciones; se señalan entradas incorrectas, y se añaden cambios que pertenecen a otra pluma *(stilus)*. El autógrafo, al ser posteriormente impreso *(Suelta,* Barcelona, 1634)[121], con-

---

[119] Bruce W. Wardropper, «The Criticism of the Spanish *Comedia: El caballero de Olmedo* as Object Lesson», *Philological Quarterly,* 51 (1972), pág. 178.

[120] Susan L. Fisher [1981], pág. 25. Véase, en el mismo sentido, Geraldine Cleary Nichols [1977], págs. 209-210 y Victor Dixon [1973], págs. 63-64. Abundan también las opiniones más encontradas: Margaret A. van Antwerp [1981], págs. 205-206; Janet Horowitz Murray [1979], págs. 17-18. Resume Donald McGrady [1983], pág. 45, que quizá «sea *El castigo sin venganza* el drama más logrado de Lope de Vega».

[121] Hermann Tiemann en *Lope de Vega in Deutsthland,* Hamburgo, Lutcke und Wulff, 1939, pág. 34, describe, indica Dixon [1967], pág. 188 y [1973], pág. 63, nota 1, una edición *Suelta* que parece que se encontraba en la Preussiches Staatsbibliothek, y que fue probablemente destruida, le informan, durante la Segunda Guerra Mundial. Tiemann la data en 1635 («um 1635»), y expresa que esta *Suelta* se deriva directamente del autógrafo, «independently of the other early printed texts», anota Dixon. Incluye Tiemann copia fotostática.

tó con un segundo lector; y con un tercero en la edición que incluye la *Parte XXI* (Madrid, 1635). Es imposible determinar si el autógrafo en la Ticknor Collection (Boston Public Library, D. 174) fue el mismo que usó el impresor de Barcelona, o más bien una copia de éste, desaparecida; y del mismo modo, si la *Suelta* deriva de un texto corregido por el autor o de un texto amoldado por el impresor catalán. Varios casos de «leísmos» corregidos indican que el impresor de Barcelona, ajeno a varias formas, alteró el uso de «le» por el de «lo».

La misma indeterminación se plantea en relación con la edición de la *Parte XXI*, que bien pudo derivar de la *Suelta*, de una copia de Lope o de un texto intermedio corregido. Van Dam (ed., 1928, pág. 12) atribuye la mayoría de las variantes existentes entre el Ms. y la *Suelta* al impresor de Barcelona. En relación con las ediciones impresas *(Suelta, Parte XXI)* anula toda posible «preeminencia» entre ambas. Lo que es objetable, ya que, de acuerdo con Kossoff, y que confirma Díez Borque, las diferencias son más sustanciales que la casi equivalencia. Véanse, por ejemplo, vv. 1002, 1892, 1998, 2143, 2973. Aún más: en los impresos citados faltan los vv. 2026-2030, y se altera el v. 3015. Las mismas diferencias —de nuevo, mínimas— se realzan entre la *Suelta* y la *Parte XXI*. Éstas son dignas de anotar: a) *Suelta* corrige los vv. 1847-1848; 1986, 2017, 2386, que no corrige *Parte XXI;* b) *Suelta* y *Parte XXI* enmiendan vv. 2134,

del primer folio (A r.º) con sesenta versos. Estos versos presentan, documenta con rigor Kossoff (ed., 1968, pág. 45 y nota 81), cuatro variantes en relación con el Ms.: v. 7, «de algún» por «en algún»; v. 10, «se tapa» por «le tapa»; v. 31, «echen» por «echan», y v. 57, «ayudando» por «obligando». «En la puntuación y ortografía», continúa Kossoff (págs. 45-46), «esta suelta coincide frecuentemente con la *Parte* y la *Suelta* de 1634, pero ellas coinciden con el autógrafo con más frecuencia que esta suelta de Tiemann, sobre todo en el significativo detalle respecto al uso de la *-u* por la *-v* (v. 11 y otros: *una* por *vna* en el autógrafo, *Parte* y *princeps*) y la *-v* por la *-u* (vv. 19 y 20, *nueva* y *divinos* por *nueua* y *diuinos* en el autógrafo»). La portada es significativa: *Un castigo sin venganza, Ove* es *Ovando.* Semeja al subtítulo que aparece en *Doze comedias las más grandiosas* (Lisboa, 1647), lo que apunta a una posible relación entre ambas. De la *Suelta* existe, aparte del ejemplar en la Biblioteca Nacional de Madrid y en Parma, otro en la de Florencia, de acuerdo con la información que A. David Kossoff recogió de su admirado maestro William L. Fichter. Para otras diferencias entre la *Parte XXI* y la *Suelta* remitimos al minucioso análisis que presenta Kossoff en la página arriba indicada.

2136, 2381 y 2791; c) *Suelta* y *Parte XXI* ofrecen importantes variantes en relación con el Ms. Así, en vv. 74-83, 86, 98, 589 y 2528. En ambas ediciones falta el v. 244. Y un buen número de variantes se presenta en las acotaciones[122].

El problema más grave lo presenta la puntuación: signos de admiración, interrogación y hasta el uso del paréntesis. La puntuación es mínima en el Ms. Las siguientes ediciones (tanto las antiguas como las modernas más fiables) puntúan de manera divergente. Jones, por ejemplo, tiende a ser más generoso; Kossoff, más comedido y económico; en general, más acertado. Acertaba Lope al hacer mínimas las puntaciones: daba un margen de libertad al director a la hora de la puesta en escena, ya que la excesiva puntuación fuerza pausas, motiva silencios, desajusta el fluir dramático de un parlamento, el énfasis. Establece con frecuencia una lectura ajena, ya que un mismo parlamento puede variar, radicalmente, su fluir, de acuerdo con la puntuación. Por otra parte, no tenemos conocimiento de cómo se leía o declamaba la comedia en el siglo XVII. De ahí que la puntuación ajena al Ms. sea un ejercicio de la modernidad, paradójico dilema que estableció magistralmente Jorge Luis Borges en su conocido relato de «Pierre Ménard».

Las inconsistencias, pues, entre punto y punto y coma son abrumadoras entre las ediciones modernas. Tratamos de ser parcos en este sentido y, sobre todo, consistentes. En caso de una lectura ambigua o difícil *(difficilior)* argumentamos nuestra opción presentando, con frecuencia, varias posibilidades: las asentadas en ediciones previas y la diferente, si éste es el caso. Y somos consistentes en la fluctuación ortográfica («estraño» frente a «extraño»), pese a que la ortografía del siglo XVII no distinguiera la diferencia. En todo caso, modernizamos las grafías de este tipo y anulamos el uso de la diéresis que conservan David A. Kossoff («criados», v. 348; «cruel», v. 705; «persuado», v. 1325, «juez», v. 2746) y también Díez Borque.

---

[122] Arnold G. Reichenberger, «Editing Spanish *Comedia* of the XVIIth Century: History and Present-Day Presence», en Anne Lancashire (ed.), *Editing Renaissance Dramatic Texts: English, Italian and Spanish,* Nueva York, Garland, 1976, págs. 69-96.

De cualquier modo, Lope, al entregar el autógrafo para la imprenta, haría —suponemos— una última revisión que queda constatada en la lectura final del impresor. La edición *Suelta (princeps;* Biblioteca Nacional, R-4021), es un texto que también ofrece garantía. Basamos nuestra edición en el Ms. de Lope (autógrafo), si bien hemos tenido en cuenta, en todo momento, la *editio princeps (Suelta)* y la *Parte XXI* (cuyas variantes, mínimas, registramos). En general, no anotamos variantes, erratas, erratas tipográficas, variación de puntuación de ediciones modernas (Hartzenbusch, van Dam, Jones, Kossoff, Díez Borque) a no ser que el sentido se altere radicalmente. La variante tipográfica, por ejemplo, de «V. Alteza» frente a «Vuestra Alteza» es mera pesquisa paleográfica que no aclara ni altera el texto; lo mismo sucede con otros deslices ortográficos. Cuando la puntuación, insistimos, ofrece lecturas ambiguas, aportamos anotaciones previas para confirmar o diferir, dentro de un sistema coherente, nuestra lectura. Una edición rigurosa de *El castigo sin venganza* debiera tener en cuenta, ya lo hemos indicado, el manuscrito y las múltiples enmiendas que, a modo de curioso palimpsesto, presenta. Tales lecturas superpuestas, que Lope va haciendo al correr de su pluma, tendrían también cabida en una monografía crítica sobre el texto. Pero nada nos ofrece en este sentido la bibliografía sobre *El castigo sin venganza.*

Modernizamos la ortografía y ajustamos al sistema fonológico presente el vigente en tiempos de Lope. Damos enteros los nombres de los interlocutores (que se abrevian en el autógrafo). Las acotaciones, tan sólo en caso de obvia omisión, siguen en general las presentes en la *princeps.*

# Siglas utilizadas

*Ac.*  Lope de Vega, *Obras,* ed. y estudios de Menéndez y Pelayo, Madrid, Real Academia Española, 1890-1913, 15 vols.

*Ac. N.*  Lope de Vega, *Obras,* nueva edición con estudios de E. Cotarelo y Mori *et al.,* Madrid, Real Academia Española, 1916-1930, 13 vols.

*Aut.*  *Diccionario de autoridades* (1726-1737), Madrid, Gredos, 1963.

*BAE*  Biblioteca de Autores Españoles, Madrid, Rivadeneyra, 71 vols.

*BHS*  *Bulletin of Hispanic Studies.*

*Cov.*  Sebastián de Covarrubias, *Tesoro de la lengua castellana y española* (1611), Madrid, Turner, 1979.

*DRAE*  *Diccionario de la lengua española,* Madrid, Real Academia Española, 1984, 2 vols.

*Léxico*  José Luis Hernández, *Léxico del marginalismo del Siglo de Oro,* Salamanca, Universidad, 1977.

*Ms.*  *El castigo sin venganza,* autógrafo fechado el primero de agosto de 1631, Boston Public Library (Ticknor Collection).

*OS*  *Colección de las Obras sueltas, assi en prosa, como en verso, de D. Frey Lope Félix de Vega Carpio del hábito de San Juan,* ed. de Cerdá y Rico, Madrid, A. de Sancha, 1776-1779, 21 vols.

*PMLA*  *Publications of the Modern Languages Association of America.*

*RFE*  *Revista de Filología Española.*

# Bibliografía

MANUSCRITO

VEGA CARPIO, Lope de, *El castigo sin venganza*, 1631 (autógrafo en la Ticknor Collection, Boston Public Library, D. 174).

EDICIONES

*El castigo sin venganza*, Barcelona, impresa por Pedro Lacavalleria (1634); *editio princeps* (la llamada *Suelta*); Bibl. Nac., Madrid, R-4021. Se incluye en facsímil en *Poesía, novela, teatro*, ed. de M. Artigas, Madrid, Biblioteca Nueva, 1935.

*Veinte y una parte verdadera de las comedias del Fénix de España Frei Lope Felix de Vega Carpio*, Madrid, Vda. de A. Martín, 1635, folios 91r-113v.

*Doze comedias las mas grandiosas que asta aora han salido de los mejores y mas insignes Poetas*. Segunda Parte, Lisboa, Pablo Craesbeeck. Impressor de las Ordenes Militares. Año 1647, folios 43-64v; Bibl. Nac., Madrid, R-12260. El título completo de la comedia reza: *El castigo sin venganza. Tragedia. Quando Lope quiere, quiere*. Se incluye esta edición en la *Colección de Comedias Sueltas, con algunos Autos y Entremeses de los mejores ingenios de España desde Lope de Vega hasta Comella*, llevada a cabo por I.R.C., i.e. J. R. Chorley, T. I (Pte 1a), Lope Félix de Vega Carpio, British Museum 11728, h. 1 (5), que anota C. A. Jones (ed., 1966, pág. 21). Sale, de acuerdo con Á. de la Barrera *(Catálogo*, pág. 704b), quien cita a Fajardo, otra copia que se incluye en la *Parte segunda de comedias de varios autores*, s. l., 1662 («o más tarde», indica Kossoff, ed., 1968, pág. 53).

*Un castigo sin venganza, que es Quando Lope quiere*, s. l., s. a.; es la suelta del siglo XVII, que Tiemann fecha alrededor de 1635, a la que aludimos en nota 121 de la «Introducción». De acuerdo con Kossoff, esta copia fue examinada por el profesor Fichter, que la creyó de casi finales del XVII, dadas sus características tipográficas y ortográficas.

*Colección de las Obras sueltas, assi en prosa como en verso, de D. Frey Lope Félix de Vega Carpio del hábito de San Juan,* ed. de Cerdá y Rico, Madrid, A. de Sancha, 1777, vol. VIII, págs. 377-487.

*Comedias escogidas de Frey Lope Félix de Vega Carpio,* ed. de J. E. Hartzenbusch, Madrid, M. Rivadeneyra, 1853, I, págs. 756-784. Corresponde al vol. XXIV de la Biblioteca de Autores Españoles, Madrid, Sucesores de Hernando, 1923-1925.

*Lope de Vega: teatro y obras diversas,* t. I: *Teatro,* prólogo de Alfonso Reyes, Madrid, S. Calleja, 1919, págs. 183-258.

*Obras,* ed. de Ángel Valbuena Prat, Barcelona, Argos Vergara, 1979.

*Obras de Lope de Vega,* ed. de Marcelino Menéndez y Pelayo, Madrid, Real Academia Española, 1913, vol. XV, págs. 233-272.

*Obras escogidas,* ed. de Elías Zerolo, París, Garnier Hermanos, 1886, vol. I, págs. 1-83.

*Obras escogidas,* ed. de Federico Carlos Sainz de Robles, Madrid, Aguilar, 1946, vol. I, págs. 913-948.

*Teatro español,* Madrid, Berlín, Buenos Aires, Editora Internacional, 1924, págs. 1-151.

*Teatro selecto antiguo y moderno,* ed. de Francisco José de Orellana, Barcelona, Salvador Manero, 1867, vol. I, págs. 515-543.

*El castigo sin venganza,* Madrid, Alonso Gullón, 1874; refundido por Emilio Álvarez.

*El castigo sin venganza,* Barcelona, Manuel Saurí, 1875, 82 págs.

*El castigo sin venganza,* Madrid, Biblioteca Universal Económica, 1880, págs. 233-272.

*El castigo sin venganza,* ed. de C. F. A. van Dam, Groningen, P. Noordhoof, 1928. Sigue esta edición el Ms. autógrafo presente en la Ticknor Library de Boston (Massachusetts). Incluye variantes de los impresos y un estudio preliminar seguido de tres facsímiles.

*El castigo sin venganza,* ed. de J. M. Ramos, Madrid, Hernando, 1935.

*El castigo sin venganza,* ed. de C. A. Jones, Oxford, Pergamon Press, 1966.

*El castigo sin venganza,* ed. de J. Rodríguez, Zaragoza, Ebro, 1966.

*El castigo sin venganza,* ed. de Josefina García Aráez, Madrid, Taurus, 1967.

*El castigo sin venganza,* ed. de C. F. A. van Dam, Salamanca, Anaya, 1968.

*El castigo sin venganza, tragedia española de Lope de Vega. Con el Cuaderno de dirección para el montaje de Miguel Narros durante la Temporada 85/86 en el Teatro Español,* ed. de Luciano García Lorenzo, Madrid, Ayuntamiento de Madrid, 1986. El texto va precedido de varios ensayos, notas de carácter histórico, diseño de luces y planos de movimientos. Véase bibliografía al respecto.

*El castigo sin venganza,* ed. de José María Díez Borque, Madrid, Espasa-Calpe, col. Clásicos Castellanos, Nueva serie, 1988.

*El castigo sin venganza,* en Mario Socrate (ed.), *Teatro,* Milán, Garzan-
ti, 1989.
*El castigo sin venganza,* ed. de Felipe B. Pedraza Jiménez, Barcelona,
Octaedro, 1999.
*El castigo sin venganza. La moza del cántaro,* Madrid, Espasa-Calpe, col.
Austral, 1970; 2.ª ed., 1984.
*El castigo sin venganza. La moza del cántaro. La Arcadia. El vellocino de
oro,* Madrid, Emiliano Escolar, 1977.
*Fuenteovejuna. El caballero de Olmedo. La dama boba. El castigo sin ven-
ganza. Arte nuevo de hacer comedias,* ed. de Ramón Esquer Torres,
Barcelona, Castell y Moretón, 1981.
*Fuenteovejuna. El castigo sin venganza,* ed. de Manuel Fernández Nieto,
Madrid, Sociedad General Española de Librería, 1982.
*El perro del hortelano. El castigo sin venganza,* ed. de A. David Kossoff,
Madrid, Castalia, 1968; 4.ª ed., 1987.
*El villano en su rincón. El castigo sin venganza,* prólogo de Justo García
Morales, Madrid, Sociedad Anónima de Promoción y Edicio-
nes, 1986.


Obras generales de consulta[123]

Albarracín Teulón, A., *La medicina en el teatro de Lope de Vega,* Madrid, s. n., 1954.

---

[123] Una bibliografía general sobre el teatro puede verse en Pablo Jauralde
Pou, «Introducción al estudio del teatro clásico español», *Edad de Oro,* V
(1986), págs. 107-147, y en la anterior publicación (en colaboración con Juan
Manuel Rozas) incluida en Francisco Rico (dir.), *Historia y crítica de la literatura española,* vol. III: *Siglos de Oro: Barroco,* ed. de B. W. Wardropper, Barcelona, Crítica, 1982, págs. 217-227, 321-331. Son de destacar algunos números
monográficos de revistas como *Hispanófila,* I (1974); *Cuadernos de Filología,*
I, II (1981); *Criticón,* núms. 23 (1983) y 30 (1985); *Bulletin of Hispanic Studies,*
LXIV, 1 (enero de 1987); los núms. 2 y 4 de *Cahiers de l'Université* (Universidad de Pau) titulados, respectivamente, *IVᵉ Table Ronde sur le Théâtre espagnol
(xvii-xviii siècles)* y *Théâtre et societé,* y el número monográfico «Semiótica del
teatro», que le dedica la revista *Dispositio,* vol. XIII (1988). Han adquirido importancia las *Jornadas del Teatro Clásico Español de Almagro,* la serie *Cuadernos de
teatro Clásico,* así como las siguientes monografías de conjunto: *La mujer en el teatro y la novela del siglo xvii,* Toulouse, Université de Toulouse-Le Mirail, 1978;
F. Ramos (ed.), *Teoría y realidad en el teatro español del siglo xvii: la influencia
italiana,* Roma, Instituto Español de Cultura y de Literatura de Roma, 1981;
Juan de Oleza (dir.), *Teatros y prácticas escénicas,* vol. II: *La comedia,* J. L. Ca-

ALFONSO EL SABIO, *Las siete partidas del Sabio Rey D. Alfonso el Nono,* copiadas de la edición de Salamanca del año 1555, Valencia, Joseph Thomàs Lucas, 1758.

AMEZÚA, Agustín G., *Epistolario de Lope de Vega,* Madrid, Artes Gráficas «Aldus», 1941-1943, vols. III-IV.

ARCO Y GARAY, Ricardo, *La sociedad española en las obras de Lope de Vega,* Madrid, Escelicer, 1941.

BANDELLO, M., *Il marchese Nicoló terzo da Este trovato il figliuolo con la matrigna in adulterio, a tutti due in un medesimo giorno fa tagliar il capo in Ferrara,* incluida en *La Prima Parte de le Novelle del Bandello,* Lucca, 1554. La historia es la incluida bajo el número 44. En la colección *Il primo volume delle Novelle del Bandello novamente corretto,* etc., Venecia, 1566; la historia se incluye bajo el número 32. Véase «Apéndice 4».

BARRERA Y LEIRADO, Cayetano Alberto de la, *Catálogo bibliográfico y biográfico del teatro antiguo español,* Madrid, Imprenta y Estereotipia de M. Rivadeneyra, 1860.

BATAILLE, Georges, *Les larmes d'Eros,* París, Pauvert, 1961 [trad. esp.: *Las lágrimas de Eros,* trad. de David Fernández, Barcelona, Tusquets, 1997].

BOISTEAU, Pierre y BELLEFOREST, François, *Premier et Second Thome des Histoires Tragiques, contenants XXXVI, livres. Les six premier, par Pierre Boisteau, ... Les trente suyuans, par Fran. de Belle-Forest... Extraictes des oeuvres Italiennes de Bandel,* París, 1568. La primera edición se data en 1559. Jones indica la posibilidad de otras ediciones (1564, 1567).

— *Historias trágicas exemplares de Pedro Bouisteau y Francisco de Bellaforest,* Valladolid, 1603. La primera traducción al español es de 1568.

BRADBURY, Gail, «Lope Plays of Bandello Origin», *Forum for Modern Languages Studies,* XVI (enero de 1980), págs. 53-65.

— «Tragedy and Tragicomedy in the Theatre of Lope de Vega», *Bulletin of Hispanic Studies,* LVIII (1981), págs. 103-111.

BREMMER, Jan, «Scapegoat Rituals in Ancient Greece», *Harvard Studies in Classical Philology,* 87 (1983), págs. 229-320.

net (coord.), Londres, Tamesis Books, 1986; A. Sánchez Romeralo (coord.), *Lope de Vega: el teatro,* 2 vols., Madrid, Taurus, col. El escritor y la crítica, 1989. Inexplicablemente *El castigo sin venganza* no recibe ninguna atención crítica, pese a los excelentes ensayos de Wilson, Bradbury, Dixot *et al.,* y la importancia de esta obra. Las publicaciones, finalmente, de la revista *Segismundo, Bulletin of the Comediantes,* la selección correspondiente a la «Bibliografía» de la *PMLA,* editada por la Modern Language Association of America (Nueva York), como la *Revue d'Histoire du Théâtre* (París), ayudarán a completar esta ficha bibliográfica.

BYRON, Lord, *Parisina: The Poetical Works*, ed. de E. H. Coleridge, Londres, 1905, págs. 370-376.

CARREÑO, Antonio, *El romancero lírico de Lope de Vega*, Madrid, Gredos, 1979.

CASTRO, Américo y RENNERT, Hugo A., *Vida de Lope de Vega (1562-1635)*, Salamanca, Anaya, 1968.

CORREA, Gustavo, «El doble aspecto de la honra en el teatro del siglo XVII», *Hispanic Review*, XXVI (1958), págs. 99-107.

CORREAS, G., *Vocabulario de refranes y frases proverbiales*, ed. de Louis Combet, Burdeos, Institut d'Études Ibériques et Ibéro-americaines de l'Université, 1967.

DELEITO Y PIÑUELA, José, *El rey se divierte*, Madrid, Alianza Editorial, 1988.
— *También se divierte el pueblo*, Madrid, Alianza Editorial, 1988.

DERRIDA, Jacques, *Disseminations*, trad. de Barbara Johnson, Chicago, University of Chicago Press, 1972.

DÍEZ BORQUE, J. M., *Sociedad y teatro en la España de Lope de Vega*, Barcelona, Antoni Bosch, 1978.

DILLER, Hans, «Göttliches und menschliches Wissen bei Sophokles», en Hans Diller, W. Schadewaldt, A. Lesky, *Gottheit und Mensch in der Tragödie des Sophokles*, Darmstadt, 1963.
— «Über das Selbstbewusstsein der sophokleischen Personnen», *Wiener Studien*, 69 (1956), págs. 70-85.

EL SAFFAR, Ruth, «Literary Reflections of the New Man: Changes in Consciousness in Early Modern Europe», *Revista de Estudios Hispánicos*, 32, 2 (mayo de 1988), págs. 1-32.

FIORE, Robert L., «Alarcón's *El dueño de las estrellas*: Hero and Pharmakos», *Hispanic Review*, 61 (1993), págs. 185-199.

FORASTIERI, E., *Aproximación estructural al teatro de Lope de Vega*, Madrid, Hispanova de Ediciones, 1976.

FRADEJAS LEBRERO, José, «Cuatro versiones de una fábula», *Notas y estudios filológicos*, 1 (1984), págs. 7-11.

FRAZER, James G., *The Golden Bough*, Nueva York, Avenel, 1981.

FREUD, Sigmund, «The "Uncanny"», en *Creativity and the Unconscious: Papers on the Psychology of Art, Literature, Love, Religion*, ed. de Benjamín Nelson, Nueva York, Harper Torchbooks, 1958, págs. 122-161.

GARCÍA NOVO, E., *Estructura composicional de «Edipo en Colono» de Sófocles*, Madrid, Universidad Complutense, 1978.

GARCÍA VALDECASAS, Alfonso, *El hidalgo y el honor*, Madrid, Revista de Occidente, 1958.

GASPARETTI, Antonio, *Las novelas de Mateo Bandello como fuentes del teatro de Lope de Vega*, Salamanca, Universidad de Salamanca, 1939.

GATTI, José Francisco (ed.), *El teatro de Lope de Vega: artículos y estudios*, Buenos Aires, Eudeba, 1962.

107

GERARD, Albert S., *The Phaedra Sindrome: of Shame and Guilt in Drama*, Ámsterdam-Atlanta, Rodopi, 1993.

GIRARD, René, *Violence and the Sacred*, trad. de Patrick Gregory, Baltimore, The Johns Hopkins University Press, 1977.

HAYES, F. C., «The Use of Proverbs in Titles and Motives in the *Siglo de Oro Drama:* Lope de Vega», *Hispanic Review*, VI (1938), págs. 305-323.

JONES, C. A., «Honor in Spanish Golden Age Drama», *Bulletin of Hispanic Studies*, XXXV (1958), págs. 199-210.

KENISTON, H., *The Syntax of Spanish Prose in the Sixteenth Century*, Chicago, 1937.

KOHLER, Eugène, «Lope et Bandello», en *Hommage à Ernest Martinenche: études hispaniques et américaines*, París, Editions d'Artrey, 1939, págs. 116-142.

LAPESA, Rafael, «Poesía de cancioneros y poesía italianizante», en *De la Edad Media a nuestros días*, Madrid, Gredos, 1967, págs. 168-171.

LARSON, R., *The Honor Plays of Lope de Vega*, Cambridge, Harvard University Press, 1977.

LASSO DE LA VEGA, José S., «El dolor y la condición humana en el teatro de Sófocles», en *De Sófocles a Brecht*, Barcelona, 1974, págs. 13-83.

MARAVALL, José Antonio, *La cultura del Barroco*, Barcelona, Ariel, 3.ª ed., 1983.

MARÍN, Diego, *Uso y función de la versificación dramática en Lope de Vega*, Valencia, Castalia, 1962.

McKENDRICK, M., *Theatre in Spain 1490-1700*, Cambridge, Cambridge Univesity Press, 1989.

MEIER, Harri, «A Honra no Drama Románico dos Séculos XVI e XVII», *Ensaios de Filología Románica*, Lisboa, 1948, págs. 243-246.

MENÉNDEZ Y PELAYO, Marcelino, *Estudios sobre el teatro de Lope de Vega*, Madrid, Consejo Superior de Investigaciones Científicas, 1949.

MOLL, Jaime, «Diez años sin licencia para imprimir comedias y novelas en los reinos de Castilla: 1625-1634», *Boletín de la Real Academia Española*, 54 (1974), págs. 97-103.

MONTESINOS, José F., *Estudios sobre Lope de Vega*, Salamanca, Anaya, 1967.

MORBY, Edwin S., «Some Observations on *"Tragedia"* and *"Tragicomedia"* in Lope», *Hispanic Review*, XI (1943), págs. 185-209.

MORLEY, S. Griswold y BRUERTON, Courtney, *Cronología de las comedias de Lope de Vega*, Madrid, Gredos, 1968.

PARKER, Alexander A., *The Approach to the Spanish Drama of the Golden Age*, Diamante, VI, Londres, The Hispanic and Luso-Brazilian Councils, 1957; publicado posteriormente en *Tulane Drama Re-*

*view*, IV (1959), págs. 42-59. Véase una versión más reciente en *Lope de Vega: el teatro*, ed. de Antonio Sánchez Romeralo, Madrid, Taurus, col. El escritor y la crítica, 1989, I, págs. 27-61.

PÉREZ, L. y SÁNCHEZ ESCRIBANO, E, *Afirmaciones de Lope de Vega sobre preceptiva dramática*, Madrid, Consejo Superior de Investigaciones Científicas, 1961.

PRING-MILL, R. D. F., «Introduction», en *Lope de Vega: Five Plays*, ed. y trad. de Jill Booty, Nueva York, Hill and Wang, 1961.

REICHENBERGER, Arnold G., «The Uniqueness of the Comedia», *Hispanic Review*, XXVII (1959), págs. 303-316; XXXVIII (1970), págs. 164-173.

RODRÍGUEZ CUADROS, Evangelina, «El incesto y el protagonismo femenino en el espacio de la tragedia: literatura, retórica y escena», en *Estudios sobre Calderón y el teatro de la Edad de Oro: Homenaje a Kurt y Roswitha Reinchenberger*, Barcelona, Promociones y Publicaciones Universitarias, 1989, págs. 369-391.

ROZAS, Juan Manuel, *Significado y doctrina del «Arte nuevo» de Lope de Vega*, Madrid, Sociedad General Española de Librería, 1976.

RUANO DE LA HAZA, J. M. (ed.), *La primitiva versión de «La vida es sueño» de Calderón*, Liverpool, Liverpool University Press, 1992

RUIZ RAMÓN, Francisco, *Historia del teatro español: desde sus orígenes hasta 1900*, Madrid, Cátedra, 7.ª ed., 1988, págs. 167-170.

SCUNGIO, Raymond L., *A Study of Lope de Vega's Use of Italian Novelle as Source Material for his Plays together with a Critical Edition of the Autograph Manuscript of «La discordia en los casados»*, tesis doctoral, Providence, Brown University, 1961.

SEGAL, Charles, *Tragedy and Civilization: An Interpretation of Sophocles*, Cambridge (Mass.) y Londres, Harvard University Press, 1981.

SHERGOLD, N. D. y VAREY, J. E., «Some Palace Performances of Seventeenth-Century Plays», *Bulletin of Hispanic Studies*, LX (1963), págs. 212-244.

SILVERMAN, J. H., «Lope de Vega's Last Years and his Final Play, *The Greatest Virtue of a King [La mayor virtud de un rey]*», *The Texas Quarterly*, VI, I (1963), págs. 174-186.

SÓFOCLES, *Tragedias*, intr. de José S. Lasso de la Vega, Madrid, Gredos, 1981.

SUÁREZ DE FIGUEROA, Cristóbal, *El pasajero*, ed. de María Isabel López Bascuñana, Barcelona, Promociones y Publicaciones Universitarias, 1988, 2 vols.

TOMÁS y VALIENTE, Francisco, «El perdón de la parte ofendida en el derecho penal castellano (siglos XVI, XVII Y XVIII)», *Anuario de Historia del Derecho Español*, 31 (1961), págs. 55-114.

TORO, Alfonso de, «Observaciones para una definición de los términos *Tragoedia, Comoedia*, y *Tragicomedia* en los dramas de honor de Calderón», en *Hacia Calderón: Séptimo Coloquio Anglogermano*, Cambridge, Cambridge University Press, 1984, págs. 17-53.

VAREY, J. E. y SHERGOLD, N. D., *Fuentes para la historia del teatro en España*, III. *Teatro y comedias en Madrid, 1600-1650: estudios y documentos*, Londres, Tamesis Books, 1971.

VERNANT, Jean-Pierre, *Tragedy and Myth in Ancient Greek*, trad. de Janet Lloyd, New Jersey, Humanities Press, 1981.

VICO, GIAMBATTISTA, *The New Science*, trad. de la 3.ª ed. (1744) de T. G. Bergin y M. H. Fisch, Nueva York, Garden City, 1961.

VITSE, Marc, *Eléments pour une théorie du théâtre espagnol du XVII<sup>e</sup> siècle*, Toulouse, Université de Toulouse, 1987.

VOSSLER, Karl, *Lope de Vega und sein Zeitalter*, Munich, 1932, págs. 257-260 [trad. esp.: *Lope de Vega y su tiempo*, Madrid, Revista de Occidente, 1933].

WALDOCK, A. J. A., *Sophocles the Dramatist*, Cambridge, Cambridge University Press, 1951.

WARDROPPER, B. W., «La comedia española del Siglo de Oro», en Elder Olson, *Teoría de la comedia*, Barcelona, Ariel, 1978, págs. 81-242.


ESTUDIOS SOBRE «EL CASTIGO SIN VENGANZA»


ALBORG DAY, Concha, «El teatro como propaganda en dos tragedias de Lope de Vega: *El duque de Viseo* y *El castigo sin venganza*», en Manuel Criado de Val (dir.), *Lope de Vega y los orígenes del teatro, Actas del I Congreso International sobre Lope de Vega*, Madrid, EDI-6, 1981, págs. 745-754.

ALONSO, Amado, «Lope de Vega y sus fuentes», *Thesaurus: Boletín del Instituto Caro y Cuervo*, VIII (1952), págs. 1-24; incluido posteriormente en J. F. Gatti (ed.), *El teatro de Lope de Vega: artículos y estudios*, Buenos Aires, Eudeba, 1962, págs. 193-218.

ALVAR, Manuel, «Reelaboración y creación en *El castigo sin venganza*», en A. Zamora Vicente *et al.* (eds.), *«El castigo sin venganza» y el teatro de Lope de Vega*, Madrid, Cátedra, 1987, págs. 207-222; anteriormente incluido en *Revista de Filología Española*, LXVI (1986), págs. 1-38.

ANDREWS, J. R. y SILVERMAN, J. H., «Two Notes on Lope de Vega's *El castigo sin venganza*», *Bulletin of the Comediantes*, XVII, 1 (1965), págs. 1-5.

ARANGUREN, José Luis, «La feliz imperfección de Lope», en *El castigo sin venganza*, ed. de Luciano García Lorenzo, Madrid, Teatro Español, Ayuntamiento de Madrid, 1985, págs. 37-47.

— «Reflexiones en torno a *El castigo sin venganza*», en B. Ciplijauskaité y C. Maurer (eds.), *La voluntad del humanismo: homenaje a Juan Marichal*, Barcelona, Anthropos, 1990, págs. 159-170.

ARELLANO, Ignacio, «*El castigo sin venganza,* ed. de Antonio Carreño», reseña, *Criticón* 50 (1990), págs. 180-182.

ARJONA, J. H., «Modern Psichology in Lope de Vega», *Bulletin of the Comediantes*, VIII, 1 (1956), págs. 5-6.

BIANCO, Frank J., «Lope de Vega's *El castigo sin venganza* and Free Will», *Kentucky Romance Quarterly*, XXVI, 4 (1979), págs. 461-468.

CARREÑO, Antonio, «Textos y palimpsestos: la tradición literaria de *El castigo sin venganza* de Lope de Vega», *Bulletin hispanique*, 82, 2 (1990), págs. 729-747.

— «Las "causas que se silencian": *El castigo sin venganza* de Lope de Vega», *Bulletin of the Comediantes*, 43, 1 (1991), págs. 5-19.

— «La "sin venganza" como violencia: *El castigo sin venganza* de Lope de Vega», *Hispnic Review*, 58, 4 (1991), págs. 379-400.

— «"La sangre / muere en las venas heladas": tragedia en *El castigo sin venganza* de Lope de Vega», *Revista Canadiense de Estudios Hispánicos*, XXI, 2 (invierno de 1997), págs. 253-271; nueva versión en A. Robert Lauer y Henry W. Sullivan (eds.), *Hispanic Studies in Honor of Frank P. Casa,* Nueva York, Peter Lang, 1997, págs. 84-102.

CARRIZO RUEDA, Sofía M., «Tres aspectos de *El castigo sin venganza* y la crítica actual sobre el teatro áureo», en *Actas del II Congreso Argentino de Hispanistas,* Mendoza, Universidad Nacional de Cuyo, 1989, vol. II, págs. 157-165.

— «Dramatización del viaje y prácticas descriptivas en el teatro áureo: aspectos de *El castigo sin venganza* y de otros textos de Lope y Calderón», en Odette Gorsse y Frédéric Serralta (eds.), *El siglo de Oro en escena: homenaje a Marc Vitse, Anejos de Criticón*, 17, 2006, págs.179-191.

CASTRO, Américo, «Por los fueros de nuestro teatro clásico: *El castigo sin venganza* de Lope de Vega», *La Unión Hispano Americana*, III, 36 (1919), pág. 15.

CONSIGLIO, Carlo, «La fuente italiana de *El castigo sin venganza* de Lope», *Mediterráneo*, XII (1945), págs. 250-255.

COSSÍO, José María, «El mote "sin mí, sin vos y sin Dios", glosado por Lope de Vega», *Revista de Filología Española*, XX (1933), págs. 397-400.

COUDERC, Christopher, «Guardando respeto a Aristóteles: en torno a los versos tachados por Lope al final de *El castigo sin venganza*», en Odette Gorsse y Frédéric Serralta (eds.), *El siglo de Oro en escena: homenaje a Marc Vitse,* Toulouse, Presses Universitaires du Mirail, 2006, págs. 227-234.

111

D'AGOSTINO, C., «Un peccato di fantasia: lettura del *Castigo sin venganza* di Lope de Vega», *Quaderni di Letterature Iberiche e Iberoamericane*, 3 (1985), págs. 27-59.

DE ARMAS, Frederick A., «The Silences of Myth: (Con)fusing Eróstrato/Erasístrato in Lope's *El castigo sin venganza*», en A. Robert Lauer y Henry W. Sullivan (eds.), *Hispanic Essays in Honor of Frank P. Casa*, Nueva York, Peter Lang, 1979, págs. 65-75.

DÍAZ BALSERA, Viviana, «Honor, deseo de identidad y fragmentación en *El castigo sin venganza*», *Romance Language Annual*, 3 (1991), págs. 420-426.

DIXON, Victor, «*El castigo sin venganza:* The Artistry of Lope de Vega», en *Studies in Spanish Literature of the Golden Age Presented to Edward M. Wilson*, Londres, Tamesis Books, 1973, págs. 63-81.

— «Manuel Vallejo. Un actor se prepara: un comediante del Siglo de Oro ante un teatro *(El castigo sin venganza)*», en José María Díez Borque (ed.), *Actor y técnica de representación del teatro clásico español*, Londres, Tamesis Books, 1989, págs. 55-74.

— y PARKER, Alexander A., «*El castigo sin venganza:* Two Lines, Two Interpretations», *Modern Languages Notes*, 85, 2 (marzo de 1970), págs. 157-166.

— y TORRES, Isabel, «La madrastra enamorada: ¿una tragedia de Séneca refundida por Lope de Vega?», *Revista Canadiense de Estudios Hispánicos*, XIX, 1 (otoño de 1994), págs. 39-60.

DUNN, P. N., «Some Uses of Sonnets in the Plays of Lope de Vega», *Bulletin of Hispanic Studies*, XXXIV (1957), págs. 213-222.

EDWARDS, Gwynne, «Lope and Calderón: The Tragic Pattern of *El castigo sin venganza*», *Bulletin of the Comediantes*, 33, 2 (otoño de 1981), págs. 107-120.

EVANS, Peter W., «Character and Context in *El castigo sin venganza*», *The Modern Languages Review*, 74, 2 (abril de 1979), págs. 321-334.

EVERSOLE, A. V., «Lope de Vega and *El castigo sin venganza*», en D. Drake y J. A. Madrigal (eds.), *Studies in the Spanish Golden Age*, Miami, Universal, 1977, págs. 76-83.

FISCHER, Susan L., «Lope's *El castigo sin venganza* and the Imagination», *Kentucky Romance Quarterly*, 28, 1 (1981), págs. 23-36.

FOX, Dian, «The Grace and Conscience in *El castigo sin venganza*», en Dian Fox, Harry Sieber y Robert ter Horst (eds.), *Studies in Honor of Bruce W. Wardropper*, Newark, Juan de la Cuesta, 1989, págs. 125-134.

FRENK, Margit, «Claves metafóricas en *El castigo sin venganza*», *Filología*, 20, 2 (1985), págs. 147-155.

GARCÍA LORENZO, Luciano, «*Cuando Lope quiere, quiere:* vida y obra de Lope de Vega», Lope de Vega, *El castigo sin venganza*, ed. de J. García Lorenzo, Madrid, Ayuntamiento de Madrid, 1986, págs. 13-21.

GICOVATE, Bernardo, «Lo trágico en Lope: *El castigo sin venganza*», *Anuario de Letras*, 15 (1978), págs. 301-311.

— «Lo trágico en Lope: *El castigo sin venganza*», *Anuario de Letras*, 16 (1978), págs. 301-311.

GIGAS, Émile, «Études sur quelques *"comedias"* de Lope de Vega, III, *El castigo sin venganza*», *Revue Hispanique*, LIII (1921), págs. 589-604.

GITLITZ, David M., «Ironía e imágenes en *El castigo sin venganza*», *Revista de Estudios Hispánicos*, XIV, 1 (1980), págs. 19-41.

GOLDEN, Bruce, «The Authority of Honor in Lope's *El castigo sin venganza*», en Elton W. R y William Long (eds.), *Shakespeare and Dramatic Tradition*, Newark, University of Delaware, 1989, págs. 264-275.

GONZÁLEZ ECHEVARRÍA, Roberto, «Poetry and Painting in Lope's *El castigo sin venganza*», en Arthur Groos *et al.* (eds.), *Studies in Honor of Robert Earl Kaske*, Nueva York, Fordham University Press, 1986, págs. 273-287.

GONZÁLEZ GARCÍA, Serafín, «Amor y matrimonio en *El castigo sin venganza*», en Lilian Von der Walde y Serafín González García (eds.), *Dramaturgia española y novohispana (siglos XVI y XVII)*, Iztapalapa, Universidad Autónoma Metropolitana, Unidad Iztapalapa, 1993, págs. 17-27.

HERMENEGILDO, Alfredo, GONZÁLEZ, María Dolores y REYES, Mercedes de los, «El duque de Ferrara y su elaboración dramática en *El castigo sin venganza* de Lope de Vega», *Anuario Lope de Vega*, 1 (1995), págs. 37-58.

HESSE, Everett W., «The Art of Concealment in Lope's *El castigo sin venganza*», en *Oelschläger Festschrift*, Estudios de Hispanófila, Chapel Hill, University of North Carolina, 1976, págs. 203-210.

— «The Perversión of Love in Lope de Vega's *El castigo sin venganza*», *Hispania*, 60 (1977), págs. 430-435.

HORST, Robert ter, «"Error pintado": The Oedipal Emblematics of Lope de Vega's *El castigo sin venganza*», en Edgard H. Friedman y Harlan Sturm (eds.), *Never-Ending Adventures: Studies in Medieval and Early Modern Spanish in Honor of Peter N. Dunn*, Newark, Juan de la Cuesta, 2002, págs. 279-308.

IGLESIAS FEIJOO, Luis, «Sobre la fecha de una comedia de Lope y su guerra con Pellicer», en Jean-François Botrel *et al.* (eds.), *Prosa y poesía: homenaje a Gonzalo Sobejano*, Madrid, Gredos, 2001, págs. 171-187.

ISSACHAROFF, Dora, «El origen histórico-literario de *El castigo sin venganza:* resolución barroca de un conflicto manierista», en M. Criado de Val (dir.), *Lope de Vega y los orígenes del teatro español*, Madrid, EDI-6, 1981, págs. 143-150.

KIRK, K. L., «Image as Revealer of Truth in Two Plays by Lope de Vega», *Ariel*, 1, 1 (1983), págs. 9-14.

LAWRENCE, Jeremy, «A Note on Scenic Form in *El castigo sin venganza*», en Nigel Griggin *et al.* (eds.), *The Discerning Eye: Studies Presented to Robert Pring-Mill on his Seventieth Birthday*, Llangrannog, Wales, The Dolfin Book Co., 1994, págs. 57-76.

LEY, Ch. D., «Lope de Vega y la tragedia», *Clavileño*, 1, 4 (1950), págs. 9-12.

LÓPEZ ESTRADA, Francisco, «Preludio literario para una representación actual de *El castigo sin venganza*», en Lope de Vega, *El castigo sin venganza*, ed. de Luciano García Lorenzo, Madrid, Ayuntamiento de Madrid, 1986, págs. 23-36.

MACHADO, Antonio, *Juan de Mairena*, ed. de José María Valverde, Madrid, Castalia, 1971, pág. 143.

MACKENZIE, Ann L., «Hacia una interpretación de *El castigo sin venganza*», *Canente: Revista de Literatura*, IX (1991), 15-23.

— «Some Comments upon Two Recent Critical Editions of *El castigo sin venganza*», *Bulletin of Hispanic Studies*, LXVIII (1991), págs. 503-505.

MANCEBO SALVADOR, Yolanda, «*El castigo sin venganza* de Lope de Vega, a escena», en Felipe B. Pedraza *et al.* (eds.), *Amor y erotismo en el teatro de Lope de Vega, Actas de las XXV Jornadas de Teatro Clásico de Almagro*, Almagro, Universidad de Castilla-La Mancha, 2002, págs. 61-82.

MARTÍNEZ, Christine D., «Disguised Discourse: Emblems in Lope de Vega's *El castigo sin venganza*», *Bulletin of the Comediantes*, 46, 2 (1994), págs. 207-217.

MAY, T. E., «Lope de Vega's *El castigo sin venganza*: The Idolatry of the Duke of Ferrara», *Bulletin of Hispanic Studies*, 37 (1960), págs. 154-182, repr. en *Wit of the Golden Age: Articles on Spanish Literature*, Kassel, Reichenberger, 1986, págs. 154-184.

McCRARY, William C., «The Duke and the *Comedia*: Drama and Imitation in Lope's *El castigo sin venganza*», *Journal of Hispanic Philology*, II (1978), págs. 203-222.

— «Lope's Alfonso VIII and the Duque of Ferrara», en D. Drake y J. A. Madrigal (eds.), *Studies in the Spanish Golden Age*, Miami, Universal, 1977, págs. 84-95.

McGRADY, Donald, «Sentido y función de los cuentecillos en *El castigo sin venganza* de Lope», *Bulletin Hispanique*, LXXXV, 1-2 (enero-junio de 1983), págs. 45-64.

McKENDRICK, Melveena, «Language and Silence in *El castigo sin venganza*», *Bulletin of the Comediantes*, 351 (1983), págs. 79-95.

MENÉNDEZ PIDAL, Ramón, «*El castigo sin venganza*, un oscuro problema de honor», *El Padre Las Casas y Vitoria con otros temas de los siglos XVI y XVII*, Madrid, Espasa-Calpe, 1958, págs. 123-152.

114

Montesinos, José F., Reseña de *El castigo sin venganza*, ed. de C. F. A. van Dam, Gronigen, P. Noordhoof, 1928, *Revista de Filología Española*, XVI (1929), págs. 179-188.

Morris, C. B., «Lope de Vega's *El castigo sin venganza* and Poetic Tradition», *Bulletin of Hispanic Studies*, XL (1963), págs. 69-79.

Murray, Janet Horowitz, «Lope through the Looking-Glass: Metaphor and Meaning in *El castigo sin venganza*», *Bulletin of Hispanic Studies*, LVI (1979), págs. 17-29.

Nichols, Geraldine Cleary, «The Rehabilitation of the Duke of Ferrara», *Journal of Hispanic Philology*, I (1977), págs. 209-230.

Ortigoza-Vieyra, C., *Aniquilamiento del móvil honor en «Antioco y Seleuco» de Moreto respecto «El castigo sin venganza» de Lope*, Bloomington (Indiana), Carlos Ortigoza, 1969.

Rennert, H. A., «Über Lope de Vega's *El castigo sin venganza*», *Zeitschrift für Romanische Philologie*, XXV (1901), págs. 411-423.

Ricapito, Joseph V., «From Bandello to Freud and Lacan: Lope de Vega's *El castigo sin venganza*», en Michael M. Caspi *et al.* (eds.), *Oral Tradition and Hispanic Literature: Essays in Honor of Samuel G. Armistead*, Nueva York, Garland, 1995, págs. 582-602.

Rodríguez, Alfred y Kobylas, Joseph, «El topos "Lucrecia necia" en *El castigo sin venganza*: ¿una proclama feminista de Lope?», *Revista Canadiense de Estudios Hispánicos*, 11, 3 (1987), págs. 623-626.

Rodríguez Puértolas, J., «La soledad del duque de Ferrara», *Las constantes estéticas de la «comedia» en el Siglo de Oro*, ed. *Diálogos Hispánicos de Amsterdam*, 2 (Spaans Seminarium, Universiteit van Amsterdam, 1981), págs. 103-116; posteriormente en *Miscelánea Conmemorativa*, Madrid, Universidad Autónoma, 1982.

Rosendorfsky, J., «Einige italianische Motive in Lope de Vega's Dramen», *Sborník Prací Filosofiké Fakulty Bernénske University*, Serie D, IX, 7 (1960), págs. 130-148.

Rozas, Juan Manuel, «Texto y contexto en *El castigo sin venganza*», en A. Zamora Vicente *et al.* (eds.), *«El castigo sin venganza» y el teatro de Lope de Vega*, Madrid, Cátedra, 1987, págs. 163-190.

Scarfe, Bruno, «Concerning the Publication by Carlos Ortigoza-Vieyra, *Aniquilamiento del móvil honor en "Antioco y Seleuco" de Moreto respecto "El castigo sin venganza" de Lope*», *Journal of the Australasian Universities Language and Literature Association*, 34 (1970), págs. 292-307.

Sears, Theresa Ann, «Like Father, Like Son: the Paternal Perverse in Lope de Vega's *Castigo sin venganza*», *Bulletin of Hispanic Studies*, 73, 2 (1996), págs. 129-142.

Stern, Charlotte, «*El castigo sin venganza* and Leibniz's Theory of Possible Worlds», en Robert Fiore *et al.* (eds.), *Studies in Honor of*

William C. McCrary, Lincoln (Nebraska), Society of Spanish and Spanish-American Studies, 1986, págs. 205-213.

STROUD, Matthew D., «Rivalry and Violence in Lope's *El castigo sin venganza*», en Charles Ganelin y Howard Mancing (eds.), *The Golden Age Comedia: Text, Theory, and Performance*, West Lafayette (Indiana), Purdue University Press, 1994, págs. 37-47.

THOMPSON, Currie K., «Unstable Irony in Lope de Vega's *El castigo sin venganza*», *Studies in Philology*, LXXVIII, 3 (1981), págs. 224-240.

TRIWEDI, Mitchel, D., «The Source and Meaning of the Pelican Fable in *El castigo sin venganza*», *Modern Language Notes*, 92, 2 (1977), págs. 326-329.

VAN ANTWERP, Margaret A., «Fearful Symmetry: The Poetic World of Lope's *El castigo sin venganza*», *Bulletin of Hispanic Studies*, LVIII, 3 (1981), págs. 205-216.

VAREY, John, «*El castigo sin venganza* en las tablas de los corrales de comedias», en A. Zamora Vicente *et al.* (eds.), «*El castigo sin venganza*» *y el teatro de Lope de Vega*, Madrid, Cátedra, 1987, págs. 223-239.

WADE, Gerald E., «Lope de Vega's *El castigo sin venganza*: Its Composition and Presentation», *Kentucky Romance Quarterly*, XXIII (1976), págs. 357-364.

— «The *Comedia's* Plurality of Worlds: Some Observations», *Hispania*, 65, 3 (1982), págs. 334-345.

WARDROPPER, Bruce W., «Civilización y barbarie en *El castigo sin venganza*», en A. Zamora Vicente *et al.* (eds.), «*El castigo sin venganza*» *y el teatro de Lope de Vega*, Madrid, Cátedra, 1987, págs. 191-205.

WILLIAMSEN, Vern G., «*El castigo sin venganza* de Lope de Vega: una tragedia novelesca», en G. Paolini (ed.), *4th Louisiana Conference on Hispanic Languages and Literatures (La Chispa, 1983): Selected Proceedings*, Nueva Orleáns, Tulane University, 1983, págs. 315-325.

WILSON, Edward. M., «*Cuando Lope quiere, quiere*», *Cuadernos Hispanoamericanos*, núms. 161-162 (mayo-junio de 1963), págs. 265-298.

YNDURÁIN, Domingo, «*El castigo sin venganza* como género literario», en A. Zamora Vicente *et al.* (ed.), «*El castigo sin venganza*» *y el teatro de Lope de Vega*, Madrid, Cátedra, 1987, págs. 141-161.

# *El castigo sin venganza*

## Tragedia

### EN MADRID, A 1.º DE AGOSTO DE 1631

## PERSONAS QUE HABLAN EN ELLA*

| | |
|---|---|
| EL DUQUE DE FERRARA | *Autor* |
| EL CONDE FEDERICO | *Arias* |
| ALBANO | |
| RUTILIO | |
| FLORO (criados) | |
| LUCINDO | |
| EL MARQUÉS GONZAGA | *Salas* |
| CASANDRA (dama) | *Autora* |
| AURORA (dama) | *Ber(nar)da* |
| LUCRECIA (dama) | *Gerónima* |
| BATÍN (gracioso) | *Salinas* |
| CINTIA | *María de Caballos* |
| FEBO Y RICARDO (criados) | |

---

\* En el autógrafo se encabeza una lista de actores al inicio de cada acto: «Personas del primer acto»; «Hablan en el segundo acto» y «Personas del tercer acto». La lista del primer acto corresponde con el resto de los actos. A esta relación de personas de mano de Lope se añade otra incompleta de los actores, «de otra mano, probablemente la de Vallejo», conjetura van Dam (ed., 1928, pág. 125). *Parte XXI* identifica, observa Kossoff (ed., 1968, pág. 230), a Casandra, Lucrecia y Aurora como «dama(s)»; a Batín como «gracioso» y a Lucindo, Albano, Floro, Rutilio, Febo y Ricardo como «criados». La lista incluye: Duque de Ferrara, Marqués Gonzaga; Casandra, dama; Lucrecia, dama; Lucindo, Albano y Floro, criados; Conde Federico; Batín, gracioso; Aurora, dama; Cintia; Rutilio, Febo y Ricardo, criados, sin indicar los nombres de los actores. La entrada en *Suelta* es «Personas del P[rimer]o acto»; en *Parte XXI*, «Personas que hablan en ella». En *Suelta*: «Rutila» por «Rutilio»; y no se abrevia el nombre de «Bernarda» (observa también Díez Borque, ed., 1988, pág. 107). Véase la bibliografía pertinente al respecto en la nota al verso 178.

118

# Acto primero

*(El* Duque de Ferrara, *de noche;* Febo *y* Ricardo,
*criados.)*

| | |
|---|---|
| Ricardo. | ¡Linda burla! |
| Febo. | Por extremo; |
| | pero ¿quién imaginara |
| | que era el Duque de Ferrara? |
| Duque. | Que no me conozcan temo. |
| Ricardo. | Debajo de ser disfraz     5 |
| | hay licencia para todo, |
| | que aun el cielo en algún modo |
| | es de disfraces capaz. |

---

1 *burla* alude al gesto de desaire o engaño que procede de alguna mujer que habita las mancebías. Es signo que condiciona la andadura trágica de la obra de Lope y del mismo Duque como figura central, que da de burlador (acto I) en burlado (acto II). Asocia el topos del «mundo al revés» (corte de Ferrara), y con el sentido de engaño que, llevado a múltiples niveles, domina en la obra: el «loco engaño» (v. 295) en el que Federico ha vivido; los «escuros intentos», «claras confusiones» y «confusas verdades» en las que se encuentra Casandra (vv. 1542-1576). Cfr. David M. Gitlitz [1980], págs. 21-22.

4 *Que no me conozcan temo:* van Dam anota el uso redundante del «no»; es forma pleonástica, usada con frecuencia en expresiones que denotan miedo (Keninston, 1937, págs. 386-387, núms. 29.482); Kossoff, ed., 1968, pág. 231.

5 *Debajo de ser:* equivalente a «supuesto que».

8 *disfraces:* «es el hábito y vestido que un hombre toma para disimularse y poder ir con más libertad. Particularmente se usan estos disfraces en los días de carnestolendas, que en cierta manera responden a los días saturnales de los romanos, en los cuales los señores tomaban los vestidos de sus esclavos y sus capas aguaderas o gasconas» *(Cov.).*

Primera página del manuscrito de *El castigo sin venganza*.

JHS Mª Joseph Casts                    P.

Acto Primero

El duque de Ferrara de noche febo y Ricardo
criados

[manuscrito — texto autógrafo de Lope de Vega]

Página del primer acto de *El castigo sin venganza*.

                    ¿Qué piensas tú que es el velo
                    con que la noche le tapa?                          10
                    Una guarnecida capa
                    con que se disfraza el cielo.
                        Y para dar luz alguna
                    las estrellas que dilata
                    son pasamanos de plata,                            15
                    y una encomienda la luna.
DUQUE.              ¿Ya comienzas desatinos?
FEBO.               No, lo ha pensado poeta
                    destos de la nueva seta,
                    que se imaginan divinos.                           20

---

11 *guarnecida:* «adornada».

14 *dilata:* «propagar, extender» *(DRAE).*

15 *pasamanos:* el borde de la escalera; se llama la guarnición del vestido por echarse en el borde *(Cov.);* «galón o trencilla de oro, plata, seda o lana que se hace o sirve para guarnecer y adornar los vestidos y otras cosas por el borde o cantos» *(Aut.).*

16 *encomienda:* «encargo que se hace a alguno; o el que uno se toma al hacer alguna cosa; vale también memoria cortesana y recado que se envía al que está ausente; también dignidad dotada de renta competente; merced o renta vitalicia que se da sobre algún lugar, heredamiento o territorio; amparo, custodia y patrocinio» *(Aut.).* Tal descripción se elabora, de acuerdo con Wilson [1963], pág. 268, sobre la formulada en el célebre soneto de Bartolomé L. de Argensola, «Yo os quiero confesar, don Juan primero / [...].» La imagen adquiere un sentido visual: semeja el distintivo que llevan los caballeros de las órdenes militares; A. Domínguez Ortiz, *La sociedad española en el siglo XVII,* vol. I, Madrid, Consejo Superior de Investigaciones Científicas, Instituto Balmes de Sociología, 1963, pág. 200.

18-20 Jones y Kossoff difieren en la puntuación de esta línea. Jones lee: «No lo ha pensado poeta / destos de la nueva seta, / que se imaginan divinos.» Por el contrario, Kossoff puntúa así: «No; lo ha pensado poeta...», indicando cómo Febo explica que «no desatina»; que «lo ha pensado un poeta / destos de la nueva seta». De acuerdo con la puntuación de un buen número de ediciones (Hartzenbusch, *Ac.,* van Dam, Jones), Ricardo también podría parodiar el lenguaje culterano, ridiculizando así a los poetas que han llegado a usar expresiones tan desatinadas. El Duque se pone de parte de Febo (posible máscara de Lope), arremetiendo contra la nueva ola y criticando «el estado» al que ha llegado la poesía. Es esta una obsesión recurrente en Lope, llena de un buen número de contradicciones. Si detrás de la figura de Ricardo está Pellicer y Tovar (Rozas [1967], págs. 168-190), a quien Lope dirige sus pullas, es obvio que el ataque procede más bien del Duque. Ricardo explica ser tales metáforas —«licencias»— («pasamanos de plata», «encomienda de luna», vv. 15-16) prestadas (v. 21). Tal verso («Si a sus licencias apelo») pone en entredicho la lectura de Jones.

19 *nueva seta:* por secta nueva, con obvio sentido religioso y herético. «Secta se llama al error o falsa religión, diversa o separada de la verdadera y católica

| RICARDO. | Si a sus licencias apelo, |
| | no me darás culpa alguna; |
| | que yo sé quien a la luna |
| | llamó requesón del cielo. |
| DUQUE. | Pues no te parezca error; | 25 |
| | que la poesía ha llegado |
| | a tan miserable estado, |
| | que es ya como jugador |
| | de aquellos transformadores, |
| | muchas manos, ciencia poca, | 30 |
| | que echan cintas por la boca, |
| | de diferentes colores. |
| | Pero, dejando a otro fin |
| | esta materia cansada, |
| | no es mala aquella casada. | 35 |

---

cristiana» *(Cov.)*. Lope tiene en mente su asociación con Lutero. Véase Amezúa [1942-1943], vol. II, pág. 340. El término, al igual que «hereje», alude a la poesía culta que implanta Góngora frente al estilo «llano» que defendía Lope. El término ya había sido lanzado por Cristóbal de Castillejo contra Garcilaso *(Obras, II*, Madrid, 1926-1928, págs. 226-227), y termina siendo un motivo favorito de la literatura jocosa. Luis de Tribaldo indica que «esta nueva secta alude a la imitación de Góngora; es decir los poetas cultos». Cfr. Francisco Cascales, *Cartas filológicas, I* (Madrid, 1941), pág. 219; Andrée Collard, *Nueva poesía. Conceptismo, culteranismo en la crítica española* (Madrid, 1971), págs. 73-82.

21 *Si a sus licencias apelo:* «si recurro a los giros retóricos de estos poetas».

30 *muchas manos:* referencia a los muchos y malos imitadores (transformadores en el sentido de magos; prestidigitadores de la palabra) que ha generado la lírica de Góngora; *ciencia poca:* es parte del concepto que tiene Lope de la «nueva poesía» (concepto, agudeza) frente al mero furor de sonidos del que acusaba a los culteranos. Consagra tal ataque en el famoso soneto burlesco «Pululando de culto, Claudio amigo» que incluye en *La Dorotea* (acto IV, escena 2), dirigido a los seguidores de Góngora. Observa el personaje César: «Algunos grandes ingenios adornan y visten la lengua castellana, hablando y escribiendo, orando y enseñando, de nueuas frases y figuras retóricas que la embellecen y esmaltan con admirable propiedad, a quien como a maestros —y más a alguno que yo conozco— se deue toda veneración» (ed. cit., pág. 317); Lope de Vega, *Poesía selecta*, ed. cit., págs. 419-420; Orozco Díaz, *Lope y Góngora frente a frente*, ed. cit., págs. 370-374; Díez Borque (ed.), 1988, pág. 115. *Parte XXI:* «menos».

34 *materia cansada:* es decir, pesada, aburrida. *Parte XXI:* «causada». La -n parece estar tachada a mano.

RICARDO.    ¿Cómo mala? Un serafín;
            pero tiene un bravo azar,
            que es imposible sufrillo.
DUQUE.      ¿Cómo?
RICARDO.                Un cierto maridillo,
            que toma y no da lugar.                          40
FEBO.           Guarda la cara.
DUQUE.                            Ése ha sido
            siempre el más cruel linaje
            de gente deste paraje.
FEBO.       El que la gala, el vestido,
            y el oro deja traer,                             45
            tenga, pues él no lo ha dado,
            lástima al que lo ha comprado,
            pues si muere su mujer,
            ha de gozar la mitad
            como bienes gananciales.                         50

---

36 *serafín:* «personaje de singular hermosura» *(DRAE).*

37 *bravo:* «al hombre llamamos bravo cuando es valiente, o cuando está enojado, o cuando sale muy galán y bizarro» *(Cov.); azar:* estorbo, o desvío; mala suerte. Se alude a la «mala suerte» de tener un hombre muy valiente, de acuerdo con los vv. 39-40.

38 *sufrillo:* sufrirlo. Esta asimilación de la -r del infinitivo por la -l del enclítico, frecuente en la literatura medieval, es uso común en la comedia del Siglo de Oro. Tal licencia facilitaba la combinación de la rima.

39 *maridillo:* «el marido ruin y despreciable» *(Aut.);* «marido consentidor», cornudo; *Léxico,* pág. 514a.

40 *que toma y no da lugar; tomar:* Arellano [1990], págs. 180-182, comenta el sentido de «toma dinero» y los provechos que saca el marido por convenir en que la mujer le ponga los cuernos y luego no permite al amante que escoja con tranquilidad los favores que le debe la mujer. Es decir, «el marido de la dama que es pretendida acepta el dinero de sus pretendientes pero no les da ocasión para que disfruten sexualmente con ella». De ahí la respuesta de Febo: «Guarda la cara» (v. 41), que no tiene el sentido de ocultarse o procurar no ser visto ni conocido, sino el de disimular su consentimiento y fingir estar vigilante por guardar las apariencias de hombre honrado. Cuadra con los vv. 57-58 del Duque.

41 *Guarda la cara:* «ocultarse, procurar no ser visto ni conocido» *(DRAE).* Suelta y *Parte XXI* abrevian en adelante la entrada de Febo con «Fe» o «Feb», indistintamente.

43 *paraje:* «lugar, sitio o estancia; se toma también por el estado o disposición de alguna cosa» *(Aut.).*

RICARDO.   Cierto que personas tales
           poca tienen caridad,
               hablando cultidiablesco,
           por no juntar las dicciones.
DUQUE.     Tienen esos socarrones                    55
           con el diablo parentesco;
           que, obligando a consentir,
           después estorba el obrar.
RICARDO.   Aquí pudiera llamar;
           pero hay mucho que decir.                 60
DUQUE.       ¿Cómo?

---

52-53 En el Ms. Lope tacha el verso «tienen poco cuidado», y escribe el
v. 52 con el fuerte hipérbaton. Obviamente tenía de nuevo en mente la sátira
contra los culteranos; probablemente, y a tenor de lo expresado por Juan Manuel Rozas [1987], págs. 176-177, un ataque contra los «cultidiablescos» (detrás Pellicer, cuyo nombre de pila está enmascarado bajo el del personaje que
habla, Ricardo); *cultidiablesco:* en *La Dorotea* Lope define el término como un
«compuesto de diablo y culto» (ed. cit., pág. 366, nota 232). De acuerdo con
Romera Navarro, *La preceptiva dramática de Lope de Vega,* Madrid, Yunque,
1935, pág. 154, la más antigua alusión a los culteranos de fecha cierta se encuentra en la jornada II de *El desdén vengado (Ac.,* XV, 433a) en donde Tamín
expresa: «Plega a Dios que cuando hables / Halles la lengua en estilo / Que no
aciertes, de infamada, / Con vocablos inauditos.» Con Tamín, explica Harry
W. Hilburn («El creciente gongorismo en las comedias de Lope de Vega», en
A. D. Kossoff y J. Amor (eds.), *Homenaje a William L. Fichter, op. cit.,* pág. 286)
comienza la costumbre de usar al gracioso como vocero del autor en materia
de crítica literaria. Reflejos de Góngora se encuentran en *La corona de Hungría*
(1623) *(Ac. N.,* II, pág. 40b). En *Las bizarrías de Belisa* (1634), cercana a *El castigo sin venganza,* resalta la imagen tan de Góngora, «plumas de los aires»
*(Ac. N.,* XI, 440a). Si bien censura el estilo de los «cultos», don Juan promete
componer un soneto para Belisa, e indica: «Pero advenid que no soy / Culto;
que mi corto ingenio / En darse a entender estudio» (pág. 448); Hilburn, art.
cit., págs. 293-294. La lengua viene a ser para Lope, explica Márquez Villanueva, una «esencia irreductible de la patria», y concluye que estima «que la limpieza y honor de su lengua castellana han de ser salvados del vicio y lujuria de
los nuevos moldes culteranos [...]» (F. Márquez Villanueva, *Lope: vida y valores,* Río Piedras, Puerto Rico, Editorial de la Universidad de Puerto Rico, 1988,
págs. 218-219).
   54 *Suelta, Parte XXI:* «diciones».
   57 Dixon [1973] señala la variante «ayudando» por «obligando», que anota
Hermann Tiemann en *Lope de Vega in Deutschland.* Véase nota 121 de nuestra
«Introducción». Posiblemente «obligado» en vez de *obligando,* por errata.
   58 *Suelta:* «estorbe»; *estorba:* impide, dificulta.

| | |
|---|---|
| Ricardo. | Una madre beata |
| | que reza, y riñe a dos niñas |
| | entre majuelos y viñas, |
| | una perla, y otra plata. |
| Duque. | Nunca de exteriores fío. |
| Ricardo. | No lejos vive una dama, |
| | como azúcar de retama, |
| | dulce y morena. |
| Duque. | ¿Qué brío? |
| Ricardo. | El que pide la color; |
| | mas el que con ella habita |

RICARDO.          Una madre beata
que reza, y riñe a dos niñas
entre majuelos y viñas,
una perla, y otra plata.
DUQUE.          Nunca de exteriores fío.          65
RICARDO.     No lejos vive una dama,
como azúcar de retama,
dulce y morena.
DUQUE.                    ¿Qué brío?
RICARDO.     El que pide la color;
mas el que con ella habita          70

---

61 *madre beata:* prefigura celestinesca asociable fácilmente a la Gerarda de *La Dorotea.* Lope está a punto de rematar esta obra a la hora de escribir *El castigo.*

63 *majuelos:* «la viña nuevamente plantada» *(Cov.);* obvia alusión, como bien indica A. David Kossoff (ed., 1968, pág. 234) a la edad de las muchachas. La acepción es erótica. La documenta el *Cancionero* de Sebastián de Horozco, ed. de Jack Weiner, Berna y Frankfurt, Lang, 1975, pág. 47, y el *Cancionero de burlas* (págs. 62-63): «Doña Ynes aunque soy niña / siempre teme con ti riña / hasta que podes mi viña / y me riegues mi majuelo.» «Regar el majuelo» alude al semen expelido sobre éste. Se completa con el estribillo «Olalla, no hay medicina / que me dé mayor consuelo / como el nabo de mi majuelo», del romance que empieza «Fue Teresa a su majuelo». Cfr. *Poesía erótica del siglo de oro,* ed. de Pierre Alzieu, Robert Jammes e Yvan Lissorgues, Barcelona, Crítica, 1984, págs. 277-282; *Léxico,* pág. 498b.

67 *azúcar de retama:* el sabor agridulce de la savia de tal arbusto se asocia de nuevo con el contexto erótico de estas damas de la «vida»; sexualmente «dulces» (azúcar), pero no menos agrestes («retama», «morena»). De morena caracterizó Lope a Elena Osorio, que se dobla, como mujer de mancebía, en *La Dorotea.* La misma acepción erótica adquiere *brío.* Para las «briosas» recomienda Lope, en el conocido romance «Hortelano era Belardo», «lechugas» («Lechugas para briosas / que cuando llueve se queman», vv. 33-34), hortaliza que el Dioscórides aconseja como freno a los apetitos venéreos. Cfr. *La «Materia médica» de Dioscórides: transmisión medieval y renacentista,* trad. y comentario de don Andrés de Laguna, ed. de César E. Dubler, Barcelona, s. n., 1955, págs. 220-221 (Lope de Vega, *Poesía selecta,* ed. cit., págs. 186-191.) *Parte XXI:* «Que bió?»

69 *color:* se vacila en la época de Lope sobre el género de este sustantivo asociado poéticamente al lenguaje del amor. Véase William L. Fichter, «Color Symbolism in Lope de Vega», *Romanic Review,* 18 (1927), págs. 220-231. *Parte XXI:* «calor».

72 *rumiador:* rumiar. La analogía «buey-hombre» asocia, de acuerdo con van Dam, el sentido de «cornudo» (ed., 1928, pág. 302), acepción que cuestiona Kossoff al indicar que «también podría representar el macho incapaz de satisfacer a la hembra» (ed., 1968, pág. 235). Jones (ed., 1966, pág. 123), opone «manso lugar» a «feroz toro».

|  |  |  |
|---|---|---|
|  | es de cualquiera visita | |
|  | cabizbajo rumiador. | |
| FEBO. | Rumiar siempre fue de bueyes. | |
| RICARDO. | Cerca he visto una mujer, | |
|  | que diera buen parecer | 75 |
|  | si hubiera estudiado leyes. | |
| DUQUE. | Vamos allá. | |
| RICARDO. | No querrá | |
|  | abrir a estas horas. | |
| DUQUE. | ¿No? | |
|  | ¿y si digo quién soy yo? | |
| RICARDO. | Si lo dices, claro está. | 80 |
| DUQUE. | Llama pues. | |
| RICARDO. | Algo esperaba, | |
|  | que a dos patadas salió. | |

(CINTIA *en alto.*)

|  |  |  |
|---|---|---|
| CINTIA. | ¿Quién es? | |
| RICARDO. | Yo soy. | |
| CINTIA. | ¿Quién es yo? | |
| RICARDO. | Amigos, Cintia; abre, acaba, | |
|  | que viene el Duque conmigo; | 85 |
|  | tanto mi alabanza pudo. | |
| CINTIA. | ¿El Duque? | |
| RICARDO. | ¿Eso dudas? | |
| CINTIA. | Dudo, | |
|  | no digo el venir contigo, | |
|  | mas el visitarme a mí | |
|  | tan gran señor y a tal hora | 90 |

---

74 *Parte XXI* presenta la variante: «Cerca habita una mujer.»

75 *que diera buen parecer:* opinar cuerdamente; sugerir. *Cov.*, define: «el voto que uno da en algún negocio que se le consulta, como pareceres de letrados» (pág. 235).

82 El giro coloquial «que a dos patadas salió» indica que Cintia estaba despierta, y que salió al instante; al oír las patadas en la puerta. La acotación en la *Suelta* y en la *Parte XXI*, lo mismo que en el autógrafo, escribe «Cintia en lo alto»; «en lo alto, en el balcón de la casa».

83 *Suelta:* «yo soy?».

86 *Parte XXI:* «tu alabanza».

RICARDO.     Por hacerte gran señora
           viene disfrazado ansí.

CINTIA.      Ricardo, si el mes pasado
           lo que agora me dijeras
           del Duque, me persuadieras       95
           que a mis puertas ha llegado;
           pues toda su mocedad
           ha vivido indignamente,
           fábula siendo a la gente
           su viciosa libertad.             100
           Y como no se ha casado
           por vivir más a su gusto,

---

92 *ansí*: así.

94-95 Expresión, dado el hipérbaton, un tanto elíptica. Indica que si Ricardo le hubiera dicho del Duque lo que «me dices ahora», me hubiera persuadido. *Agora*: ahora. Procede de *hac hora* que da «agora». El giro moderno «ahora» se origina, de acuerdo con Ramón Menéndez Pidal, de *ad-hora*; véase *Manual de gramática histórica*, Madrid, Espasa-Calpe, 1966, pág. 128, 3.

98 *Parte XXI* presenta la variante «ha gastado» por «vivido».

99 *fábula*: «rumor, hablilla» *(DRAE)*.

100 *viciosa libertad*: desvergüenza, libertinaje.

102 El motivo de la «bastardía» es recurrente en las comedias de carácter histórico de Lope; véase *Las mocedades de Bernardo de Carpio (Ac.*, VII, pág. 254a). Se concibe como una dramatización del problema de la bastardía («siendo hijo de tu hermano, / todos me llaman bastardo»). Y «Bastardo me llaman rey», del romance «Por las riberas de Arlanza» de Juan de Timoneda, *Rosa española*, fol. 10. Véase Joaquín Roses Lozano, «Algunas consideraciones sobre la leyenda de Bernardo de Carpio en el teatro de Lope de Vega», *Inri. Revista de Literatura Hispánica*, 28 (otoño de 1988), págs. 89-105. El epíteto se incluye en la obra de Lope, *El bastardo Mudarra* (1612). Bajo tal calificativo se podría incluir parte de la prole de Lope. La historia es ejemplar. Recordemos, por ejemplo, el sonado caso de «La Beltraneja», el de Juan de Austria. Sonadas fueron las correrías amorosas de Felipe IV, tenido por mujeriego, enamorado y libertino, fama que confirman sus diplomáticos y visitantes extranjeros, entre ellos el francés Antonio de Brunel, *Voyage d'Espagne* (Colonia, 1666), cap. IV. Véase la edición crítica de Charles Caverie, *Revue Hispanique*, XXX (1914), págs. 119-375. Y sonados fueron sus hijos e hijas «bastardos». Entre ellos don Fernando Francisco, tenido con la hija del conde de Chirel; don Juan de Austria, tenido con la actriz María Calderón *(la Calderona)*; don Alfonso, fraile dominico y obispo de Málaga, don Alfonso Antonio de San Martín, tenido con la dama de la reina, doña Tomasa Alana, que llegó a ser obispo de Oviedo, y otros. Entre las hijas destaca Ana Margarita, monja agustina en el convento de la Encarnación de Madrid. El rumor público le llegó a asignar veintitrés hijos bastardos (los historiadores Cánovas, Silvela, Hume, ocho). Cfr. José Deleito y Piñuela [1988], págs. 82-83.

Folio autógrafo de *El castigo sin venganza*.

sin mirar que fuera injusto
ser de un bastardo heredado,
   aunque es mozo de valor      105
Federico, yo creyera
que el Duque a verme viniera;
mas ya que como señor
   se ha venido a recoger,
y de casar concertado,      110
su hijo a Mantua ha enviado
por Casandra, su mujer,
   no es posible que ande haciendo
locuras de noche ya,
cuando esperándola está      115
y su entrada previniendo;
   que si en Federico fuera
libertad, ¿qué fuera en él?
Y si tú fueras fiel,
aunque él ocasión te diera,      120
   no anduvieras atrevido
deslustrando su valor;
que ya el Duque, tu señor,
está acostado y dormido,
   y así cierro la ventana;      125
que ya sé que fue invención
para hallar conversación.
Adiós, y vuelve mañana.

DUQUE.     ¡A buena casa de gusto
me has traído!

*(marginal handwritten notes:* thinks duke is married - would never be here — can't belive getting rejected*)*

109 *recoger:* retirarse *(Cov.);* separarse de la demasiada comunicación y comercio de gentes *(DRAE).*

116 *previniendo:* anticipando, apercibiendo *(Cov.).* El Duque se propone cambiar de vida, ya que anticipa la llegada de Casandra y su próxima «entrada» en la ciudad. El camino hasta el palacio estaría adornado con arcos, y Casandra sería aclamada por el pueblo, que le arrojaría flores.

122 *deslustrando:* quitar y privar del lustre alguna cosa; «hacer perder la estimación y crédito con alguna acción indigna» *(Aut.).*

129 *casa de gusto:* prostíbulo *(Léxico,* 187b). Sobre la prostitución en las obras dramáticas de Lope, véase Ricardo del Arco y Garay, «El mundo de la prostitución», en *La sociedad española en las obras dramáticas de Lope de Vega,* Madrid, Escelicer, 1941, págs. 833 y ss.; en general Everett W. Hesse, *Theology,*

| RICARDO. | Yo, señor, | 130 |

¿qué culpa tengo?

| DUQUE. | Fue error

fiarle tanto disgusto.

| FEBO. | Para la noche que viene,

si quieres, yo romperé
la puerta.

| DUQUE. | ¡Que esto escuché! | 135 |

| FEBO. | Ricardo la culpa tiene.

Pero, señor, quien gobierna,
si quiere saber su estado,
cómo es temido o amado,
deje la lisonja tierna | 140 |
del criado adulador,
y disfrazado de noche,

*[handwritten annotation:]* myth that ~~PBI~~ kings would go out and go undercover + listen to music

---

*Sex, and the Comedia*, Potomac, Maryland, Porrúa, 1982. Anota Antoine de Brunel que son las «mujeres las que arruinan en esta época la mayor parte de las casas. No hay nadie que no mantenga su dama y que no caiga en las redes de alguna prostituta», *Voyage d'Espagne* [1855], *Revue Hispanique*, XXX [1914] págs. 155-156; Marcellin Defourneaux, *La vida cotidiana en la España del Siglo de Oro*, Barcelona, Argos Vergara, 1983.

131-134 Se ofrecen aquí varias lecturas posibles. De acuerdo con Jones (ed., 1966, pág. 124), el Duque se dirige a Febo, y se lamenta de haber fiado a Ricardo el correr de esta noche. Kossoff pone en boca del Duque tan sólo los vv. 131-132; Jones, vv. 131-133, deduce que el verso «para la noche que viene» es alusión al nuevo plan que contempla el Duque en su próxima correría. En la edición de Kossoff (1968, págs. 237-238), el verso «si quieres, yo romperé / la puerta» se atribuye a Febo. Está conforme con la versión del autógrafo que analizamos con cuidado. La *Suelta* incluye en el v. 134 la acotación «Fed.» por «Febo». No corresponde que el Duque conteste a Ricardo diciéndole: «Fue error / fiarte tanto disgusto / para la noche que viene», dado el carácter de éste, un tanto reservado, culto y sofisticado. Sí casa en Febo, quien se adelanta empezando el parlamento: «Para la noche que viene, / si quieres, yo romperé / la puerta.»

135 *escuché:* «escuché» es la forma verbal preferida por otros editores (Hartzenbusch, van Dam, Kossoff). Jones, al igual que Díez Borque, mantiene el presente. La medida del verso exige en la redondilla una acentuación oxítona, que tiene sentido con la rima consonante del verso anterior *(romperé)* y con el antecedente del subjuntivo («haya escuchado»).

141 *criado adulador:* uno de los *topoi* en la comedia de Lope y en sus seguidores (Tirso, Mira de Amescua).

    Llegando a lisonjearte
pero señor general y tierna
si quiere saber su estado
como es temido, o amado
dexe la lisonja tierna
del criado adulador
y disfraçandose
en traje feo humilde, o encogle
saber y saber su sabor
de algunos Emperadores
que salieron deste engaño

quien era escucha, y escudriña
y fueron aunque los que
filosofos mercaderes
porque el vulgo no es censor
de la verdad y es error
de entendimientos groseros
fiar la buena opinion
de quien inconstante y vano
todo lo juzga al contrario
de la ley de la razon
un quexoso, un descontento
cesa por vengar su yra
en el vulgo una mentira
o la novedad atenta
y como por su codicia
no la puede averiguar
ni en los palacios entrar
murmura de la grandeza
yo confieso que he temido
libremente y sin cansarme

Folio autógrafo de *El castigo sin venganza*.

en traje humilde, o en coche,
salga a saber su valor;
   que algunos emperadores      145
se valieron deste engaño.

DUQUE.    Quien escucha, oye su daño:
y fueron, aunque los dores,
filósofos majaderos,
porque el vulgo no es censor      150
de la verdad, y es error
de entendimientos groseros
fiar la buena opinión
de quien inconstante y vario,
todo lo juzga al contrario      155
de la ley de la razón.
   Un quejoso, un descontento
echa, por vengar su ira,
en el vulgo una mentira,
a la novedad atento.      160

---

143-146 Posible alusión a Nerón y a Harún-al-Raschid, explica van Dam (ed., 1928, pág. 305). Jones indica que alude a Pedro el Cruel, y añade que cómo Calderón en *El médico de su honra* usa el mismo tipo de imagen.

147 Es también lugar común en la comedia, como indicamos en la «Introducción», el gobernante que indaga, encubierto, sobre el parecer de sus súbditos. Es frase proverbial que puede añadirse al repertorio de la paremiología.

148 *dores:* dorar, «metafóricamente vale encubrir los defectos de alguna cosa, refiriéndola y exornándola de tal manera que parezca buena» *(Aut.); Suelta,* «dolores».

150 *vulgo:* la idea de vulgo como necio o loco cunde en el pensamiento renacentista; como público que aplaude o desdeña, usado en forma despectiva, incide Lope múltiples veces. Lo documenta profusamente Carlos Fernández Gómez, *Vocabulario completo de Lope de Vega,* Madrid, Real Academia Española, 1971, 3 vols.; Otis H. Green, «On the Attitude toward the *Vulgo* in the Spanish Siglo de Oro», *Studies in the Renaissance,* IV (1957), págs. 190-200; en el teatro, Werner Bahner, «Die Bezeichnung "vulgo" und der Ehrbegriff des Spanischen Theaters im Siglo de Oro», *Homagiu lui Iorgu Iordam,* Bucarest, Academiei Republicii Populare Romîne, 1958, págs. 58-68. El motivo cruzó fronteras. Le dedica un tratado C. de Aldana, *Discorso contro il vogi in cui buone regione si reprovano molte sue false opinioni,* Florencia, 1578; también J. M. Díez Borque, «Lope para el vulgo: niveles de significación», en F. Ramos (coord.), *Teoría y realidad en el teatro español del Siglo XVII: la influencia italiana,* Roma, Instituto Español de Cultura y Literatura, 1981, págs. 297-314, con alusión en concreto a estos versos.

160 *novedad:* ocurrencia reciente, noticia extraña o admiración que causan las cosas antes no vistas u oídas *(DRAE).*

porno querer sujetarme

y justar bien parte sucedo

pensar y me heredarás

Federico, aun y bastardo

mas ya y confundirá aguardo

Mantua conel me enbía

todo lo pondré en oluido

Per remedio casarte

si quieres desenfadarte

pon a esta puerte el oydo

Cantar / Ri luto del su prosseguir

Viue aquí Ri / Viue Vn Autor

de Comedias / Fe / y el mexor

de Ytalia / Du / ellos encortan tiene

tiendas buenas / Ri / Son

entre amigos y enemigos

buenas las hazen amigos

Con los aplausos que dan

y los enemigos malas

no pueden ser buenas todas

su feldo por más bodas

y veben las mexores sobre

y las Comedias mexores

Yo quiero y reparo

sentir que fueren bulgares

si las que sé ingenios señores

aprobaren lleuaremos

sus ensayar / y si y que habla una dama

Du / Si es Andrelina es defama

Folio autógrafo de *El castigo sin venganza*.

Y como por su bajeza
no la puede averiguar,
ni en los palacios entrar,
murmura de la grandeza.
Yo confieso que he vivido                    165
libremente, y sin casarme,
por no querer sujetarme,
y que también parte ha sido
pensar que me heredaría
Federico, aunque bastardo:                    170
mas ya que a Casandra aguardo,
que Mantua con él me envía,
todo lo pondré en olvido.

FEBO.      Será remedio casarte.

RICARDO.   Si quieres desenfadarte,              175
pon a esta puerta el oído.

DUQUE.     ¿Cantan?

RICARDO.              ¿No lo ves?

DUQUE.                          ¿Pues quién
vive aquí?

RICARDO.           Vive un autor
de comedias.

---

173 *todo lo pondré en olvido:* esta primera alusión al arrepentimiento del Duque contrasta con las posteriores quejas de Casandra (vv. 1034-1037), la con-
firmación, positiva por parte de Ricardo (vv. 2357-2359; 2392-2393), frente al
«santo fingido» de Batín (v. 2800). Véanse también vv. 2398-2399.

177 Seguimos aquí la lectura de Jones en cuanto a la forma interrogativa
(«¿Cantan?»), que surge como consecuencia a la pregunta de Ricardo: «¿No lo
ves?» Véase un caso semejante más adelante con «¿Ensayan?» (v. 194).

178-179 *autor de comedias:* es decir, director de una compañía de actores; a
modo del actual empresario. Algunas compañías se llamaban de «título»: su
«autor» debía tener nombramiento del Consejo. Sobre la organización de
compañías y actores, véase J. M. Díez Borque [1978], págs. 44 y ss. Sigue siendo imprescindible Hugo A. Rennert, *The Spanish Stage in the Time of Lope de
Vega*, Nueva York, Hispanic Society, 1909, así como N. D. Shergold y J. E. Varey (eds.), *Genealogía, origen y noticia de los comediantes de España*, Londres, Tamesis Books, 1985, y *Teatros y comedias recientes* [...], salido de la misma editorial. Para una visión más general, véase también J. Oehrlein, *Der Schauspieler im
spanischen Theater des Siglo de Oro (1600-1681): Untersuchungen zu Berufsbild und
Rolle in der Gesellschaft*, Frankfurt, Vervuert, 1986; van Dam, ed., 1928, págs. 54-56;
Kossoff, ed., 1968, pág. 230; Díez Borque, ed., 1988, pág. 108, nota 1.

| | | |
|---|---|---|
| FEBO. | Y el mejor | |
| | de Italia. | |
| DUQUE. | Ellos cantan bien. | 180 |
| | ¿Tiénelas buenas? | |
| RICARDO. | Están | |
| | entre amigos y enemigos: | |
| | buenas las hacen amigos | |
| | con los aplausos que dan, | |
| | y los enemigos malas. | 185 |
| FEBO. | No pueden ser buenas todas. | |
| DUQUE. | Febo, para nuestras bodas | |
| | prevén las mejores salas, | |
| | y las comedias mejores, | |
| | que no quiero que repares | 190 |
| | en las que fueren vulgares. | |
| FEBO. | Las que ingenios y señores | |
| | aprobaren, llevaremos. | |
| DUQUE. | ¿Ensayan? | |
| RICARDO. | Y habla una dama. | |
| DUQUE. | Si es Andrelina, es de fama. | 195 |
| | ¡Qué acción! ¡Qué afectos! ¡Qué extremos! | |

---

181 *Suelta:* «tieulas», variante que destaca Kossoff, aunque la -ñ tiene los rasgos de -u, observa acertadamente Díez Borque (ed., 1988, pág. 124).

181-191 Las bodas celebradas con representaciones teatrales y piezas menores están extensamente documentadas a lo largo del siglo XVII. El tema más concurrido fue el mitológico. Véase J. M. Díez Borque [1988], pág. 124.

192 *ingenios:* se toma muchas veces por el sujeto mismo ingenioso; y así se suele decir de las comedias de un ingenio; o de dos o tres ingenios *(Aut.).* El término fue, de acuerdo con van Dam (ed., 1928, pág. 309), sinónimo de dramaturgo.

195 *Andrelina:* actriz y poetisa italiana, Isabel Indreini, que muere en 1604. Las referencias son obviamente anacrónicas, indica Jones (ed., 1966, pág. 124), pero no viene al caso clamar ante ellas por ser de nuevo parte de la convención en la comedia de Lope. La misma (Isabela Andreina) es mencionada dos años después en *Las bizarrías de Belisa* (1634). Sobre la organización comercial de «actiores», «autores, poetas, ingenios y gastos», véase José Deleito y Piñuela [1988], págs. 256 y ss., Díez Borque [1988], págs. 61 y ss., y nota 16.

196 Tanto Kossoff (ed., 1968), como Jones (ed., 1966), observan la presencia de la acotación, que señala la persona «Muj[er]». Lo que explica que, posiblemente, los versos siguientes (197-205), fueran recitados por ésta. Registra la entrada *Parte XXI. Afectos:* pasión de ánimo que redunda en la voz; la altera, y causa en el cuerpo un particular movimiento *(Cov.).* Los tres términos («acción», «afectos» y «extremos») definen, indica Díez Borque (ed., 1988, pág. 125), las características básicas de la *comedia nueva.*

137

*(Dentro.)*

Déjame, pensamiento;
no más, no más, memoria,
que mi pasada gloria
conviertes en tormento,                                    200
y deste sentimiento
ya no quiero memoria, sino olvido;
que son de un bien perdido,
aunque presumes que mi mal mejoras,
discursos tristes para alegres horas.                      205

DUQUE.          ¡Valiente acción!
FEBO.                                    Extremada.
DUQUE.          Más oyera; pero estoy
sin gusto. Acostarme voy.
RICARDO.        ¿A las diez?
DUQUE.                          Todo me enfada.
RICARDO.        Mira que es esta mujer                      210
única.
DUQUE.                  Temo que hable
alguna cosa notable.
RICARDO.        De ti ¿cómo puede ser?
DUQUE.          Agora sabes, Ricardo,
que es la comedia un espejo,                               215

---

200 *Suelta:* «coviertes», que señala acertadamente Díez Borque (ed., 1988, pág. 125). En la copia xerográfica del autógrafo del que disponemos (gentileza de A. David Kossoff) leemos «conuiertes».

203-205 Claro caso de hipérbaton. Se viene a indicar que los discursos (palabras, expresiones) de un «bien perdido» son tristes para alegres horas.

206 Para el *topos* de la comedia dentro de la comedia *(Play within Play)* véase lo señalado en la «Introducción», y nota 95; también Francisco Ynduráin, *Relección de clásicos*, Madrid, Prensa Española, 1969, págs. 87-112; Emilio Orozco, *El teatro y la teatralidad del Barroco*, Barcelona, Planeta, 1969, págs. 169-234. Su correspondencia en las artes plásticas sirvió de objeto a la magnífica monografía de Julián Gállego, *El cuadro dentro del cuadro*, Madrid, Cátedra, 1984. *Extremada:* «excelente».

207 *Suelta, Parte XXI:* «óyela».

208 *Suelta:* «A acostarme voy.» Díez Borque (ed., 1988, pág. 126) anota al respecto las varias observaciones a este verso, presentes en las ediciones de van Dam y Kossoff.

215 Desde antiguo circuló una definición de comedia que Diomedes atribuyó a Cicerón: imitatio vitae speculum consuetudinis et imago veritatis. Cfr.

138

en que el necio, el sabio, el viejo,
el mozo, el fuerte, el gallardo,
  el rey, el gobernador,
la doncella, la casada,
siendo al ejemplo escuchada          220
de la vida y del honor,
  retrata nuestras costumbres,
o livianas o severas,
mezclando burlas y veras,
donaires y pesadumbres.               225
  Basta que oí del papel
de aquella primera dama
el estado de mi fama;
bien claro me hablaba en él.
  ¿Que escuche me persuades           230
la segunda? Pues no ignores
que no quieren los señores
oír tan claras verdades.

*Familiaria in Terentium praemotamenta por Pubii Terentii Aphri (...) comedia (...)*,
Roma, Claudio Mani y Stephanus Balan, 1502, fol. VIIr. Ya el cura de *El Quijote* (I, 48) critica, como buen inquisidor, la «comedia nueva», «cómo las que
agora se usan [...], han dejado de ser lo que Cicerón quería: "ejemplo de la
vida humana, espejo de costumbres y imagen de la vida"». La frase fue también consagrada por Elio Donato, *Comentum Terentii* (V, i). La recoge Lope en
el *Arte nuevo de hacer comedias:* «Por eso Tulio las llamaba espejo / de las costumbres y una viva imagen / de la verdad» (vv. 123-125). Véase Juan Manuel
Rozas [1976], págs. 52-54; Lope de Vega, *Peribáñez*, vv. 938 y ss. Tirso en *El
vergonzoso en palacio* tiene también en mente el doble papel de deleitar aprove-
chando *(prodesse, delectare).*

226  *que oi del papel: Suelta* y *Parte XXI* leen «Hasta que o[h]i del papel.»

227  Se alude bajo la «primera dama» a Cintia, quien habla extensamente
sobre el caso del Duque en los vv. 93-128; la «segunda» sería la aludida actriz,
que representa la otra acción (vv. 197-205).

232-233  El Duque no quiere verse de nuevo aludido en la comedia, y menos
representado como «libertino» y «lujurioso». Wilson [1963], págs. 269-270, resume admirablemente este primer cuadro: «Un duque disfrazado se comporta
como un ciudadano cualquiera; un hombre en vísperas de matrimoniar *(sic)*
va rondando las casas de las cortesanas. El cielo es realmente una capa. Los poetas modernos no son poetas, sino prestidigitadores. Hay un cornudo que en
realidad no lo es. Al duque no se le reconoce porque sus acciones privadas no
concuerdan con sus funciones públicas. Un hecho verdadero es interpretado
como una treta para entablar una vana conversación. Sirvientes aduladores in-

*(Handwritten annotations in margins:)*
*son of Duque—estranged?*
*very poetic—sensitive*
*speaks a little feminine*
*overthinker*
*vulnerable*
*Duque trying to show a good image—that has a family*

(*Salen.* FEDERICO *de camino, muy galán, y* BATÍN, *criado.*)

BATÍN.  Desconozco el estilo de tu gusto.
¿Agora en cuatro sauces te detienes,  235
cuando a negocio, Federico, vienes
de tan grande importancia?

FEDERICO.  Mi disgusto
no me permite, como fuera justo,
más prisa y más cuidado;
antes la gente dejo, fatigado  240
de varios pensamientos,
y al dosel destos árboles que, atentos
a las dormidas ondas deste río,
en su puro cristal, sonoro y frío,
mirando están sus copas,  245
después que los vistió de verdes ropas.
De mí mismo quisiera retirarme,
que me cansa el hablarme
del casamiento de mi padre, cuando
pensé heredarle; que si voy mostrando  250
a nuestra gente gusto, como es justo,

tentan dar un aspecto optimista a lo que el propio duque reconoce como su defecto. El recitado de una ficción hace darse cuenta al duque de un hecho moral. El duque admite que la gente no puede soportar que se le diga la verdad sobre sí misma. En todos estos momentos se nos enseña cómo la realidad y la apariencia chocan con frecuencia entre sí. Este tema se repite constantemente a medida que avanza la obra.» *Parte XXI* incluye como acotación, después del verso 233, «salen...».

235 *cuatro sauces:* el sauce es, de acuerdo con Donald McGrady [1983], pág. 60, nota 19, «símbolo del pesar». Véanse también vv. 544-545.

239 *Suelta, Parte XXI,* «priesa».

240 *Suelta,* «fatigada»; *Parte XXI* «y fatigado».

242 *dosel:* la cortina con su cielo, que ponen a los reyes y después a los titulados *(Cov.)*.

242-246 Lugar común *(locus amoenus),* tanto en la lírica renacentista como en la comedia nueva. Asocia con frecuencia la Arcadia pastoril y la presencia, en el mismo espacio, de la muerte como figuración de lo trágico. Renato Poggioli le dedicó un valioso estudio en su *The Oaten Flute: Essays on the Pastoral Poetry and the Pastoral Ideal,* ed. de A. Bartlett Giamatti, Cambridge, Harvard University Press, 1975. El v. 244 falta en *Suelta* y *Parte XXI.*

247 *retirarme:* «olvidarme».

el alma llena de mortal disgusto,
camino a Mantua, de sentido ajeno;
que voy por mi veneno
en ir por mi madrastra, aunque es forzoso. 255

BATÍN.    Ya de tu padre el proceder vicioso
de propios y de extraños reprehendido,
quedó a los pies de la virtud vencido;
ya quiere sosegarse,
que no hay freno, señor, como casarse. 260
Presentole un vasallo
al Rey francés un bárbaro caballo,
de notable hermosura,
Cisne en el nombre, y por la nieve pura

---

253-255 Federico se muestra contrariado ante el casamiento de su padre. Pierde con ello su derecho al ducado en favor de los posibles hijos de su madrastra. De tales contrariedades es eco Batín (vv. 313-318). Con la llegada de Casandra persiste tal contrariedad, motivada, como se verá, por estas causas. El vocablo «veneno» se carga de múltiple sentido. Véase también v. 1894.

259 *sosegarse:* «vale aquietar, *quasi subsedare;* sosiego, sosegado, sosegarse» *(Cov.).*

260 El matrimonio se vio como remedio a la incontinencia sexual. San Pablo, en la «Epístola a los Corintios» (1 Cor. 7, 2-9) aconseja «Quod si non se continent, nubant. Melius est enim nubere, quam uri.» El panegírico sobre la vida conyugal disfruta de una larga tradición. Así, por ejemplo, en Suárez de Figueroa, *Pusílipo: ratos de conversación en lo que dura el paseo,* Nápoles, 1629, pág. 180, con precedentes en Marsilio Ficino, *Platonis Opera,* cap. IV, y en *Diálogos de Amor* de León Hebreo, ed. de José M.ª Reyes, Barcelona, PPU, 1986, págs. 115-116.

261-290 El caballo es un reconocido símbolo erótico. Desempeña un papel importante, como sabemos, en Lorca. Lo es del mismo modo el campo semántico con el que se asocia: «cabalgar», «montar», «correr», «trotar», etc., como bien documenta José Luis Hernández *(Léxico),* y la colección antológica de *Poesía erótica del Siglo de Oro* (ed. cit.). Donald McGrady asocia el caballo con Casandra y el león con el Duque, aunque la función de ambos puede ser también intercambiable (vv. 1356-1369). Es cierto, sin embargo, que se asocia a éste, en su función bélica y heráldica, con el león. El «Exemplo IX» de *El conde Lucanor* de don Juan Manuel, «De lo que contesçió a los dos cavallos con el león», guarda cierta relación con el caso expuesto por Batín. La tiene del mismo modo la del cordero que se coloca al lado del lobo en *El Guzmán de Alfarache. La novela picaresca española,* I, ed. de Francisco Rico, Barcelona, Planeta, 1967, págs. 885-886. El animal salvaje que da en manso, documenta Donald McGrady [1983], lo registra Stith Thompson en su *Motif Index of Folk Literature,* Bloomington, Indiana University Press, 1932-1936, 6 vols. (B, 771). El motivo adquiere varias formas narrativas; Margaret A. van Antwerp [1981], págs. 209 y ss.

de la piel que cubrían                    265
las rizas canas, que a los pies caían
de la cumbre del cuello, en levantando
la pequeña cabeza.
Finalmente le dio naturaleza,
que alguna dama estaba imaginando          270
hermosura y desdén, porque su furia
tenía por injuria
sufrir el picador más fuerte y diestro.
Viendo tal hermosura y tal siniestro,
mandóle el Rey echar en una cava          275
a un soberbio león, que en ella estaba;
y en viéndole feroz, apenas viva
el alma sensitiva,
hizo que el cuerpo alrededor se entolde
de las crines, que ya crespas sin molde    280
(si el miedo no lo era),
formaron como lanzas blanca esfera,
y en espín erizado
de orgulloso caballo transformado,
sudó por cada pelo                         285
una gota de hielo,
y quedó tan pacífico y humilde,

266 *Suelta* y *Parte XXI* leen «ricas» en vez de «rizas»; *rizas:* «rizadas».

273 *picador:* «domador de caballos».

274 *y tal siniestro:* «y tal vicio».

275 *cava:* vale lugar hondo donde se suelen congregar las aguas que concurren de los collados vecinos *(Cov.)*.

278 *alma sensitiva:* Aristóteles en *De Anima* (libro 2) la define como «Est enim actus primus corporis physici organici, vitam habentis in potentia», y la distingue de la vegetativa (plantas) y la racional (hombre).

279 *entolde:* entoldar, cubrir las calles o las paredes de los templos con paños o sedas en señal de fiesta *(Cov.)*.

280 *sin molde:* es decir, sin forma.

282 *formaron como lanzas blanca esfera:* figuración plástica de las crines que levantadas en alto y retorcidas simulaban, a modo de lanzas, una esfera. Tal fue el resultado del miedo producido, y el caballo se asemeja así a un puerco espín, que se ha enrollado «(entoldado»), erizadas sus púas ante el espantoso león.

142

que fue un enano en sus arzones tilde,
y el que a los picadores no sufría,
los pícaros sufrió desde aquel día.                    290

FEDERICO.  Batín, ya sé que a mi vicioso padre
no pudo haber remedio que le cuadre
como es el casamiento;
pero ¿no ha de sentir mi pensamiento
haber vivido con tan loco engaño?                      295
Ya sé que al más altivo, al más extraño,
le doma una mujer, y que delante
deste león, el bravo, el arrogante
se deja sujetar del primer niño,
que con dulce cariño                                   300
y media lengua, o muda o balbuciente,
tiniéndole en los brazos le consiente
que le tome la barba.
Ni rudo labrador la roja parva,
como un casado la familia mira,                        305
y de todos los vicios se retira.
Mas ¿qué me importa a mí que se sosiegue
mi padre, y que se niegue

---

288 *Parte XXI* lee «a sus arzones tilde»; *«arzones»:* trasero y delantero en la
silla; *tilde:* el punto diacrítico sobre la «ñ». Expresa así cómo el caballo, achica-
do por el miedo, podía ser montado por un signo tan diminuto como el de la
tilde de la «eñe».

296 *extraño:* la edición de Jones es con frecuencia inconsistente en el uso de
«x» por «s»; así «estremos» (v. 196) y «estremada» (v. 206). El mismo tipo de vacilación se registra en otras ediciones modernas (Kossoff), y continúa en la
existente en el siglo XVII. Kossoff define el término como «ajeno, indiferente»,
y aporta un ejemplo de Herrera, que documenta en su *Vocabulario de la obra
poética de Herrera,* Madrid, Real Academia Española, 1966, artículo «extraño»,
3.ª acepción.

301 *Suelta:* «media»; *Parte XXI:* «media legua muda». Kossoff «medio». En
el Ms. la vocal final del vocablo tiene la forma de -u incompleta, con un punto sobre su centro; preferimos como Jones y Díez Borque «media».

302 *Suelta, Parte XXI:* «teniéndole».

304 *parva:* la mies que tiene el labrador en la era trillada y recogida en un
montón *(Cov.)*. En *El alcalde de Zalamea* de Calderón, que se escribe una década
después de *El castigo* (alrededor de 1642; la primera edición impresa es de 1651),
la «parva» de Pedro Crespo simboliza la riqueza del villano (I, vv. 424-442) que
pone en peligro la furia amorosa que el capitán siente hacia la hija de aquél.

|           | a los vicios pasados, |     |
|-----------|-----------------------|-----|
|           | si han de heredar sus hijos sus estados, | 310 |
|           | y yo, escudero vil, traer en brazos |     |
|           | algún león, que me ha de hacer pedazos? |     |
| BATÍN.    | Señor, los hombres cuerdos y discretos, |     |
|           | cuando se ven sujetos |     |
|           | a males sin remedio, | 315 |
|           | poniendo la paciencia de por medio, |     |
|           | fingen contento, gusto y confianza |     |
|           | por no mostrar envidia y dar venganza. |     |
| FEDERICO. | ¿Yo sufriré madrastra? |     |
| BATÍN.    | ¿No sufrías |     |
|           | las muchas que tenías | 320 |
|           | con los vicios del Duque? Pues agora |     |
|           | sufre una sola, que es tan gran señora. |     |
| FEDERICO. | ¿Qué voces son aquéllas? |     |
| BATÍN.    | En el vado del río suena gente. |     |
| FEDERICO. | Mujeres son; a verlas voy. |     |
| BATÍN.    | Detente. | 325 |
| FEDERICO. | Cobarde, ¿no es razón favorecellas? |     |

(*Vase.*)

| BATÍN. | Escusar el peligro es ser valiente. |
|--------|-------------------------------------|
|        | ¡Lucindo! ¡Albano! ¡Floro! |

(*Éstos salen.*)

| LUCINDO. | El Conde llama. |
|----------|-----------------|
| ALBANO.  | ¿Dónde está Federico? |
| FLORO.   | ¿Pide acaso |
|          | los caballos? |

---

311 El *escudero* es el escalafón más bajo de la nobleza. A tal nivel teme descender Federico si su padre tiene un heredero legítimo.

312 Ni Kossoff ni Jones cierran la interrogación que se abre en el v. 307.

318 *dar:* equivalente a «ocasionar», Martín Alonso, *Enciclopedia del idioma*, indica Jones.

328 *Suelta* omite los nombres. Incluye como acotación, al igual que *Parte XXI*: «Salen Lucindo, Albano, Floro.» En *Suelta* la acotación viene después del v. 327.

| BATÍN. | Las voces de una dama, | 330 |
| | con poco seso y con valiente paso | |
| | le llevaron de aquí; mientras le sigo, | |
| | llamad la gente. | |

*(Vase.)*

| LUCINDO. | ¿Dónde vas? Espera. |
| ALBANO. | Pienso que es burla. |
| FLORO. | Y yo lo mismo digo; |
| | aunque suena rumor en la ribera | 335 |
| | de gente que camina. | |
| LUCINDO. | Mal Federico a obedecer se inclina | |
| | el nuevo dueño, aunque por ella viene. | |
| | Sale a los ojos el pesar que tiene. | |

*(FEDERICO sale con CASANDRA en los brazos.)*

| FEDERICO. | Hasta poneros aquí, | 340 |
| | los brazos me dan licencia. | |
| CASANDRA. | Agradezco, caballero, | |
| | vuestra mucha gentileza. | |
| FEDERICO. | Y yo a mi buena fortuna | |
| | traerme por esta selva, | 345 |
| | casi fuera de camino. | |
| CASANDRA. | ¿Qué gente, señor, es ésta? | |

---

333 *Suelta* y *Parte XXI* omiten la acotación.

338 El *nuevo dueño* es Casandra, la futura duquesa de Ferrara.

339 *Sale a los ojos:* «vale también manifestarse, descubrirse o darse al público» *(Aut.).*

340-341 Un buen número de críticos alude acertadamente a este pasaje ya como premonición de la fortuita caída en el amor tanto de Casandra como de Federico, y del nacimiento mutuo. Cfr. Mircea Eliade, *Birth and Rebirth,* Nueva York, Harper and Brothers, 1958. Kossoff (ed., 1968, pág. 249) apunta al deseo de tocarse dado el atractivo que siente Federico hacia Casandra. Véanse vv. 341 y 408. Casandra es nombre consagrado por la Antigüedad. Fue hija de Príamo y Hécuba. Fue considerada como la más bella de las mujeres, pero a la vez como una de las más desgraciadas. Bandello la describe «bella e vezzosa molto».

FEDERICO.     Criados que me acompañan.
              No tengáis, señora, pena;
              todos vienen a serviros.                          350

(BATÍN *sale con* LUCRECIA, *criada, en los brazos.*)

BATÍN.        Mujer, dime, ¿cómo pesas,
              si dicen que sois livianas?
LUCRECIA.     Hidalgo, ¿dónde me llevas?
BATÍN.        A sacarte por lo menos
              de tanta enfadosa arena,                          355
              como la falta del río
              en estas orillas deja.
              Pienso que fue treta suya,
              por tener ninfas tan bellas,
              volverse el coche al salir;                       360
              que si no fuera tan cerca
              corriérades gran peligro.
FEDERICO.     Señora, porque yo pueda
              hablaros con el respeto
              que vuestra persona muestra,                      365
              decidme quién sois.

_____

349 *Suelta:* «soñora».

352 *livianas:* con acepción de ligereza, también de fácil mudanza; caracterización que ya había fijado el Derecho Romano sobre la mujer como objeto
jurídico: *imbecillitas* (inferioridad psicológica), *fragilitas* (debilidad e inferioridad física) y *levitas animi* (frivolidad). *Aut.* aplica también el término a hombre
«inconstante y que fácilmente se muda». En el lenguaje de los maleantes se
tomó como acepción de «mujer de costumbres desenfadadas y alegres». Batín
usa el término con doble sentido. Su acción remeda la de su amo. Lucrecia se
asoció también con la Cava (*Poesía erótica del Siglo de Oro*, ed. cit., págs. 214-215).

356 *Suelta, Parte XXI:* «falda».

358 *treta:* «metafóricamente vale artificio sutil e ingenioso para conseguir
algún intento» (*Aut.*). Es término de la esgrima.

360 *volverse:* «dar vuelta, o vueltas a alguna cosa» (*Aut.*). El significado es
obvio: fue treta del río ya que el carro llevaba ninfas tan bellas que el río (per-
sonificación) causó el que se volcara al llegar a su vado u orilla. Se personifica
al río como figura sexual.

365 *muestra:* en el sentido de requerir, demandar, indica Jones (ed., 1966,
pág. 125); tal acepción casaría si Federico supiese de antemano la alcurnia de
la mujer que trae en sus brazos. Éste no es el caso; más bien en el sentido de «portarse correspondientemente a su oficio, dignidad o calidad, o darse a conocer
en alguna especie», e incluso «dar a entender o conocer con las acciones alguna calidad del ánimo» (*Aut.*).

146

| CASANDRA. | Señor, |
|---|---|
| | no hay causa porque no deba |
| | decirlo. Yo soy Casandra, |
| | ya de Ferrara Duquesa, |
| | hija del Duque de Mantua. | 370 |
| FEDERICO. | ¿Cómo puede ser que sea |
| | vuestra Alteza, y venir sola? |
| CASANDRA. | No vengo sola, que fuera |
| | cosa imposible; no lejos |
| | el Marqués Gonzaga queda, | 375 |
| | a quien pedí me dejase, |
| | atravesando una senda, |
| | pasar sola en este río |
| | parte desta ardiente siesta, |
| | y por llegar a la orilla, | 380 |
| | que me pareció cubierta |
| | de más árboles y sombras, |
| | había más agua en ella, |
| | tanto, que pude correr, |
| | sin ser mar, fortuna adversa; | 385 |
| | mas no pudo ser Fortuna. |

---

372 *Suelta, Parte XXI* transcriben siempre «V. Alteza» frente a «vuestra Alteza» del Ms.

377 *Parte XXI:* «travesando».

379 *ardiente siesta:* el viaje, la caída casual, el encuentro en un espacio ameno de los dos amantes (el «dolce chiare e fresche acque» petrarquista), su nacimiento, lo asocia Northrop Frye con el mito del verano: con el «romance»; la caída del héroe con el mito del otoño: la tragedia. Véase N. Frye, *Anatomy of Criticism,* Princeton, Princeton University Press, 1971, págs. 186-206; 223; *Suelta:* «de esta».

380-383 Jones (ed., 1966, pág. 125) explica el orden y sentido de estos versos e indica que Casandra supuso que en la otra orilla había más agua. Pero es un poco al revés; es decir, Casandra, viendo la otra orilla cubierta de árboles y sombras la supuso de fácil accesso; al llegar se dio cuenta de que era tan profunda («sin ser mar») que estuvo a punto de correr «adversa Fortuna»: es decir, de perecer ahogada. El remanso cubierto de árboles, en sombra, no dejaba ver bien la profundidad. La apariencia, incluso en el ámbito natural, crea un engañoso espejo.

386-387 *se pararon las ruedas:* la rueda de la Fortuna y las del carro o coche en el que viaja Casandra son signos premonitorios de lo trágico. Tal concepción de la «Fortuna» como un golpe del azar fue representada por Covarrubias en sus *Emblemas morales* (núm. 165); véase Jesús Gutiérrez, *La «Fortuna bifrons» en el teatro del Siglo de Oro,* Santander, Sociedad Menéndez Pelayo, 1975. El

147

<pre>
                    pues se pararon las ruedas.
                    Decidme, señor, quién sois,
                    aunque ya vuestra presencia
                    lo generoso asegura                        390
                    y lo valeroso muestra;
                    que es razón que este favor,
                    no sólo yo le agradezca,
                    pero el Marqués y mi padre,
                    que tan obligados quedan.                   395
FEDERICO.   Después que me dé la mano,
                    sabrá quién soy vuestra Alteza.
CASANDRA.       De rodillas es exceso.
                    No es justo que lo consienta
                    la mayor obligación.                        400
FEDERICO.   Señora, es justo y es fuerza;
                    mirad que soy vuestro hijo.
CASANDRA.   Confieso que he sido necia
                    en no haberos conocido.
                    ¿Quién sino quien sois pudiera             405
                    valerme en tanto peligro?
                    Dadme los brazos.
</pre>

---

amor que surge viendo a la amada bañándose en el agua (Casandra lava sus pies, vv. 532-535), tiene antiguas raíces bíblicas: David y Betsabé, Susana y los Jueces, comentadas extensamente por Lope en *Pastores de Belén* (1612). Tal sucede en su comedia *Las paces de los Reyes y judía de Toledo* en donde el joven Alfonso VIII queda prendado de Raquel, al verla bañarse en las aguas del Tajo.

390 *Suelta:* «asigura»; *lo generoso:* «lo noble».

394 *pero:* con el sentido de sino.

395 *obligados:* «agradecidos».

398 Varía la puntuación en las ediciones de Jones y Kossoff. Se puede suponer que Casandra, al ver de rodillas a Federico, se sorprenda y le interrogue, admirada (Jones). El autógrafo no incluye ningún signo de interrogación. Sin embargo, tanto la *Suelta* como la *Parte XXI* añaden admiración.

402 Como sabemos, no es propiamente su hijo *(strictu sensu)* sino su «hijastro».

407 Hay todo un simbolismo implícito en la serie de ceremonias de etiqueta entre Fedrico y Casandra. Implican el beso de mano, rodilla en tierra (v. 396); el sentarse frente al estarse en pie (v. 862), y el final abrazo que ofrece Casandra (vv. 1296-1303); tuvieron su inicio con Casandra en brazos de Federico (v. 341). Se completan con el último beso durante el ceremonial del «besamanos», por donde «sube / el veneno al corazón» (vv. 2014-2015). Casandra se muestra en este sentido más espontánea y hasta natural; Federico,

| FEDERICO. | Merezca |
|---|---|

FEDERICO.    Merezca
               vuestra mano.
CASANDRA.                  No es razón.
               Dejaldes pagar la deuda,
               señor Conde Federico.                    410
FEDERICO.    El alma os dé la respuesta.

*(Hablen quedo, y diga BATÍN.)*

BATÍN.       Ya que ha sido nuestra dicha
               que esta gran señora sea
               por quien íbamos a Mantua,
               sólo resta que yo sepa                   415
               si eres tú, vuesa merced,
               señoría o excelencia,
               para que pueda medir
               lo razonado a las prendas.
LUCRECIA.    Desde mis primeros años                    420
               sirvo, amigo, a la Duquesa;
               soy doméstica criada;
               visto y desnudo a su Alteza.
BATÍN.       ¿Eres camarera?

---

más reservado. Véanse también vv. 396-411, 538, 556, 774. Actos que implican el mismo tipo de homenaje, dirigidos a la «nueva» reina, se encuentran en
otras obras de Lope: en *La discreta venganza (BAE,* XLI, pág. 301c) y en *La humil-
dad y la soberbia (Ac. N.,* X, págs. 83-84); cfr. Dixon [1973], págs. 77-78, nota 42.

409 *Dejaldes:* metátesis por «dejadles» que, como en los casos de asimilación del infinitivo (v. 38), facilita la combinación de la rima. La vacilación entre «dalde» y «dadle», «teneldo», y «tenedlo», «matalde» y «matadle» se prolon-
gó hasta la época de Calderón, documenta Lapesa, *Historia de la lengua española,* Madrid, Gredos, 1985, págs. 391-393.

416 *Suelta:* «vuestra». Parte de este verso («tú, vuesa merced»), al igual que
el siguiente, lo transcribe Kossoff en cursiva; lo mismo, siguiendo a Kossoff,
Díez Borque (ed., 1988, pág. 139).

419 *lo razonado:* lo que es justo y razonable (Kossoff, ed., 1968, pág. 252); «lo
hablado»; *prendas:* «se llaman las buenas partes, cualidades o perfecciones, así del
cuerpo como del alma, con que la naturaleza adorna algún sujeto» *(Aut.).*

424 *camarera:* «la mujer que sirve y cuida de vestir y tocar a su ama. Díjose así
porque es la que está siempre dentro de la cámara, y en lo más retirado de la casa,
por ser de las criadas la de más estimación» *(Aut.);* Ricardo del Arco y Garay, *La
sociedad española en las obras dramáticas de Lope de Vega,* ed. cit., págs. 583-623; Miguel Herrero, *Los oficios populares en la sociedad de Lope de Vega,* Madrid, Castalia,
1977, págs. 21-55.

LUCRECIA.　　　　　　　No.

BATÍN.　　　　Serás hacia camarera,　　　　　　425
　　　　　　　como que lo fuiste a ser,
　　　　　　　y te quedaste a la puerta.
　　　　　　　Tal vez tienen los señores
　　　　　　　como lo que tú me cuentas,
　　　　　　　unas criadas malillas,　　　　　　430
　　　　　　　entre doncellas y dueñas,
　　　　　　　que son todo y no son nada.
　　　　　　　¿Cómo te llamas?

LUCRECIA.　　　　　　　Lucrecia.

BATÍN.　　　　¿La de Roma?

LUCRECIA.　　　　　　　Más acá.

BATÍN.　　　　¡Gracias a Dios que con ella　　　435
　　　　　　　topé! Que desde su historia
　　　　　　　traigo llena la cabeza
　　　　　　　de castidades forzadas,
　　　　　　　y de diligencias necias.
　　　　　　　¿Tú viste a Tarquino?

---

428 *Tal vez;* algunas veces.

430 *criadas malillas:* «Carta que en algunos juegos de naipes forma parte del estuche y es la segunda entre las de más valor» *(DRAE);* también personaje secundario; criado para todo; generalizado a partir de las cartas que pueden hacer de malilla o comodín en el juego de este nombre; cosa o persona mal empleada o empleada fuera del lugar y sitio que le corresponde *(Léxico,* 500-501); Kossoff, ed., 1968, nota, pág. 253.

431 *doncellas:* la mujer moza y por casar *(Cov.).* Se llama también la criada de una casa, que sirve a la señora, y de hacer labor *(Aut.); dueñas:* «señora anciana, viuda; ahora significa comúnmente las que sirven con tocas largas y monjiles, a diferencia de las doncellas. Y en palacio llaman dueñas de honor, personas principales que han enviudado, y las reinas y las princesas las tienen cerca de sus personas en sus palacios» *(Cov.).*

433 *Lucrecia:* fue muy extendida y comentada la historia de Lucrecia. Mujer de Tarquino Colatino, fue forzada por Sexto Tarquino, hijo de Tarquino el Soberbio, el último rey de Roma. Tal violación fue consagrada por Tiziano (alrededor de 1568-1571). Muestra a Sexto Tarquino pidiendo a Lucrecia que acceda a sus deseos. El cuadro fue pintado para Felipe II, el gran protector de este pintor. Véase Frederick de Armas, «Lope de Vega and Titian», *Comparative Literature,* 30 (1978), págs. 338-353. Lucrecia pasa al teatro como tradicional símbolo de castidad.

439 Jones índica que Batín sugiere que al igual que Lucrecia pudo recibir de buen agrado las insinuaciones de un Tarquino, del mismo modo el gracio-

| | | |
|---|---|---|
| LUCRECIA. | ¿Yo? | 440 |
| BATÍN. | ¿Y qué hicieras si le vieras? | |
| LUCRECIA. | ¿Tienes mujer? | |
| BATÍN. | ¿Por qué causa | |
| | lo preguntas? | |
| LUCRECIA. | Porque pueda | |
| | ir a tomar su consejo. | |
| BATÍN. | Herísteme por la treta. | 445 |
| | ¿Tú sabes quién soy? | |
| LUCRECIA. | ¿De qué? | |
| BATÍN. | ¿Es posible que no llega | |
| | aun hasta Mantua la fama | |
| | de Batín? | |
| LUCRECIA. | ¿Por qué excelencias? | |
| | Pero tú debes de ser | 450 |
| | como unos necios que piensan | |
| | que en todo el mundo su nombre | |
| | por único se celebra, | |
| | y apenas le sabe nadie. | |
| BATÍN. | No quiera Dios que tal sea, | 455 |
| | ni que murmure envidioso | |
| | de las virtudes ajenas; | |
| | esto dije por donaire, | |
| | que no porque piense o tenga | |
| | satisfacción y arrogancia. | 460 |
| | Verdad es que yo quisiera | |
| | tener fama entre hombres sabios, | |

so asume el papel de este último. La criada de Casandra responde que Batín bien puede pedir consejo a su mujer —si es que tiene una—, sobre cómo actuar en tal situación. Lucrecia se muestra, como Batín, hábil, inteligente y astuta; *El perro del hortelano*, v. 1336; véase J. E. Gillet, «Lucrecia-necia», *Hispanic Review*, XV (1947), págs. 120-136. Véase también la extensa nota en Kossoff (ed., 1968, págs. 253-254), que recoge, en parte, la edición de Díez Borque (ed., 1988, págs. 140-141).

442 *Suelta, Parte XXI*: «Porque». Véanse también vv. 449, 1799.

445 *Parte XXI*: «treta»; en la *Suelta*, «tinta». El Ms. parece transcribir «trata». Véase verso y nota 358. En esgrima *treta* es el «movimiento engañoso para atacar o defenderse».

460 *satisfacción*: «se toma asimismo por lo mismo que presunción» *(Aut.)*; *Suelta*: «satisfación».

que ciencia y letras profesan;
que en la ignorancia común
no es fama sino cosecha,               465
que sembrando disparates
coge lo mismo que siembra.

CASANDRA.       Aún no acierto a encarecer
el haberos conocido;
poco es lo que había oído               470
para lo que vengo a ver.
El hablar, el proceder
a la persona conforma,
hijo y mi señor, de forma,
que muestra en lo que habéis hecho      475
cuál es el alma del pecho
que tan gran sujeto informa.

    Dicha ha sido haber errado
el camino que seguí,
pues más presto os conocí               480
por yerro tan acertado;
cual suele en el mar airado
la tempestad, después della
ver aquella lumbre bella,

---

464-467 Es decir, explica van Dam [1928], págs. 326-327, «[...] entre la gente ignorante la fama no es sino cosecha, de modo que el que siembra disparates coge lo mismo que siembra».

473 *conforma*: «concordar, convenir, corresponder y venir bien una cosa
con otra» *(Aut.)*.

481 *yerro*: Peter W. Evans [1979], pág. 332, señala toda una asociación semántica y fónica entre «yerro/herrar/errar», y hasta con la forma arcaica de «herrara»,
con obvias resonancias fónicas en el topónimo «Ferrara»; véanse vv. 481, 591,
654, 687, 756-757, 811-812, 852-853, 1180-1185, 1578-1582, 1986-1990.

484 *lumbre bella*: alusión al fuego de San Telmo («o lume vivo» que narra
Camões en *Os Lusíadas*, V, xvii, 2) que aparece después de la tempestad en lo
alto del mástil de las naves en forma de descarga eléctrica incandescente y forma
una esfera luminosa. El fenómeno era conocido en la Antigüedad. Cuando las
emisiones de la corriente ocurrían en forma doble se denominaron «Castor» y
«Pollux»; *La Dorotea*, act. II, esc. v. Díez Borque, teniendo en cuenta el v. 484
(«lumbre bella»), indica que puede interpretarse como una o varias estrellas» sin tener que acudir a la explicación del fuego de San Telmo, que documenta van
Dam (ed., 1928, pág. 328). Véanse también Jones (ed., 1966, pág. 126) y Kossoff
(ed., 1968, pág. 256).

|  | así fue mi error la noche, | 485 |
|  | mar el río, nave el coche, |  |
|  | yo el piloto, y vos mi estrella. |  |
|  | Madre os seré desde hoy, |  |
|  | señor Conde Federico, |  |
|  | y deste nombre os suplico | 490 |
|  | que me honréis, pues ya lo soy. |  |
|  | De vos tan contenta estoy, |  |
|  | y tanto el alma repara |  |
|  | en prenda tan dulce y cara, |  |
|  | que me da más regocijo | 495 |
|  | teneros a vos por hijo, |  |
|  | que ser Duquesa en Ferrara. |  |
| FEDERICO. | Basta que me dé temor, |  |
|  | hermosa señora, el veros; |  |
|  | no me impida el responderos | 500 |
|  | turbarme tanto favor. |  |
|  | Hoy el Duque, mi señor, |  |
|  | en dos divide mi ser, |  |
|  | que del cuerpo pudo hacer |  |
|  | que mi ser primero fuese, | 505 |
|  | para que el alma debiese |  |
|  | a mi segundo nacer. |  |
|  | Destos nacimientos dos |  |
|  | lleváis, señora, la palma, |  |

---

485  El error físico, previamente aludido (vv. 478-480) premoniza, en cierto modo, el gran error moral que desencadenará el final trágico de los dos amantes. Véanse, por ejemplo, vv. 591-592; 1986-1990.

496  *vos:* en *El pasajero* de Suárez de Figueroa se alude a la abominación del uso del «vos» por parte de ciertos señores (ed. cit., II, pág. 368). Las Premáticas llegaron a imponer «penas» contra los transgresores. Véase Rafael Lapesa, «Personas gramaticales y tratamientos en español», *Revista de la Universidad de Madrid,* XIX (1963), págs. 153-154.

498-517  Este discurso de Federico sobre el segundo nacer de su alma ante la presencia física de Casandra, de atractiva hermosura, se carga de connotaciones neoplatónicas, que se reflejan en el conceptismo amoroso de los cancioneros del siglo XV y en la lírica religiosa del XVI. Tal lenguaje amoroso es común a ambas laderas. Díez Borque (ed., 1988, pág. 144) ve un «juego de alusiones a la maternidad», y observa «la frecuencia con que aparecen en la comedia términos de paternidad real para situaciones de paternidad fingida o ficticia».

que para nacer con alma                    510
hoy quiero nacer de vos,
que, aunque quien la infunde es Dios,
hasta que os vi, no sentía
en qué parte la tenía,
pues si conocerla os debo,             515
vos me habéis hecho de nuevo,
que yo sin alma vivía.
    Y desto se considera,
pues que de vos nacer quiero,
que soy el hijo primero                    520
que el Duque de vos espera.
Y de que tan hombre quiera
nacer no son fantasías,
que para disculpas mías,
aquel divino crisol                        525
ha seis mil años que es sol,
y nace todos los días.

*(El* MARQUÉS GONZAGA, RUTILIO, *y criados.)*

RUTILIO.        Aquí, señor, los dejé.
MARQUÉS.       Extraña desdicha fuera,
               si el caballero que dices          530
               no llegara a socorrerla.
RUTILIO.       Mandóme alejar, pensando
               dar nieve al agua risueña,
               bañando en ella los pies

---

534 *bañando en ella los pies:* «El pie desnudo», escribe Kossoff, adquiere «un papel importante en el comienzo de los amores entre Federico y Casandra». Véase A. D. Kossoff, «"El pie desnudo": Cervantes y Lope», en *Homenaje a William L. Fichter, op. cit.,* pág. 385. Por ejemplo, las adornadas chinelas que calza Inés en *El caballero de Olmedo* (vv. 107-111) son el más grande atractivo de su vestimenta. Nótese que no se alude a «pie desnudo». La chinela es a modo de fuerza violenta, victoriosa, superior al mirar de los ojos (vv. 511-513). El terceto que concluye el soneto es bien explícito: «Si matas con los pies, Inés hermosa, / ¿Qué dejas para el fuego de tus ojos?» (vv. 515-516). Pero los vv. 835-838 son aún más explícitos: «En fin, en las verdes cintas / de tus pies llevastes presos / los suyos, y ya el amor / no prende con los cabellos [...]». Es fácil aportar otras comedias de

<pre>
                   para que corriese perlas,                          535
                   y así no pudo llegar
                   tan presto mi diligencia,
                   y en brazos de aquel hidalgo
                   salió, señor, la Duquesa,
                   pero como vi que estaban                            540
                   seguros en la ribera,
                   corrí a llamarte.
MARQUÉS.                          Allí está
                   entre el agua y el arena
                   el coche solo.
RUTILIO.                          Estos sauces
                   nos estorbaron el verla.                            545
                   Allí está con los criados
                   del caballero.
CASANDRA.                          Ya llega
                   mi gente.
MARQUÉS.              ¡Señora mía!
CASANDRA.  ¡Marqués!
</pre>

---

Lope donde se incide en el mismo motivo, *El castigo del discreto*, por ejemplo.
Aquí las «virillas» de los dorados chapines son la esclavitud de los ojos
(vv. 1555-1558); y en *Porfiando vence amor*, de nuevo, las cintas de las chinelas
«son liga de los ojos». Las «doradas chinelas», lo mismo que los pies, «que aun
apenas / Los vio mi imaginación», son los máximos atractivos con que Julio
presenta a Amarilis (Dorotea) en *La Dorotea* de Lope (acto I, esc. v). Pero estos
son «pies» lindamente adornados con chinelas y atados con cintas de varios
colores. El «pie desnudo», refrescado en el agua de una corriente —como el de
Casandra— está mencionado en *Don Quijote* (I, 28). El *topos* como incentivo
sexual erótico fue sutilmente parodiado por Lope al aludir a los pies de la la-
vandera Juana, de quien anda perdidamente enamorado un trasnochado clé-
rigo, de raída sotana (Tomé de Burguillos): «Juanilla, por tus pies andan perdi-
dos / Mas poetas que bancos». Véase *Rimas humanas y divinas de Tomé de
Burguillos*, fol. 15v; también 4v. El calzado, con obvio sentido erótico, está
presente en *El Lazarillo*. Realza inteligentemente el motivo Harry Sieber, *Language and Society in La vida de Lazarillo de Tormes*, Baltimore y Londres, The
Johns Hopkins University Press, 1978, págs. 45-58. El antecendente está incluso en la literatura judaica. Cfr. Jacob Nacht, «The Symbolism of the Shoe
with Special Reference to Jewish Sources», *The Jewish Quarterly Review*, 6
(1915-1916), págs. 1-22.

   541-542  *Suelta, Parte XXI*: «seguras». En Ms. se lee la acotación «go[nzaga]».
   543  *el arena*: el artículo masculino se usa con -a átona; Rafael Lapesa, *Historia de la lengua española*, ed. cit.

| MARQUÉS. | Con notable pena | |
|---|---|---|
| | a todos nos ha tenido | 550 |
| | hasta agora vuestra Alteza; | |
| | gracias a Dios que os hallamos | |
| | sin peligro. | |
| CASANDRA. | Después dellas | |
| | las dad a este caballero; | |
| | su piadosa gentileza | 555 |
| | me sacó libre en los brazos. | |
| MARQUÉS. | Señor Conde, ¿quién pudiera | |
| | sino vos, favorecer | |
| | a quien ya es justo que tenga | |
| | el nombre de vuestra madre? | 560 |
| FEDERICO. | Señor Marqués, yo quisiera | |
| | ser un Júpiter entonces, | |
| | y transformándome cerca | |
| | en aquel ave imperial, | |
| | aunque las plumas pusiera | 565 |
| | a la luz de tanto sol, | |
| | ya de Faetonte soberbia, | |
| | entre las doradas uñas, | |
| | tusón del pecho la hiciera, | |

---

553 *Después dellas:* «después de dar gracias a Dios».

563 *cerca:* con el significado de inmediatamente; «presto, luego, en breve, próximamente» *(Aut.).*

569 *tusón del pecho la hiciera:* tusón es lo mismo que vellón, el que se quita y esquila de la oveja del carnero. De aquí tomó el nombre de Orden del Tusón o Toisón, que instituyó el duque Filipo de Borgoña (1429), en el pontificado de Martín V. Su insignia era una cadena de oro engarzada de pedernales y eslabones. Por pendiente lleva un carnero que denota el vellocino de oro que Jasón ganó en Colchos. Tanto el mito de Ganimedes y Júpiter, el de Faetón como el de Jasón y los Argonautas, la referencia bíblica a Gedeón (Jueces 3, 36-40) y la heráldica, visualizan la acción de Federico quien, como águila, agarraría con sus uñas a Casandra y, apoyada sobre su pecho, volaría para entregarla con rapidez al Duque; Faetón «es un símbolo de la impaciencia y el arrebato juvenil», indica J. A. Pérez-Rioja, *Diccionario de símbolos y mitos,* Madrid, Tecnos, 1984, pág. 202b. Tusón es también, metonímicamente, prenda dorada, valiosa; oro, dinero; alguien digno de gran nobleza. McGrady [1983], págs. 45-64 desarrolla el símil del cordero (tusón; Casandra) que será sexualmente devorado por el águila (Federico). Ve en sus uñas un símbolo fálico, y asocia del mismo modo «tusón» con su derivado «tusona» (prostituta).

|                |                                      |     |
|----------------|--------------------------------------|-----|
|                | y por el aire en los brazos,         | 570 |
|                | por mi cuidado la vieran             |     |
|                | los del Duque, mi señor.             |     |
| MARQUÉS.       | El cielo, señor, ordena              |     |
|                | estos sucesos que veis,              |     |
|                | para que Casandra os deba            | 575 |
|                | un beneficio tan grande,             |     |
|                | que desde este punto pueda           |     |
|                | confirmar las voluntades,            |     |
|                | y en toda Italia se vea              |     |
|                | amarse tales contrarios,             | 580 |
|                | y que en un sujeto quepan.           |     |

*(Hablen los dos, y aparte* CASANDRA *y* LUCRECIA.)

| CASANDRA. | Mientras los dos hablan, dime   |     |
|-----------|----------------------------------|-----|
|           | qué te parece, Lucrecia,         |     |
|           | de Federico.                     |     |
| LUCRECIA. |                 Señora,          |     |
|           | si tú me dieses licencia,        | 585 |
|           | mi parecer te diría.             |     |
| CASANDRA. | Aunque ya no sin sospecha,       |     |
|           | yo te la doy.                    |     |
| LUCRECIA. |              Pues yo digo...     |     |
| CASANDRA. | Di.                              |     |
| LUCRECIA. |    que más dichosa fueras         |     |
|           | si se trocara la suerte.         | 590 |
| CASANDRA. | Aciertas, Lucrecia, y yerra      |     |
|           | mi fortuna; mas ya es hecho,     |     |
|           | porque cuando yo quisiera,       |     |
|           | fingiendo alguna invención,      |     |
|           | volver a Mantua, estoy cierta    | 595 |
|           | que me matara mi padre,          |     |
|           | y por toda Italia fuera          |     |

---

580 *amarse tales contrarios;* alusión a las situaciones opuestas de hijastro (Federico) y madrastra (Casandra).

589-590 Lucrecia augura el posterior desarrollo de la acción: el amor carnal entre madrastra (Casandra) y alnado (Federico). *Suelta:* «Di?»

157

fábula mi desatino;
fuera de que no pudiera
casarme con Federico,                                    600
y así no es justo que vuelva
a Mantua, sino que vaya
a Ferrara, en que me espera
el Duque, de cuya libre
vida y condición me llevan                               605
las nuevas con gran cuidado.

MARQUÉS.    Ea, nuestra gente venga,
y alegremente salgamos
del peligro desta selva.
Parte delante a Ferrara,                                 610
Rutilio, y lleva las nuevas
al Duque del buen suceso,
si por ventura no llega
anticipada la fama,

---

602-603  Es común también en la comedia de Lope la oposición de dos espacios físicos. Recordemos, por ejemplo, Olmedo y Medina en el *Caballero de
Olmedo*. Las cortes de Ferrara y Mantua fueron, con Florencia y Venecia, de las
más distinguidas. «Mantua and Rome», escribe Peter W. Evans [1979], pág. 323,
«share an *in absentia* relationship with Ferrara»; continúa: «allusion is made to
these places, but rather than serving as places of contrast of difference, they
provide characters and spectators with replicas of the grim world of Ferrara.
Mantua, Rome, Nature, Ferrara, are all part of the same world of values, since
the audience's penetration of these places is always supervised either by the fi-
gure of the Duke himself, or by his shadow, given shape by the cloying reach
of his mind». El Papa y su poderoso Concilio de Cardenales mantenía en
Roma un potente Estado; en Florencia dominaban los Médici; en Milán, los
Sforza, Ferrara debió sus momentos ilustres a los esfuerzos de los Este, Mantua,
a los Gonzaga y Urbino, por ejemplo, a los Della Rovere. Ferrara, como pequeño Estado con gobierno propio, se aliaba a veces con sus vecinos; otras mante-
nían con ellos abiertas rivalidades que trascendían las internas. Se revelan en parte en el pasado de Aurora, huérfana de madre y padre; éste, hermano del Duque
(vv. 700-717). Aurora aún retiene los estados que había heredado (vv. 1401-1402).
Reconocida fue la academia de Ferrara donde en cierta ocasión, indica Lope
en las *Rimas*, ed. de G. Diego, Madrid, Taurus, 1963, pág. 32, Torcuato Tasso
disertó sobre un soneto de monseñor de la Cada.
606  *nuevas:* las cosas que se cuentan acontecidas de fresco en diversas partes *(Cov.)*. Casandra alude a la vida libertina del Duque.
614-616  Alusión a la representación mítica de la Fama con alas, que simboliza la rapidez con la que se difunden las noticias, sobre todo las que son
malas.

|                 | que se detiene en las buenas                    | 615 |
|                 | cuanto corre en siendo malas.                   |     |
|                 | Vamos, señora, y prevengan                      |     |
|                 | caballo al Conde.                               |     |
| FLORO.          | El caballo                                      |     |
|                 | del Conde.                                       |     |
| CASANDRA.       | Vuestra Excelencia                              |     |
|                 | irá mejor en mi coche.                          | 620 |
| FEDERICO.       | Como mande vuestra Alteza                       |     |
|                 | que vaya, la iré sirviendo.                     |     |

*(El* MARQUÉS *lleve de la mano a* CASANDRA, *y queden* FE-
DERICO *y* BATÍN.)

| BATÍN.          | ¡Qué bizarra es la Duquesa!                     |     |
| FEDERICO.       | ¿Parécete bien, Batín?                          |     |
| BATÍN.          | Paréceme una azucena,                           | 625 |
|                 | que está pidiendo al aurora                     |     |
|                 | en cuatro cándidas lenguas                      |     |
|                 | que le trueque en cortesía                      |     |
|                 | los granos de oro a sus perlas.                 |     |
|                 | No he visto mujer tan linda.                    | 630 |
|                 | Por Dios, señor, que si hubiera                 |     |
|                 | lugar (porque suben ya,                         |     |
|                 | y no es bien que la detengas),                  |     |
|                 | que te dijera...                                |     |

---

619 *Suelta, Parte XXI:* «V. Excelencia», variante semejante a «V. Alteza». Véase nota al v. 372. La misma variante ocurre en el v. 802.

622 *Suelta, Parte XXI* incluyendo la acotación después del v. 622; *Suelta* y
*Parte XXI:* «[...] quédense [...]». En *Parte XXI:* «Betán» (por «Batín»), obvio
error tipográfico.

625-629 Batín indica que Casandra se asemeja a una azucena, símbolo, ya
en la iconografía medieval, de virginidad y pureza. Tierna, bellísima, le parece
como si estuviera pidiendo a la Aurora, a través de sus «cuatro cándidas lenguas» (los estambres), que intercambie sus «granos de oro» (el polen de la azucena) por «perlas» (el rocío de la Aurora) o las estrellas. El siguiente verso confirma el asombro de Batín ante la hermosura de Casandra; Díez Borque [1988],
págs. 150-151.

631 Jones y Kossoff omiten «que» (si hubiera), lectura clara en Ms. Díez
Borque detecta también la omisión (ed., 1988, pág. 151).

FEDERICO.                    No digas
        nada, que con tu agudeza                      635
        me has visto el alma en los ojos,
        y el gusto me lisonjeas.
BATÍN.   ¿No era mejor para ti
        esta clavellina fresca,
        esta naranja en azar,                          640
        toda de pimpollos hecha,
        esta alcorza de ámbar y oro,
        esta Venus, esta Elena?
        ¡Pesia las leyes del mundo!
FEDERICO. Ven, no les demos sospecha,                   645
        y seré el primer alnado
        a quien hermosa parezca
        su madrastra.
BATÍN.                    Pues, señor,
        no hay más de tener paciencia,
        que a fe que a dos pesadumbres               650
        ella te parezca fea.

---

640 *azar:* azahar, la flor del naranjo. Es símbolo de «la pureza y de la virginidad, por lo que sirve de adorno a la novia en el día de bodas», J. A. Pérez-Rioja, *Diccionario de símbolos y mitos*, ed. cit., 2008, pág. 88a. *Suelta:* «hazar».

642 *alcorza:* «hombre o mujer alcorza o de alcorza; melindroso, afeminado; mujer alcorzada hace alusión a prostituta *(Léxico,* 24b-25a); también «costra de azúcar refinado con mezcla de polvos cordiales» *(Cov.).* Es obvia la alusión al goloso apetito sexual que despierta Casandra. Se realza al compararla con la mítica Helena y con Venus.

643 *Venus... Elena:* la primera se consagra como «diosa de la belleza y de los placeres, y como madre del Amor (Cupido)». Del mismo modo, la belleza de Helena «era tan extraordinaria que, apenas adolescente, despertó violenta pasión en el héroe Teseo. Tuvo numerosos adoradores, de los que eligió por esposo a Menelao, rey de Esparta. Luego, fue seducida por el apuesto Paris, y este hecho produjo la guerra de Troya»; Pérez-Rioja, *Diccionario de símbolos y mitos*, ed. cit., págs. 313-314 y 236-237, respectivamente. Continúa: «La figura de Helena es de las más complejas y contradictorias; un don supremo de hermosura y una fuerza demoniaca, el ideal y el engaño, la belleza y el desastre.»

644 *Pesia:* «interjección de desazón y desenfado» *(DRAE.);* Suelta, Parte XXI: «Pese».

646 *alnado:* «el hijo que trae cualquiera de los casados al segundo matrimonio, que también llaman antenado» *(Cov.).* Véase v. 778.

*(Salgan el* DUQUE DE FERRARA *y* AURORA, *su sobrina.)*

DUQUE.        Hallarála en el camino
                Federico, si partió
                cuando dicen.

AURORA.               Mucho erró,
                pues cuando el aviso vino,      655
                era forzoso el partir
                a acompañar a su Alteza.

DUQUE.        Pienso que alguna tristeza
                pudo el partir diferir,
                que en fin, Federico estaba      660
                seguro en su pensamiento
                de heredarme, cuyo intento,
                que con mi amor consultaba,
                fundaba bien su intención,
                porque es Federico, Aurora,      665
                lo que más mi alma adora,
                y fue casarme traición
                que hago a mi propio gusto;
                que mis vasallos han sido
                quien me han forzado y vencido   670
                a darle tanto disgusto;

---

654 *erró:* de errar, «vale asimismo andar vagando sin saber el camino» *(Aut.).* La forma verbal es, en cierto sentido, emblemática de las acciones que desarrolla el Duque. La introduce el Duque en el primer cuadro (v. 25), donde la aplica como acción a Ricardo por incompetente como alcahuete (v. 131); y «errado» fue el camino que siguió Casandra (vv. 478-481). Cfr. además vv. 1582-1583 y 1986-1990.

662 *cuyo:* aparece aquí con el significado de «el igual».

663 *consultar:* concordar. *Cov.* define «consultar» como «tomar parecer fundado de hombre que le puede dar»; tal definición nos parece más acertada que la propuesta por Jones de «concordar» (ed., 1966, pág. 127).

664 *Suelta:* «inteneión».

670-671 El uso de la forma singular «quien» por el plural «quienes» aparece con frecuencia en el Siglo de Oro (Lapesa, *Historia de la lengua española*, ed. cit.). El casamiento por conveniencias políticas fue práctica común. Pasa como motivo, al igual que «la razón de estado», a las comedias del ciclo histórico de Lope. Por ejemplo, en *El bastardo Mudarra*, Almanzor aprisiona a Bustos «Porque es razón de estado aprisionarte» *(Ac.,* 478a), y al desposorio por «conveniencias políticas» se alude en *El primer rey de Castilla (Ac. N.,* 192a), comedia atribuible a Lope.

                              si bien dicen que esperaban
                              tenerle por su señor,
                              o por conocer mi amor,
                              o porque también le amaban;                    675
                                  mas que los deudos que tienen
                              derecho a mi sucesión
                              pondrán pleito con razón;
                              o que si a las armas vienen,
                                  no pudiendo concertallos,                   680
                              abrasarán estas tierras,
                              porque siempre son las guerras
                              a costa de los vasallos.
                                  Con esto determiné
                              casarme; no pude más.                           685
AURORA.                       Señor, disculpado estás;
                              yerro de Fortuna fue.
                                  Pero la grave prudencia
                              del Conde hallará templanza
                              para que su confianza                          690
                              tenga consuelo y paciencia;
                                  aunque en esta confusión
                              un consejo quiero darte,

---

676 *mas que:* las ediciones modernas presentan el lexema «mas que» como
conjunción adversativa; Kossoff prefiere convertir el «mas» en adverbio
(«más»), «porque me parece que el duque hace un contraste entre sus vasallos
(de quienes se trata en los versos precedentes, 669-675) y los deudos, diciendo
que aquéllos tienen más derecho a pleitear sobre la sucesión que los deudos»
(véase Kossoff, ed., 1968, pág. 264, nota). Como forma adversativa, pleitear
también cuadra en la locución reflexiva del Duque. La lectura de Kossoff hace
separación entre deudos y vasallos, pero el Duque no hace tal distinción, ya
que los «deudos» son a su vez «sus vasallos». De acuerdo con los vv. 678-680,
los deudos tienen dos posibles acciones: a) pleitear (forma legal); o b) venir
a las armas (forma violenta). Si no les puede «concertar» el Duque, la guerra es
inminente. Siguiendo, pues, el silogismo del Duque, el «mas que» obviamente funciona a modo de adversativa, al oponer otro tipo de acción; concuerda
también con la acción disyuntiva «o por conocer» (v. 674), y «o porque también» (v. 675). Véase al respecto Díez Borque, ed., 1988, pág. 153.

677 *Suelta:* «sucessión».

680 *concertallos:* «lo mismo que componer, ajustar, acordar» *(Aut.);* sobre la
asimilación de -r, véase nota al v. 38.

que será remedio en parte
de su engaño y tu afición.                                    695
    Perdona el atrevimiento;
que fiada en el amor
que me muestras, con valor
te diré mi pensamiento.
    Yo soy, invicto Duque, tu sobrina;           700
hija soy de tu hermano,
que en su primera edad, como temprano
almendro que la flor al cierzo inclina,
cinco lustros (¡ay suerte
cruel!), rindió la inexorable muerte.           705
    Criásteme en tu casa, porque luego
quedé también sin madre;
tú sólo fuiste mi querido padre,
y en el confuso laberinto ciego
de mis fortunas tristes,                                710
el hilo de oro que de luz me vistes.
    Dísteme por hermano a Federico,
mi primo en la crianza,
a cuya siempre honesta confianza
con dulce trato honesto amor aplico,          715
no menos dél querida
viviendo entrambos una misma vida.

---

697 *Suelta, Parte XXI*: «fiado».

704-705 Jones define «rindió» por «venció», y lee como es «tu hermano, a quien la inexorable muerte venció en su primera edad». Hartzenbusch y van Dam leyeron el verso como «rindió a la inexorable muerte». Kossoff lee los vv. 704-705 de la siguiente manera: «(¡cinco lustros! ¡ay suerte / cruel!), rindió la inexorable muerte». Seguimos la lectura de Jones (ed., 1966, pág. 49), ya que cinco lustros es la referencia temporal: el tiempo (veinticinco años) en que la muerte «rindió» (venció) al hermano del Duque, de manera que es innecesario, creemos, el uso de los signos exclamativos en el sintagma temporal «cinco lustros».

708 *Suelta*: «quedrido».

711 Es decir, «el hilo de oro de luz que me vistes», según indica Jones (ed., 1966, pág. 127). Kossoff ve, acertadamente, una lejana referencia al «hilo» del mito de Ariadna (ed., 1968, pág. 265). Enamorada ésta de Teseo, le dio un hilo con el cual éste pudo salir del Laberinto. Aurora vendría a ser, en este sentido, la figura de Teseo. Lo que concuerda, como hemos explicado en la «Introducción», con el simbolismo de su nombre.

713 *crianza*: «educación».

717 *Suelta*: «mesma vida».

Una ley, un amor, un albedrío,
una fe nos gobierna,
que con el matrimonio será eterna,                    720
siendo yo suya, y Federico mío;
que aun apenas la muerte
osará dividir lazo tan fuerte.

Desde la muerte de mi padre amado,
tiene mi hacienda aumento;                            725
no hay en Italia agora casamiento
más igual a sus prendas y a su estado;
que yo entre muchos grandes,
ni miro a España, ni me aplico a Flandes.

Si le casas conmigo, estás seguro                     730
de que no se entristezca
de que Casandra sucesión te ofrezca,
sirviendo yo de su defensa y muro.
Mira si en este medio
promete mi consejo tu remedio.                        735

DUQUE.          Dame tus brazos, Aurora,
que en mi sospecha y recelo
eres la misma del cielo,
que mi noche ilustra y dora.

Hoy mi remedio amaneces,                              740
y en el sol de tu consejo
miro, como en claro espejo,
el que a mi sospecha ofreces.

---

718 *albedrío:* «vale también cualquiera acción que el hombre ejecuta como
si no tuviese superior, ciegamente y por su antojo, sin fundamento de razón
más que su gusto o deleite» *(Aut.).*

725 *Suelta:* «augmento».

726-728 *grandes:* grande, prócer. Varía la puntuación en algunas ediciones
modernas (Jones, Kossoff). Nuestra puntuación destaca al «yo» (Duque) entre
otros muchos grandes, cuyo casamiento no tiene ahora igual. Con tal unión
se unen así, piensa el Duque, dos poderosos estados. Completa la caracterización de soberbio y arrogante que han destacado la mayoría de los críticos;
Wilson entre otros. *Parte XXI:* «enre» en vez de «entre» (v. 728).

739 *ilustra:* «engrandecer o ennoblecer alguna cosa» *(Aut.).*

740 *amaneces:* «traes». La forma impersonal del verbo admite la segunda
persona al asociarse con el nombre de Aurora.

164

      Mi vida y honra aseguras;  
y así te prometo al Conde,           745  
si a tu honesto amor responde  
la fe con que le procuras;  
    que bien creo que estarás  
cierta de su justo amor,  
como yo, que tu valor,            750  
Aurora, merece más.  
    Y así, pues vuestros intentos  
conformes vienen a ser  
palabra te doy de hacer  
juntos los dos casamientos.     755  
    Venga el Conde, y tú verás  
qué día a Ferrara doy.

AURORA.     Tu hija y tu esclava soy.  
               No puedo decirte más.

*(Entre* BATÍN.)

BATÍN.      Vuestra Alteza, gran señor,    760  
reparta entre mí y el viento  
las albricias, porque a entrambos  
se las debe de derecho;  
que no sé cuál de los dos  
vino en el otro corriendo:     765  
yo en el viento, o él en mí,  
él en mis pies, yo en su vuelo.  
La Duquesa mi señora  
viene buena, y si primero  
dijo la fama que el río,      770  
con atrevimiento necio,  
volvió el coche, no fue nada,  
porque el Conde al mismo tiempo

<hr/>

747 *procuras:* procurar, «solicitar alguna cosa» *(Cov.).* En el Ms. se lee «fee» (lo mismo en vv. 833, 1032, 1277); *Suelta* y *Parte XXI:* «fe», que preferimos.  
  750 *que:* «porque, puesto que».  
  760 En la acotación entre este verso y el anterior el Ms. omite «Batín».  
  762 *albricias:* «lo que se da al que nos trae algunas buenas nuevas» *(Cov.).*

|         | llegó, y la sacó en sus brazos, |     |
|---------|---------------------------------|-----|
|         | con que las paces se han hecho  | 775 |
|         | de aquella opinión vulgar       |     |
|         | que nunca bien se quisieron     |     |
|         | los alnados y madrastras;       |     |
|         | porque con tanto contento       |     |
|         | vienen juntos, que parecen      | 780 |
|         | hijo y madre verdaderos.        |     |
| DUQUE.  | Esa paz, Batín amigo,           |     |
|         | es la nueva que agradezco;      |     |
|         | y que traiga gusto el Conde,    |     |
|         | fuera de ser nueva es nuevo.    | 785 |
|         | Querrá Dios que Federico        |     |
|         | con su buen entendimiento       |     |
|         | se lleve bien con Casandra.     |     |
|         | En fin, ¿ya los dos se vieron,  |     |
|         | y en tiempo que pudo hacerle    | 790 |
|         | ese servicio?                   |     |
| BATÍN.  | Prometo                         |     |
|         | a vuestra Alteza que fue        |     |
|         | dicha de los dos.               |     |
| AURORA. | Yo quiero                       |     |
|         | que me des nuevas también.      |     |
| BATÍN.  | ¡O Aurora, que a la del cielo   | 795 |
|         | das ocasión con el nombre       |     |
|         | para decirte concetos!          |     |
|         | ¿Qué me quieres preguntar?      |     |
| AURORA. | Deseo de saber tengo            |     |
|         | si es muy hermosa Casandra.     | 800 |

---

775 *las paces se han hecho:* «se ha puesto fin a».

797 *concetos:* se mantiene una continua vacilación, en todo el Siglo de Oro, entre la forma latina de los cultismos («efecto», «perfecto», «concepto»), y la tendencia a adaptarlos a los hábitos de la pronunciación romance («afeto», «perfeto», «conceto»). «Ni siquiera a fines del siglo XVII», escribe Lapesa, «existía criterio fijo; el gusto del hablante y la mayor o menor frecuencia del uso eran los factores decisivos» *(Historia de la lengua española, op. cit.,* pág. 390). Sobre tal vacilación Francisco Rico, en su edición de *El caballero de Olmedo,* ed. cit., acto III, v. 819) aporta un texto significativo de Lope: «¡Oh, breve conceto! / *Conceto?* No dije bien. / *Concepto* con *p* es mejor.»

BATÍN.        Esa pregunta y deseo
              no era de vuestra Excelencia,
              sino del Duque, mas pienso
              que entrambos sabéis por fama
              lo que repetir no puedo,                        805
              porque ya llegan.
DUQUE.                        Batín,
              ponte esta cadena al cuello.

*(Entren con grande acompañamiento y bizarría* RUTILIO,
FLORO, ALBANO, LUCINDO, EL MARQUÉS GONZAGA,
FEDERICO, CASANDRA *y* LUCRECIA.)

FEDERICO.    En esta güerta, señora,
              os tienen hecho aposento
              para que el Duque os reciba,                    810
              en tanto que disponiendo
              queda Ferrara la entrada,

---

807  Este regalo de la cadena que el Duque concede a Batín asocia la recibi-
da por Fabia (*El caballero de Olmedo*, vv. 204-205), y por la Celestina en *La Celestina* de Fernando de Rojas. La genealogía literaria entre Lope y Rojas ha sido
extensamente ampliada: desde Marcel Bataillon, *«La Célestine» selon Fernando
de Rojas*, París, M. Didier, 1961, págs. 237-250, al masivo trabajo de María Rosa
Lida de Malkiel, *La originalidad artística de «La Celestina»*, Buenos Aires, Eudeba,
1962. El regalo de la «cadena» vino a ser un tópico; en Lope, en *Servir a señor discreto* (vv. 875-879); en Tirso, *Averígüelo Vargas* (vv. 1978-1980). Sobre las características y función del noble donante, véase J. M. Díez Borque, *Sociología de la comedia española del siglo XVII*, Madrid, Cátedra, 1976, págs. 277 y ss.
808  *güerta*: la -*h* aspirada, procedente de -*f* latina y de aspiradas de origen
árabe (la fricativa velar /X/ que resulta de /z/ y /s/) dio también en aspirada, y
se confundió con aquélla. El cambio de *h* por g o j denuncia, de acuerdo con
Lapesa (*Historia de la lengua española, op. cit.*, págs. 379-380), «baja extracción social». En *El Buscón* de Quevedo se aconseja sobre el habla del hampa de Sevilla: «Haga vucé cuando hablare de las *g, h*, y de las *h, g*; diga conmigo *gerida*
['herida'], *mogino* ['mohíno'], *jumo, pabería, mohar, habalí* y *harro* de vino.» Así,
al igual que *güerto* y *güerta* se transcribe en *Cov. Suelta, Parte XXI*: «huerta».
809  *aposento*: «pabellón».
812  José María Díez Borque (ed., 1988, pág. 159) detalla cómo estas entradas y
fiestas de recibimiento se celebraban «con gran aparato de público: comitivas rica-
mente engalanadas, arquitectura efímera, carros triunfales, fuegos de artificio, dona-
tivos, juegos de toros y cañas» y realza el gran renombre y aparato que adquirieron
las fiestas barrocas italianas; cita el estudio de M. Fagiolo dell'Arco y S. Carandini,
*L'effimero barocco: strutture della festa nella Roma del' 600*, Roma, Bulzoni, 1977.

que a vuestros merecimientos
será corta, aunque será
la mayor que en estos tiempos                    815
en Italia se haya visto.

CASANDRA.   Ya, Federico, el silencio
me provocaba a tristeza.

FEDERICO.   Fue de aquesta causa efeto.

FLORO.   Ya salen a recibiros                    820
el Duque y Aurora.

DUQUE.                     El cielo,
hermosa Casandra, a quien
con toda el alma os ofrezco
estos estados, os guarde,
para su señora y dueño,                          825
para su aumento y su honor,
los años de mi deseo.

CASANDRA.   Para ser de vuestra Alteza
esclava, gran señor, vengo,
que deste título sólo                            830
recibe mi casa aumento
mi padre honor y mi patria
gloria, en cuya fe poseo
los méritos de llegar
a ser digna de los vuestros.                     835

DUQUE.   Dadme vos, señor Marqués
los brazos, a quien hoy debo
prenda de tanto valor.

MARQUÉS.   En su nombre los merezco,
y por la parte que tuve                          840
en este alegre himeneo,

---

819 *efeto:* se tiende a suprimir, como hemos visto, los grupos consonánticos
cultos; en este caso el grupo -ct.

826 *Suelta:* «augmento»: lo mismo en v. 831.

827 *los años de mi deseo:* es decir, «los años que deseo», de acuerdo con Kossoff
(ed., 1968, pág. 270), en sugerencia que recoge de su estimado maestro Fichter.

839 *Parte XXI* atribuye estos versos al Duque; se corrige, como observa
Díez Borque (ed., 1988, pág. 160), a mano.

841 *himeneo:* boda o casamiento; también composición poética en que se ce-
lebra un casamiento. *Suelta, Parte XXI:* «Himeneo.» En Ms. se lee «Himineo».

|              | pues hasta la ejecución |     |
|              | me sois deudor del concierto. |     |
| AURORA.      | Conoced, Casandra, a Aurora. |     |
| CASANDRA.    | Entre los bienes que espero | 845 |
|              | de tanta ventura mía, |     |
|              | es ver, Aurora, que os tengo |     |
|              | por amiga y por señora. |     |
| AURORA.      | Con serviros, con quereros |     |
|              | por dueño de cuanto soy, | 850 |
|              | sólo responderos puedo. |     |
|              | Dichosa Ferrara ha sido, |     |
|              | o Casandra, en mereceros, |     |
|              | para gloria de su nombre. |     |
| CASANDRA.    | Con tales favores entro, | 855 |
|              | que ya en todas mis acciones |     |
|              | próspero fin me prometo. |     |
| DUQUE.       | Sentaos, porque os reconozcan |     |
|              | con debido amor mis deudos |     |
|              | y mi casa. |     |
| CASANDRA.    |           No replico; | 860 |
|              | cuanto mandáis obedezco. |     |

(*Siéntense debajo de dosel el* DUQUE *y* CASANDRA, *y el*
MARQUÉS *y* AURORA.)

| CASANDRA.    | ¿No se sienta el Conde? |     |
| DUQUE.       |                     No; |     |
|              | porque ha de ser el primero |     |
|              | que os ha de besar la mano. |     |
| CASANDRA.    | Perdonad, que no consiento | 865 |
|              | esa humildad. |     |

---

843 *de concierto:* «de acuerdo».

857 *próspero fin:* el personaje habla aquí ajeno a su destino; irónicamente se
instaura detrás del autor que pervierte la expresión. La ironía es fundamental,
de acuerdo con Frye, en la figuración dramática de las acciones de los personajes de la tragedia (*Anatomy of Criticism, op. cit.,* págs. 285-289).

861 *Suelta* y *Parte XXI* escriben como acotación: «Siéntense debajo del dosel el Duque y Casandra, el Marqués y Aurora.»

FEDERICO.                    Es agravio
de mi amor; fuera de serlo,
es ir contra mi obediencia.
CASANDRA.  Eso no.
FEDERICO.                 Temblando llego.
CASANDRA.  Teneos.
FEDERICO.                 No lo mandéis.                              870
Tres veces, señora, beso
vuestra mano: una por vos,
con que humilde me sujeto
a ser vuestro mientras viva,
destos vasallos ejemplo;                                            875
la segunda por el Duque
mi señor, a quien respeto
obediente; y la tercera
por mí, porque no teniendo
más por vuestra obligación,                                         880

*language reflects his sexual desires*

*casandra knows this?*

---

870 *Teneos:* es decir, deteneos.

871 Federico besa tres veces la mano de Casandra. Este número era para Pitágoras perfecto, ya que contiene un principio, un medio y un fin; para Freud era emblema sexual; base del principio divino, que se halla en todos los cultos, según Bayard (Pérez-Rioja, *Diccionario de símbolos y mitos*, ed. cit., págs. 405b-406a). En el acto I de la comedia de Moreto, *Antioco y Seleúco*, el príncipe besa la mano de la reina tres veces: «Tres veces la mano beso: / primero por reina mía... / otra por esposa y dueño / de mi padre, / de quien se cifra: / y la tercera es por ser [...]» (*BAE*, XXXIX, pág. 44). Véanse también las comedias de Lope, documenta Dixon [1973], pág. 79, nota 48, *La envidia de la nobleza* (*Ac.*, XI, pág. 28a); *La bella Aurora* (*Ac.*, VI, págs. 221b y 228b); *El galán de la membrilla*, ed. de D. Marín y E. Rugg, Madrid, Real Academia Española, 1962, págs. 180-181; *Nadie se conoce* (*Ac. N.*, VII, pág. 681); *Porfiar hasta morir* (*Ac.*, X, pág. 92b); *Pobreza no es vileza* (*Ac.*, XII, 509b); M. Romera-Navarro, «Apuntaciones sobre viejas fórmulas castellanas de saludo», *Romanic Review*, XXI (1930), págs. 218-223. A. G. de Amezúa, II, pág. 656, escribe que Lope, para «representar el amor material, con un delicioso eufemismo que le librara de otras y más escabrosas descripciones, se sirve tan sólo de dos voces, *los brazos* [...]. Y así, siempre que en el *Epistolario* alude a ellos, ya sabemos lo que Lope quiere significar «con esa discreta alusión: goce físico, unión de los cuerpos, ausencia de toda espiritualidad».

879 *Suelta, Parte XXI:* «teniendo»; Ms. «tiniendo».

|           | ni menos por su preceto, |     |
|-----------|---------------------------|-----|
|           | sea de mi voluntad, |     |
|           | señora, reconoceros; |     |
|           | que la que sale del alma |     |
|           | sin fuerza de gusto ajeno, | 885 |
|           | es verdadera obediencia. |     |
| CASANDRA. | De tan obediente cuello |     |
|           | sean cadena mis brazos. |     |
| DUQUE.    | Es Federico discreto. |     |
| MARQUÉS.  | Días ha, gallarda Aurora, | 890 |
|           | que los deseos de veros |     |
|           | nacieron de vuestra fama, |     |
|           | y a mi fortuna le debo |     |
|           | que tan cerca me pusiese |     |
|           | de vos, aunque no sin miedo, | 895 |
|           | para que sepáis de mí |     |
|           | que, puesto que se cumplieron, |     |
|           | son mayores de serviros |     |
|           | cuando tan hermosa os veo. |     |
| AURORA.   | Yo, señor Marqués, estimo | 900 |
|           | este favor como vuestro, |     |
|           | porque ya de vuestro nombre, |     |
|           | que por las armas eterno |     |
|           | será en Italia, tenía |     |
|           | noticia por tantos hechos; | 905 |
|           | lo de galán ignoraba, |     |
|           | y fue ignorancia, os confieso, |     |
|           | porque soldado y galán |     |
|           | es fuerza, y más en sujeto |     |
|           | de tal sangre y tal valor. | 910 |
| MARQUÉS.  | Pues haciendo fundamento |     |
|           | dese favor, desde hoy |     |

---

881 *preceto:* véase nota al v. 797. En esta ceremonia del «besamanos», Federico expresa (vv. 879-881) que el tercer beso en la mano implica haber cumplido la obligación que tiene hacia Casandra, y a la vez el mandato del Duque, y que es su voluntad el reconocerla por lo que es. *Suelta, Parte XXI:* «procepto».

897 *Puesto que:* «aunque».

911 *haciendo fundamento:* en el sentido de haciendo apoyo en algo que se toma como base.

912 *Suelta, Parte XXI:* «de ese».

                        me nombro vuestro, y prometo
                        mantener en estas fiestas
                        a todos los caballeros                    915
                        de Ferrara, que ninguno
                        tiene tan hermoso dueño.
DUQUE.          Que descanséis es razón;
                        que pienso que entreteneros
                        es hacer la necedad                       920
                        que otros casados dijeron.
                        No diga el largo camino
                        que he sido dos veces necio,
                        y amor que no estimo el bien,
                        pues no le agradezco el tiempo.           925

        *(Todos se entran con grandes cumplimientos, y quedan* FEDE-
        RICO *y* BATÍN.)

FEDERICO.     ¡Qué necia imaginación!
BATÍN.          ¿Cómo necia? ¿Qué tenemos?

---

913 Ms.: «nambro» que las ediciones posteriores corrigen en «nombro».

914 *mantener:* «ser el principal en la justa, torneo u otro festejo, esperando en el circo o palestra a los que hubieren de venir a lidiar o contender con él» *(Aut.),* dentro del sentido de «afirmar algo contra otros en un torneo», como explica van Dam.

918-925 El Duque deja que Casandra descanse, dado el largo viaje. No quiere cometer, y se excusa así, inteligentemente, la necedad propia de los recién desposados, que se tornan en tediosos. Así «Amor» no le podrá acusar del afecto que siente hacia Casandra, y le concede a ésta el tiempo que necesita. Irónicamente se entrevé la poca atención que el Duque presta a la recién llegada. Díez Borque (ed., 1988, pág. 164) sugiere, acertadamente, la inclusión de la preposición «de» para el verso 921 («que de otros casados dijeron»); Kossoff, ed., 1968, pág. 273. Van Dam (ed., 1928, pág. 340) califica el v. 925 de «obscuro». Kossoff le da el significado de «aprovecharme del tiempo de estar a solas con ella». *Suelta* y *Parte XXI* incluyen como acotación, después de este verso: «[...] y quédanse Federico y Batín.»

926-930 *necia imaginación:* la imaginación, han notado varios críticos, adquiere en la obra un gran valor moral. Da cuerpo al conflicto interior de Federico. Se asocia con el «sueño», fruto de la necia fantasía. Se barrunta la posibilidad de que tales sueños se hagan reales. Véanse, por ejemplo, vv. 959-965. A sus «fantasías» alude más tarde Casandra (v. 1107), al igual que a la imaginación (vv. 1534, 1586), y se establece ésta como agente perturbador. Error imaginado será para Casandra el adulterio que da en justificación. Sobre

172

FEDERICO.　Bien dicen que nuestra vida
　　　　　es sueño, y que toda es sueño,
　　　　　pues que no sólo dormidos,　　　　　930
　　　　　pero aun estando despiertos,
　　　　　cosas imagina un hombre
　　　　　que al más abrasado enfermo
　　　　　con frenesí, no pudieran
　　　　　llegar a su entendimiento.　　　　　935
BATÍN.　　Dices bien; que alguna vez
　　　　　entre muchos caballeros
　　　　　suelo estar, y sin querer
　　　　　se me viene al pensamiento
　　　　　dar un bofetón a uno,　　　　　　　940
　　　　　o mordelle del pescuezo.
　　　　　Si estoy en algún balcón,
　　　　　estoy pensando y temiendo
　　　　　echarme dél y matarme.
　　　　　Si estoy en la iglesia oyendo　　　　945
　　　　　algún sermón, imagino
　　　　　que le digo que está impreso.
　　　　　Dame gana de reír
　　　　　si voy en algún entierro;

---

el concepto de sueño o de que la vida es sueño, Jones indica: «It is hardly necessary to argue that the occurrence of this phrase here proves that Calderon wrote his play *La vida es sueño* before (1631), since it is a commonplace» (ed., 1966, pág. 128). Véase Carreño [1997], págs. 84-102. Van Dam explica que otra mano que la del poeta tachó en el Ms. la -s final de «dormidos» y «despiertos» (vv. 930-931), forma plural en *Suelta* y *Parte XXI*.

934　*frenesí:* «metafóricamente vale disparate o capricho tenaz», locura, delirio *(Aut.)*.

940　Díez Borque (ed., 1988, pág. 166) ve el parlamento de Batín dentro de la retórica del «mundo al revés»: realidad insatisfecha, acciones irracionales, «aunque sea», especifica, «bajo la capa de la graciosidad del donaire, que, no obstante, no adopta los tópicos habituales y repetidos».

941　*Suelta:* «y mordelle»; *Parte XXI:* «y morderle». En Ms. se lee «u mordelle». Kossoff, al igual que Díez Borque, «o mordelle», que seguimos.

947　La influencia de los sermonarios en la literatura del siglo XVII ha sido extensamente documentada. Le dedicó una valiosa monografía Hilary Dansey Smith, *Preaching in the Spanish Golden Age,* Oxford, Oxford University Press, 1978, págs. 5-28. Con una amplitud europea véase Louis L. Martz, *The Poetry of Meditation,* New Haven, Yale University Press, 1974, págs. 25-70; 71-117.

|  | y si dos están jugando, | 950 |
|  | que les tiro el candelero. |  |
|  | Si cantan, quiero cantar; |  |
|  | y si alguna dama veo |  |
|  | en mi necia fantasía, |  |
|  | asirla del moño intento, | 955 |
|  | y me salen mil colores, |  |
|  | como si lo hubiera hecho. |  |
| FEDERICO. | ¡Jesús! ¡Dios me valga! ¡Afuera, |  |
|  | desatinados conceptos |  |
|  | de sueños despiertos! ¿Yo | 960 |
|  | tal imagino, tal pienso? |  |
|  | ¿Tal me prometo, tal digo? |  |
|  | ¿Tal fabrico, tal emprendo? |  |
|  | No más ¡extraña locura! |  |
| BATÍN. | ¿Pues tú para mí secreto? | 965 |
| FEDERICO. | Batín, no es cosa que hice, |  |
|  | y así nada te reservo; |  |
|  | que las imaginaciones |  |
|  | son espíritus sin cuerpo. |  |
|  | Lo que no es ni ha de ser | 970 |
|  | no es esconderte mi pecho. |  |
| BATÍN. | Y si te lo digo yo, |  |
|  | ¿negarásmelo? |  |
| FEDERICO. | Primero |  |
|  | que puedas adivinarlo, |  |
|  | habrá flores en el cielo, | 975 |
|  | y en este jardín estrellas. |  |

---

950 *Suelta* y *Parte XXI:* «juzgando».

951 *candelero:* la elipsis omite «imagino» con el sentido de «que les tiro el candelero». *Suelta* y *Parte XXI:* «un candelero».

960 *sueños despiertos:* «deseos imaginados que, al ser incestuosos, se quieren reprimir».

971 Expresión elíptica en que se indica no esconder nada de lo que pasa en mi pecho; es decir, nada te oculto si no te digo lo que no ha ocurrido ni ocurrirá, sentido que adoptan Jones (ed., 1966, pág. 128), Kossoff (ed., 1968, pág. 275) y últimamente Díez Borque (ed., 1988, pág. 167).

973 *primero:* con el sentido de «antes».

| | |
|---|---|
| BATÍN. | Pues mira como lo acierto: |
| | que te agrada tu madrastra, |
| | y estás entre ti diciendo... |
| FEDERICO. | No lo digas, es verdad; 980 |
| | pero yo, ¿qué culpa tengo, |
| | pues el pensamiento es libre? |
| BATÍN. | Y tanto, que por su vuelo |
| | la inmortalidad del alma |
| | se mira como en espejo. 985 |
| FEDERICO. | Dichoso es el Duque. |
| BATÍN. | Y mucho. |
| FEDERICO. | Con ser imposible, llego |
| | a estar envidioso dél. |
| BATÍN. | Bien puedes, con presupuesto |
| | de que era mejor Casandra 990 |
| | para ti. |
| FEDERICO. | Con eso puedo |
| | morir de imposible amor, |
| | y tener posibles celos. |

*[handwritten annotations: "→ drama", "increase conflict", "drama... love will never be spoken...", "change is coming", "Batin doesn't hold anything back — Federico must hold back"]*

---

981-985 El hecho de que el pensamiento es libre facilita que el alma se examine viéndose como en un espejo, y se afirme así en su inmortalidad, siguiendo la exégesis de Kossoff (ed., 1968, pág. 276).

987 *Con ser imposible:* «aunque es imposible».

988 *Suelta:* «invidioso».

992 *morir de imposible amor:* el *topos* literario, presente en la poesía de Cancioneros y trovadoresca, que forma parte del código del amor cortés, se torna en signo premonitorio del final trágico de Federico. Sobre el final de este acto Díez Borque escribe: «Lope no desaprovecha los finales de acto, como lugar privilegiado, para efectos de tensión, suspense (en otras piezas comicidad)» (ed., 1988, pág. 169). Véase en este sentido los vv. 20; 25-30.

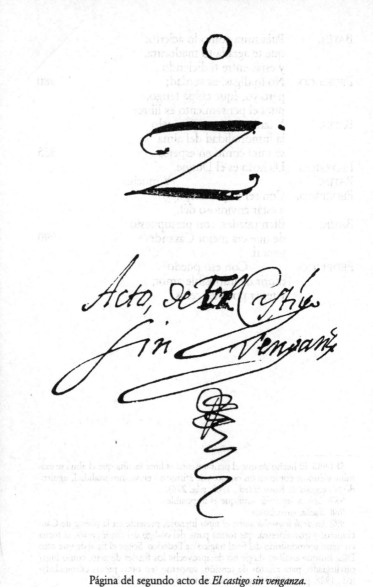

Página del segundo acto de *El castigo sin venganza*.

# Acto segundo

*(Salen.* CASANDRA *y* LUCRECIA.)

| | | |
|---|---|---|
| LUCRECIA. | Con notable admiración | |
| | me ha dejado vuestra Alteza. | 995 |
| CASANDRA. | No hay altezas con tristeza, | |
| | y más si bajezas son. | |
| | Más quisiera, y con razón, | |
| | ser una ruda villana | |
| | que me hallara la mañana | 1000 |
| | al lado de un labrador, | |
| | que desprecio de un señor, | |
| | en oro, púrpura y grana. | |

*Suelta* y *Parte XXI* insertan, después del v. 993 la acotación «Salen [...]».
1002 *Suelta* y la *Parte XXI* alteran el verso («que desprecio de un señor»), lo mismo van Dam y Jones. Kossoff arguye por la versión del autógrafo, e indica que «el sentido de la enmienda está bien, pero tiene la desventaja de cambiar un "texto perfectamente aceptable" donde no es fácil que la combinación de palabras sea un desliz de Lope». Documenta casos semejantes en *Peribáñez* (vv. 1584, 2044). El problema se plantea entre la preferencia del «autógrafo» frente a la *princeps*, y en la suposición de que Lope no hiciese ningún cambio a la hora de imprimirlo. Díez Borque (ed., 1988, pág. 174) apunta la posibilidad de «señor de un desprecio», dado el hipérbaton, refiriéndose la dama a sí misma en masculino, sin embargo ve forzada tal lectura.
1003 El tema del «desprecio de corte y alabanza de aldea» («labrador» frente a «señor») fue extensamente tratado, como bien se sabe, en las letras del Siglo de Oro. Numerosas veces por Lope, tanto en sus comedias como en sus obras líricas y en prosa. Las raíces son clásicas. Sobresalen varias comedias, entre otras muchas: *El villano en su rincón, Peribáñez* y *Fuente ovejuna*. También la canción (lira de seis versos) «Cuán bienaventurado», incluida en *Pastores de Belén* (libro I); Noël Salomon, *Lo villano en el teatro del Siglo de Oro*, Madrid, Castalia, 1985, págs. 706-761.

¡Pluguiera a Dios que naciera
bajamente, pues hallara                            1005
quien lo que soy estimara,
y a mi amor correspondiera!
En aquella humilde esfera,
como en las camas reales,
se gozan contentos tales,                          1010
que no los crece el valor,
si los efetos de amor
son en las noches iguales.
    No los halla a dos casados
el sol por las vidrieras                           1015
de cristal, a las primeras
luces del alba, abrazados
con más gusto, ni en dorados
techos más descanso halló,
que tal vez su rayo entró                          1020
del aurora a los principios,
por mal ajustados ripios,
y un alma en dos cuerpos vio.
    Dichosa la que no siente
un desprecio autorizado,                           1025
y se levante del lado
de su esposo alegremente;
la que en la primera fuente
mira y lava, ¡o cosa rara!
con las dos manos la cara,                         1030

---

1008 *esfera:* «clase o condición de una persona» *(DRAE).*

1011 *que no los crece valor:* «que no aumenta la categoría social de los esposos».

1015 En Ms. se lee «vedrieras», que Kossoff y Díez Borque conservan; *Suelta, Parte XXI:* «vidrieras».

1022 *ripios:* «cerca de los canteros son las piedras menudas que saltan de las piezas que van logrando u otro género de piedras menudas; son de gran importancia para rehenchir las paredes de mampostería e irles dando los asientos y lechos» *(Cov.).*

1025 *desprecio autorizado:* es decir, procedente de una persona autorizada (Kossoff, ed., 1968, pág. 278).

1029 *Suelta, Parte XXI:* «o lava»; Kossoff «¡o cosa rara!» así en Ms. (sin los signos de admiración).

178

y no en llanto, cuando fue
mujer de un hombre sin fe,
con ser Duque de Ferrara.

Sola una noche le vi                                      1035
en mis brazos en un mes,
y muchos le vi después
que no quiso verme a mí.
Pero de que viva ansí
¿cómo me puedo quejar,                                    1040
pues que me pudo enseñar
la fama que quien vivía
tan mal, no se enmendaría,
aunque mudase lugar?

Que venga un hombre a su casa,
cuando viene al mundo el día,                             1045
que viva a su fantasía,
por libertad de hombre pasa.
¿Quién puede ponerle tasa?
Pero que con tal desprecio
trate una mujer de precio,                                1050
de que es casado olvidado,
o quiere ser desdichado
o tiene mucho de necio.

El Duque debe de ser
de aquellos cuya opinión,                                 1055
en tomando posesión,
quieren en casa tener
como alhaja la mujer,

1036 *Suelta, Parte XXI:* «y muchas».
1043 *mudase lugar?:* recuerda el cierre de *El Buscón* de Quevedo: «pues nunca mejora su estado quien muda solamente de lugar, y no de vida y costumbres», con obvios remedos en Horacio: «Caelum non animun mutant, qui
trans mare currunt» *(Epist.,* I, 11, 27); «[...] quid terras alio calentis / sole mu-
tamus? patria quis exsul / se quoque fugit?» *(Odae,* II, XVI, 18-20); «In culpa
est animus, qui se no effugit umquam» *(Epíst.,* I, XIV, 13), y en Montaigne *(Es-
sais,* I, xxxviii); *lugar:* «estado»; también «tiempo, espacio, oportunidad u ocasión» *(Aut.).*
1058 *alhaja:* «lo que comúnmente llamamos en casa colgaduras, tapicería, camas, sillas, bancos, mesas» *(Cov.).* Díez Borque explica (ed., 1988, pág. 176) cómo

para adorno, lustre y gala,
silla o escritorio en sala;　　　　　　1060
y es término que condeno,
porque con marido bueno,
¿cuándo se vio mujer mala?
　　La mujer de honesto trato
viene para ser mujer　　　　　　　　1065
a su casa, que no a ser
silla, escritorio o retrato:
Basta ser un hombre ingrato,
sin que sea descortés;
y es mejor, si causa es　　　　　　　1070
de algún pensamiento extraño,
no dar ocasión al daño,
que remediarle después.

LUCRECIA.　　Tu discurso me ha causado
　　　　　　lástima y admiración;　　　　1075
　　　　　　que tan grande sinrazón
　　　　　　puede ponerte en cuidado.

---

para una época «en que tan escasísimos testimonios pictóricos hay de interiores resultan sugestivos versos como éste, por lo que nos descubren sobre costumbres decorativas». Pertenecería este pasaje a la vena feminista de Lope, que han puesto de relieve algunos críticos, como forma de agradar a la «cazuela».

1061 *término:* «vale también forma, o modo de portarse o hablar en el trato común» *(Aut.).*

1066 La puntuación tiende a ser en algunas ediciones modernas, como ya indicamos, un tanto inconsistente. Por ejemplo, antes de disyuntiva («o») se puntúa a veces con coma; otras con punto y coma, otras sin ningún signo. Véase, por ejemplo, en este caso, v. 1060: «silla, o escritorio en sala» (Jones) frente a «silla, escritorio o retrato», tanto en Jones como en Kossoff. Se anula o se establece con frecuencia una pausa retórica que tan sólo concierne a la representación teatral y al director en turno. En otros casos se establece frente al autógrafo, cuya puntuación es mínima, dos posibles lecturas.

1070-1071 El desencanto de Casandra hacia el Duque es progresivo. Tiene en estos versos ya máxima expresión al sentirse considerada como mero objeto físico. A modo de *captatio benevolentiae*, recién llegada a Ferrara, donde es una forastera, había indicado que mejor querría tener al Conde por hijo que ser Duquesa de este Estado (vv. 495-497). Se queja de la vida irregular del Duque; de la frialdad con que éste la recibe (vv. 602-606), y planea ya, ante tanto desdén, su propia venganza: el adulterio (vv. 1136-1137).

1073 *remediarle:* notemos un caso de «leísmo», frecuente en Lope.

180

¿Quién pensara que casado
fuera el Duque tan vicioso,
o que no siendo amoroso,                      1080
cortés, como dices, fuera,
con que tu pecho estuviera
para el agravio animoso?
    En materia de galán
puédese picar con celos,                      1085
y dar algunos desvelos
cuando dormidos están:
el desdén, el ademán,
la risa con quien pasó,
alabar al que la habló,                        1090
con que despierta el dormido;
pero celos a marido,
¿quién en el mundo los dio?
    ¿Hale escrito vuestra Alteza
a su padre estos enojos?                       1095

CASANDRA. No, Lucrecia, que mis ojos
sólo saben mi tristeza.

LUCRECIA. Conforme a naturaleza
y a la razón, mejor fuera
que el Conde te mereciera,                     1100
y que contigo casado,
asegurando su estado,
su nieto le sucediera.

---

1080 En Ms. se lee: «o que que».

1083 *animoso:* «valeroso, bizarro, alentado, esforzado y valiente» *(Aut.).*

1084 *En materia de galán:* «cuando se trata de un galán, en contraposición a
un marido».

1085 *picar:* «excitar».

1087 Ms.: «dormirdos».

1094 *Hale:* por «le ha», forma enclítica ya fuera de uso.

1103 *nieto:* alusión al nieto del Duque y no del Conde. Ya Lucrecia, y Batín
anteriormente (vv. 589-590), había insinuado que Casandra hubiera sido más
feliz casándose con el Conde; más de acuerdo con la naturaleza y hasta con la
razón: los dos, jóvenes, y sintiendo mutua atracción. En tal punto había insis-
tido Batín al final del primer acto (vv. 987-991) y rotundamente Lucrecia al
mencionar el posible nieto que, de haberse realizado la «imaginada» unión, su-
cedería al Duque (vv. 1098-1103).

Que aquestas melancolías
que trae el Conde no son,                                        1105
señora, sin ocasión.
CASANDRA.  No serán sus fantasías,
Lucrecia, de envidias mías,
ni yo hermanos le daré;
con que Federico esté                                           1110
seguro que no soy yo

---

1104  *aquestas:* equivalente a «estas». Resulta, de acuerdo con Menéndez
Pidal, *Manual de gramática española* (98, 3) de la forma reforzada del demos-
trativo del latín vulgar «eccu(m)iste» que da «aqueste», «aquese»; del mismo modo «eccu(m)istas» da «aquestas». *Melancolías:* «enfermedad conocida y pasión muy ordinaria, donde hay poco contento y gusto» *(Cov.).* Era
uno de los cuatro humores del cuerpo humano que la medicina llama primarios; también tristeza grande y permanente. Procedía del humor melancólico que domina, «y hace que el que la padece no halle gusto ni diver-
sión en cosa alguna» *(Aut.).* En *Los locos de Valencia (BAE,* I, 128c) de Lope,
Gerarda consulta al médico Verino sobre el estado de su hija. Este atribuye su «calentura» a «humores melancólicos». Castiglione en *El cortesano,* recogiendo la tradición de Ovidio, describe del enamorado el andar ordinariamente afligido en continuas lágrimas y suspiros, el estar triste, el callar
siempre y quejarse, el desear la muerte y, en fin, el vivir en extrema miseria y aventura. Son estas las puras cualidades *(affectuus melancholicus)* que se
dicen ser propias de los enamorados. Véase R. Schevill, *Ovid and the Renaissance in Spain,* Berkeley, 1913, pág. 41; *Novelas amorosas de diversos ingenios del siglo XVII,* ed. de Evangelina Rodríguez Cuadros, Madrid, 1986;
C. B. Morris [1963], págs. 69-78. La melancolía y la enfermedad de amor,
rozando con la locura, las desarrolla Lope en *El príncipe melancólico (Ac. N.,* I).
Los tratados sobre el tema abundan en la época: Juan Huarte de San Juan,
*Examen de ingenios,* Madrid, 1578; Andrés Velázquez, *Libro de la melancholia en el qual se trata de la naturaleza desta enfermedad,* Sevilla, Hernando Díaz,
1585; Luis de Mercado, «De Melancholia», *Opera Omnia,* I, Madrid, 1604;
Cristóforo de Vega, *Opera Omnia,* Lyon, 1621; Alfonso de Santa Cruz, *De
melancholia inscriptus,* Madrid, 1622; y Marsilio Ficino, *De amore: comentario a «El banquete» de Platón,* ed. de R. de la Villa Ardura, Madrid, Tecnos,
1986, pág. 145. Cfr. Robert Burton, *The Anatomy of Melancholy* (1621) y
A. Albarracín Teulón [1954], «Lope de Vega y el hombre enfermo», *Cuadernos Hispanoamericanos,* núms. 161-162 (1963), págs. 454-463. La dependencia de la mujer hacia el hombre que, como «materia» apetece la unión,
se da, por ejemplo, en *Los Tellos de Meneses (BAE,* I, 514c), *El sembrar en
buena tierra* (ed. de William L. Fichter, Nueva York, 1944), explica Peter
N. Dunn en «"Materia la mujer, el hombre forma": Notes on the Deve-
lopment of a Lopean Topos», en *Homenaje a William L. Fichter, op. cit.,*
págs. 189-199.

182

                    la que la causa le dio:
                    desdicha de entrambos fue.

         *(El* DUQUE *y* FEDERICO *y* BATÍN.)

DUQUE.          Si yo pensara, Conde, que te diera
                tanta tristeza el casamiento mío,                1115
                antes de imaginarlo me muriera.
FEDERICO.       Señor, fuera notable desvarío
                entristecerme a mí tu casamiento,
                ni de tu amor por eso desconfío.
                    Advierta pues tu claro entendimiento        1120
                que si del casamiento me pesara,
                disimular supiera el descontento.
                    La falta de salud se ve en mi cara,
                pero no la ocasión.
DUQUE.                              Mucho presumen
                los médicos de Mantua y de Ferrara,             1125
                y todos finalmente se resumen
                en que casarte es el mejor remedio,
                en que tales tristezas se consumen.
FEDERICO.       Para doncellas era mejor medio,
                señor, que para un hombre de mi estado,         1130
                que no por esos medios me remedio.

---

1113 Incluimos la acotación después de este verso tal como está en el Ms.;
así en van Dam y Díez Borque. En *Suelta* y *Parte XXI:* «Salen el Duque y Federico y Batín»; Jones: «(Salen) Duque, Federico y Batín»; Kossoff: «El duque,
Federico y Batín.»

1123 *Suelta:* «vee».

1124 *ocasión:* «oportunidad o comodidad de tiempo o lugar, que como acaso se ofrece, para ejecutar alguna cosa» *(Aut.).* El Duque atribuye equivoca-
damente la melancolía de su hijo a su propio casamiento, e indica más adelante
estar arrepentido de haberse casado (v. 1155). Las imágenes de esta escena, la
mancha en el espejo, el agua en la fragua del herrero, y el equívoco del nombre de Aurora acentúan, indica Wilson [1963], págs. 271-272, la decepción del
padre de Federico, y los otros engaños y confusiones con los cuales todos en
Ferrara andan envueltos.

1127-1129 Tal motivo lo registra, anota McGrady [1983], págs. 46-47, Stith
Thompson, *Motif-Index,* F950-4; lo desarrolla también Tirso en *El amor
médico.*

CASANDRA.      Aún apenas el Duque me ha mirado.
                ¡Desprecio extraño y vil descortesía!
LUCRECIA.      Si no te ha visto, no será culpado.
CASANDRA.      Fingir descuido es brava tiranía.               1135
                Vamos, Lucrecia, que si no me engaño,
                deste desdén le pesará algún día.

*(Vanse las dos.)*

DUQUE.         Si bien de la verdad me desengaño,
                yo quiero proponerte un casamiento,
                ni lejos de tu amor, ni en reino extraño.    1140
FEDERICO.      ¿Es por ventura Aurora?
DUQUE.                         El pensamiento
                me hurtaste al producirla por los labios,
                como quien tuvo el mismo sentimiento.

---

1133  Díez Borque (ed., 1988, pág. 1131) incluye la acotación «Aparte a Lu-crecia», presente en Hartzenbusch *(BAE)*, porque «viene bien aquí», indica.

1135  *Suelta* y *Parte XXI* leen «descuido», lo mismo que Jones y Kossoff en sus respectivas ediciones («descuidado» en Ms.), ya que se ajusta a la medida métrica del verso. Prueba que Lope se equivocaba al escribir, y que un segun-do lector (tal vez él mismo), corrige, o tal vez el impresor de Barcelona (otra posibilidad), donde sale la *editio princeps*, también de fiar.

1138  El pasaje, un tanto oscuro, indica que el Duque cree que, aunque el casamiento con Casandra no haya sido lo más acertado, dada la tristeza que tal acto causa en Federico, le propone a éste desposarse con Aurora, ya que así lo desea. Recordemos que Aurora ya había propuesto previamente al Duque su casamiento con Federico (acto I, vv. 686-735).

1140  *Parte XXI:* «no lejos».

1142  *producirla: Suelta* y *Parte XXI* leen «producirle». La diferencia entre «la» y el «le» enclítico es meramente local, característica del habla de Lope. Explica que el «cambio» no lo hizo Lope, sino el impresor de Barcelona o algún copista del autógrafo, para quien la forma «la» era extraña. Véase nota al v. 1135; *producirla:* «engendrar de sí alguna cosa, como la tierra que pro-duce los frutos» *(Cov.)*; en el código forense significa «alegar uno aquellas razones y motivos que pueden apoyar su justicia, y el derecho que tiene para su pretensión, manifestar o pretender los instrumentos que le convie-nen» *(Aut.)*.

184

                    Yo consulté los más ancianos sabios
                    del magistrado nuestro, y todos vienen      1145
                    en que esto sobredora tus agravios.
FEDERICO.           Poca experiencia de mi pecho tienen;
                    neciamente me juzgan agraviado,
                    pues sin causa ofendido me previenen.
                    Ellos saben que nunca reprobado          1150
                    tu casamiento de mi voto ha sido;
                    antes por tu sosiego deseado.
DUQUE.              Así lo creo, y siempre lo he creído,
                    y esa obediencia, Federico, pago
                    con estar de casarme arrepentido.        1155
FEDERICO.           Señor, porque no entiendas que yo hago
                    sentimiento de cosa que es tan justa,
                    y el amor que me muestras satisfago,
                    sabré primero si mi prima gusta,
                    y luego disponiendo mi obediencia,       1160
                    pues lo contrario fuera cosa injusta,
                    haré lo que me mandas.
DUQUE.                                    Su licencia
                    tengo firmada de su misma boca.
FEDERICO.           Yo sé que hay novedad de cierta ciencia,
                    y que porque a servirla le provoca,      1165
                    el Marqués en Ferrara se ha quedado.

_____

1145 *magistrado:* «se llama también todo el Consejo o Tribunal» *(Aut.); vienen:* «vale asimismo acudir a algún juez o presentarse en algún Tribunal las causas, o pleitos; especialmente cuando es por recurso o apelación» *(Aut.); vienen:* «están de acuerdo».

1146 *sobredora:* de sobredorar, «metafóricamente vale disculpar, y abonar con palabras aparentes, y sofísticas alguna acción, o palabra mal dicha» *(Aut.).*

1149 *previenen:* «se toma también por anticiparse a otro en algún juicio, discurso o acción», prejuzgar; «en lo forense es anticiparse al juez en el conocimiento de la causa, cuando puede tocar a varios» *(Aut.).*

1151 *voto:* «la promesa de alguna cosa»; «se toma algunas veces por lo mismo que deseo» *(Aut.).*

1157 *sentimiento:* «el acto de sentir, y algunas veces demostración del descontento» *(Cov.).*

1158 *satisfago:* satisfacer, «satisfecho el contento y pagado»; «satisfacerse, pagarse de su mano» *(Cov.).*

1164 *novedad:* «mutación de las cosas, que por lo común tienen estado fijo, o se creía que le debían tener» *(Aut.); cierta ciencia:* «lo mismo que pleno co-

DUQUE.     Pues eso, Federico, ¿qué te toca?
FEDERICO.  Al que se ha de casar le da cuidado
           el galán que ha servido y aun enojos,
           que es escribir sobre papel borrado.          1170
DUQUE.        Si andan los hombres a mirar antojos,
           encierren en castillos las mujeres
           desde que nacen, contra tantos ojos;
              que el más puro cristal, si verte quieres,
           se mancha del aliento; mas ¿qué importa   1175
           si del mirar escrupuloso eres?
              Pues luego que se limpia y se reporta,
           tan claro queda como estaba de antes.
FEDERICO.  Muy bien tu ingenio y tu valor me exhorta.
              Señor, cuando centellas rutilantes      1180
           escupe alguna fragua, y el que fragua
           quiere apagar las llamas resonantes,
              moja las brasas de la ardiente fragua;
           pero rebeldes ellas, crecen luego,
           y arde el fuego voraz lamiendo el agua.      1185

---

nocimiento de causa. Suele ponerse esta frase en los privilegios o concesiones de mercedes Reales, para mayor firmeza» *(Aut.).*

1171 *mirar antojos:* considerar fantasías pasajeras; *antojos:* «juicio que se hace de alguna cosa sin fundamento» *(Aut.).* El Conde no quiere casarse con Aurora, e inventa unas falsas pretensiones: celos del Marqués y ciertos enojos. Pone en entredicho Federico el honor de la dama, revelado por la imagen del cristal que, aparentemente, se mancha con el aliento. La respuesta del Duque es agresiva (vv. 1192-1194). El motivo de guardar a la mujer en una prisión para evitar su posible deshonor sirvió a Cervantes de materia narrativa en la novela ejemplar *El celoso extremeño;* también lo registra Stith Thompson, *Motif-Index* (T. 381); McGrady [1983], págs. 46-47. Sobre este verso y los siguientes escribe Díez Borque: «Merece la pena resaltar la "modernidad" de estos versos lopescos, que destacan en el marco de unas comedias de relaciones tan estrictas y tipificadas de amor-celos» (ed., 1988, pág. 182, nota).

1176 *escrupuloso:* «duda que se tiene de alguna cosa, si es así o no es así, la que trae a uno inquieto y desasosegado hasta que se satisface y entera de lo que es. Dícese particularmente en materias de conciencia» *(Aut.).*

1177 *reporta:* «vale volver uno sobre sí y refrenar su cólera» *(Cov.).*

1179 Van Dam incluye una extensa nota sobre el uso de la forma singular del verbo «exhortar».

186

Así un marido del amante ciego
tiempla el deseo y la primera llama;
pero puede volver más vivo el fuego;
y así debo temerme de quien ama,
que no quiero ser agua que le aumente,     1190
dando fuego a mi honor y humo a mi fama.

DUQUE.            Muy necio, Conde, estás, y impertinente:
hablas de Aurora cual si noche fuera,
con bárbaro lenguaje y indecente.

FEDERICO.     Espera.

DUQUE.            ¿Para qué?

FEDERICO.                   Señor, espera.     1195

*(Vase.)*

BATÍN.            ¡O qué bien has negociado
la gracia del Duque!

FEDERICO.                   Espero
su desgracia, porque quiero
ser en todo desdichado;

_____

1187 *tiempla:* templar, «moderar, o suavizar la fuerza de alguna cosa»; «moderar, sosegar la cólera, enojo, o violencia de genio de alguna persona» *(Aut.);* *Suelta, Parte XXI,* «templó».

1190 *Suelta:* «augmente».

1195 La acotación «Vase» se incluye en el autógrafo al final de la misma línea. Jones la incluye después de la pregunta del Duque; Kossoff la pone seguida de la petición de Federico. Tal preferencia nos parece más apropiada dado el orden de acciones, y el de la misma representación. Así se incluye en el autógrafo. Díez Borque, observamos escrita esta nota, adopta el mismo orden.

1196-1215 El «sufrimiento» en vez de la «muerte» es la opción que considera Federico ante el amor desgraciado que se premoniza ya como fatal. Al respecto escribe A. García Valdecasas sobre cómo el castigo temporal había de ser la muerte en todo caso. Casandra y Federico lo sabían muy bien. La muerte es el tema constante de sus diálogos de amor. Cfr. A. García Valdecasas, *El hidalgo y el honor,* Madrid, Revista de Occidente, 1948, pág. 203; Wilson [1963], pág. 275. Hay una complacencia en la propia desgracia. Se acepta voluntariamente, consciente de ese vivir en «desesperación» (v. 1200), en un juego paradójico entre el «morir y el vivir» tan de los cancioneros del siglo xv. Véase Rafael Lapesa, *Garcilaso: estudios completos,* Madrid, Alianza Editorial, 1985, págs. 17-65, con valiosas notas bibliográficas.

1197 *gracia:* «favor, buena disposición».

```
                    que mi desesperación                    1200
                 ha llegado a ser de suerte
                 que sólo para la muerte
                 me permite apelación.
                    Y si muriera, quisiera
                 poder volver a vivir                       1205
                 mil veces, para morir
                 cuantas a vivir volviera.
                    Tal estoy que no me atrevo
                 ni a vivir ni a morir ya,
                 por ver que el vivir será                  1210
                 volver a morir de nuevo.
                    Y si no soy mi homicida,
                 es por ser mi mal tan fuerte,
                 que porque es menos la muerte,
                 me dejo estar con la vida.                 1215
BATÍN.              Según eso, ni tú quieres
                 vivir, Conde, ni morir,
                 que entre morir y vivir
                 como hermafrodita eres;
                    que como aquél se compone               1220
                 de hombre y mujer, tú de muerte
                 y vida, que de tal suerte
                 la tristeza te dispone,
```

1203 *apelación:* apelar, «reclamar de la sentencia que ha dado un juez para otro superior para él mismo» *(Cov.).* «Lope recalca», indica Díez Borque (ed., 1988, pág. 184) «en una suerte de antítesis, la desesperación de Federico, que continúa, con gran eufemismo, en los versos siguientes; pero hay que ver la réplica del gracioso (vv. 1216 y ss.)».

1216 *Suelta, Parte XXI:* «esto».

1219 *hermafrodita:* alusión al mito de Hermes y Afrodita, ser que tiene ambos sexos. «Batin's definition», escribe Peter W. Evans [1979], pág. 328, «[...] stresses this anxiety and enables one to see more clearly that because of maternal deprivation Federico continually seeks after imaginary maternal principles. Hopelessly muddled, Federico is ensnared by the contradictions of Ferrara, trapped by tendencies toward both violence (exemplified most overtly by the Duke and Casandra on several occasions), and weakness, confusion, lip-service, and anonymity (the distinguishing characteristics of Ricardo, Batín, Aurora and the Marquess)»; *Suelta, Parte XXI:* «hermofrodita».

que ni eres muerte ni vida;
pero, ¡por Dios!, que mirado 1225
tu desesperado estado,
me obligas a que te pida
    o la razón de tu mal
o la licencia de irme
adonde que fui confirme 1230
desdichado por leal.
    Dame tu mano.

FEDERICO.                Batín,
si yo decirte pudiera
mi mal, mal posible fuera,
y mal que tuviera fin; 1235
    pero la desdicha ha sido
que es mi mal de condición
que no cabe en mi razón,
sino sólo en mi sentido;
    que cuando por mi consuelo 1240
voy a hablar, me pone en calma
ver que de la lengua al alma
hay más que del suelo al cielo.
    Vete si quieres también,
y déjame solo aquí, 1245
porque no haya cosa en mí
que aún tenga sombra de bien.

*(Entren* CASANDRA *y* AURORA.*)*

CASANDRA.  ¿Deso lloras?
AURORA.                ¿Le parece
a vuestra Alteza, señora,
sin razón, si el Conde agora 1250
me desprecia y aborrece?

_____

1230-1231 Jones asigna el siguiente orden: «adonde confirme que fui desdichado por leal» (ed., 1966, «Notes», pág. 129). *Parte XXI:* «conforme».
1232 El *Dame tu mano* es aquí una «señal de despedida».
1241 *Suelta:* «oy a»; *me pone en calma:* «me hace incapaz de hablar».
1250 *agora:* véase nota al v. 94.

189

¿Dice que quiero al Marqués
Gonzaga? ¿Yo a Carlos, yo?
¿Cuándo? ¿Cómo? Pero no;
que ya sé lo que esto es.                                    1255
    Él tiene en su pensamiento
irse a España despechado
de ver su padre casado;
que antes de su casamiento
la misma luz de sus ojos                                     1260
era yo; pero ya soy
quien en los ojos le doy,
y mis ojos sus enojos.
    ¿Qué aurora nuevas del día
trujo al mundo, sin hallar                                   1265
al Conde, donde a buscar
la de sus ojos venía?
    ¿En qué jardín, en qué fuente
no me dijo el Conde amores?
¿Qué jazmines o qué flores                                   1270
no fueron mi boca y frente?
¿Cuándo de mí se apartó?

---

1252-1253  Como acertadamente indica Kossoff (ed., 1968, pág. 288), en el
autógrafo se inserta un signo de interrogación después de Gonzaga, lo que implica que todo el verso va en forma interrogativa. Jones omite la interrogación
para la frase «Dice que quiero al Marqués Gonzaga», y hace aseverativa la proposición; se anula así el tono despectivo de Aurora, admirada hasta cieno punto por la asociación. En *Parte XXI* la puntuación es ambigua: «Gonzaga: yo a
Carlos? Yo?»; *Suelta* presenta casi la misma forma: «—Gonzaga, / yo...».
1256  *Suelta:* «pensamamiento», obvio error tipográfico.
1262  *en los ojos le doy:* dar en los ojos, «ejecutar alguna acción de propósito,
con ánimo de enfadar o disgustar a otro» *(Aut.).*
1264  *nuevas:* véase nota al v. 606. En los versos siguientes se confirma la
asociación de Aurora como protagonista, y en relación con el simbolismo
temporal que evoca su nombre: anuncio del día. Véase Jones, ed., 1966, pág. 129;
Kossoff, ed., 1968, pág. 288.
1267  *la de sus ojos:* «la luz de los ojos de Aurora».
1272-1273  Jones lee el primer verso sin interrogación, como si fuera una
declaración aseverativa, e indica que en un momento Federico estuvo física-
mente separado de Aurora, y pese a ello, ambos vivían juntos en el amor. En
la obra nunca se habla de esta separación; de hecho, ambos son primos. Aurora
fue adoptada por el Duque, ya que su padre murió a la edad de vein-

¿Qué instante vivió sin mí?
o ¿cómo viviera en sí,
si no le animara yo?                           1275

   Que tanto el trato acrisola
la fe de amor, que de dos
almas que nos puso Dios
hicimos un alma sola.

   Esto desde tiernos años,                    1280
porque con los dos nació
este amor, que hoy acabó
a manos de sus engaños.

   Tanto pudo la ambición
del estado que ha perdido.                     1285

CASANDRA.   Pésame de que haya sido,
Aurora, por mi ocasión.

   Pero tiempla tus desvelos
mientras voy a hablar con él,
si bien es cosa cruel                          1290
poner en razón los celos.

AURORA.            ¿Yo celos?

CASANDRA.                 Con el Marqués,
dice el Duque.

AURORA.                 Vuestra Alteza
crea que aquella tristeza
ni es amor, ni celos es.                        1295

_____

ticinco años (vv. 700-705); su madre, poco después. Es decir, Federico y Aurora se criaron y vivieron juntos, como si fueran hermanos («mi primo en la
crianza»). Siendo así, casa mejor la forma interrogativa que incluye Kossoff
para estos versos.

1275 *animara:* de animar, «alentar, infundir valor, esfuerzo y aliento»
*(Aut.).* Díez Borque (ed., 1988, págs. 189-190) apunta a la inversión del *topos*
«materia la mujer, el hombre forma», presente, de acuerdo con Peter N. Dunn,
art. cit., en *Homenaje a William L. Fichter, op. cit.,* págs. 189-199), en otras comedias de Lope. Véase nota al v. 1104. Compárese este verso con v. 1023.

1277 *fe de amor:* promesa de amor.

1279 *Suelta, Parte XXI:* «una».

1284-1285 Alude Aurora a la esperanza que tenía el conde Federico de heredar al Duque.

1288 *tiempla:* véase v. 1187; *Suelta, Parte XXI:* «templa».

1290 *es cosa cruel:* «es algo difícil de hacer».

| | | |
|---|---|---|
| CASANDRA. | Federico. | |
| FEDERICO. | Mi señora, | |
| | dé vuestra Alteza la mano | |
| | a su esclavo. | |
| CASANDRA. | ¿Tú en el suelo? | |
| | Conde, no te humilles tanto, | |
| | que te llamaré Excelencia. | 1300 |
| FEDERICO. | Será de mi amor agravio; | |
| | ni me pienso levantar | |
| | sin ella. | |
| CASANDRA. | Aquí están mis brazos. | |
| | ¿Qué tienes? ¿Qué has visto en mí? | |
| | Parece que estás temblando. | 1305 |
| | ¿Sabes ya lo que te quiero? | |
| FEDERICO. | El haberlo adivinado | |
| | el alma lo dijo al pecho, | |
| | el pecho al rostro, causando | |
| | el sentimiento que miras. | 1310 |
| CASANDRA. | Déjanos solos un rato, | |
| | Batín, que tengo que hablar | |
| | al Conde. | |
| BATÍN. | ¡El Conde turbado, | |
| | y hablarle Casandra a solas! | |
| | No lo entiendo. | |

---

1300 *Excelencia:* «tratamiento, título y cortesía que se da al que es Grande de España, y que el día de hoy, conforme a estilo se ha extendido a otras personas, según su grado» *(Aut.).* En este sentido, Casandra amenaza a Federico con otorgarle tal título para evitar así que se siga «humillando» («arrodillándose») ante ella. Cfr. Nadine Ly, «Note sur l'emploi du tratamiento "señoría" dans le théâtre de Lope de Vega», en Henry Bonneville (ed.), *Hommage des hispanistes français à Noël Salomon,* Barcelona, Laia, 1979, págs. 553-561. Sobre otras fórmulas de tratamiento, véase Jones, ed., 1966, pág. 129; Kossoff, ed., 1968, pág. 290.

1303 *sin ella:* «sin buscar la mano de Casandra en señal de sumisión y respeto».

1306 *¿Sabes ya lo que...?:* es decir, «en el grado en que»; «cuánto». Véase A. Bello y R. Cuervo, *Gramática de la lengua castellana,* Buenos Aires, Sopena Argentina, 1970, pág. 308; Jones, ed., 1966, pág. 129.

1310 *sentimiento que miras:* es decir, la cara sonrojada ante la vergüenza; rubor.

*(Vase.)*

| | | |
|---|---|---|
| FEDERICO. | ¡Ay cielo! En tanto | 1315 |
| | que muero Fénix, poned | |
| | a tanta llama descanso, | |
| | pues otra vida me espera. | |
| CASANDRA. | Federico, aunque reparo | |
| | en lo que me ha dicho Aurora | 1320 |
| | de tus celosos cuidados, | |
| | después que vino conmigo | |
| | a Ferrara el Marqués Carlos, | |
| | por quien de casarte dejas, | |
| | apenas me persuado | 1325 |
| | que tus méritos desprecies, | |
| | siendo, como dicen sabios, | |
| | desconfianza y envidia; | |
| | que más tiene de soldado, | |
| | aunque es gallardo el Marqués, | 1330 |
| | que de galán cortesano. | |
| | De suerte que lo que pienso | |
| | de tu tristeza y recato, | |
| | es porque el Duque tu padre | |
| | se casó conmigo, dando | 1335 |

*first bring up his sadness*

---

1316 *Fénix:* referencia al mito del ave Fénix que, de acuerdo con una conocida leyenda, renacía de sus propias cenizas; es símbolo mitológico de la resurrección y de la eternidad. Federico desea que el fuego del amor *(topos del amor/fuego)* no le consuma y, por lo tanto, le otorgue nueva vida (Jones, ed., 1966, pág. 130).

1327-1328 La idea parece ser, de acuerdo con Jones (ed., 1966, pág. 130), que Federico aborrece sus propios méritos; tendencia sintomática de cierta maldad o malicia, ya que el Marqués —pese a su elegancia— es más soldado que galán; y aparenta ser, en boca de Casandra, un peligroso rival. Kossoff discrepa (ed., 1968, pág. 291) e indica que los «celosos cuidados» de Federico tienen su origen en su propia «desconfianza y envidia». Nos parece una caracterización un tanto exagerada de la manera de ser de Federico, más bien tímido y cobarde; fácilmente maleable a las conveniencias de cada situación o personajes. Al final hasta Batín lo abandona.

1331 *Suelta:* «cortezano».

por ya perdida tu acción,
a la luz del primer parto,
que a sus estados tenías,
y siendo así que yo causo
tu desasosiego y pena,                              1340
desde aquí te desengaño
que puedes estar seguro
de que no tendrás hermanos,
porque el Duque solamente
por cumplir con sus vasallos                        1345
este casamiento ha hecho;
que sus viciosos regalos,
por no les dar otro nombre,
apenas el breve espacio
de una noche, que a su cuenta                       1350
fue cifra de muchos años,
mis brazos le permitieron;
que a los deleites pasados
ha vuelto con mayor furia,
roto el freno de mis brazos.                        1355
Como se suelta al estruendo
un arrogante caballo
del atambor (porque quiero
usar de término casto),
que del bordado jaez                                1360

*worried about Dune*

---

1336 *acción:* «en lo forense significa el derecho que uno tiene a alguna cosa, para pedirla en juicio, según y como le pertenece; y si es por causa legítima, o por título, se llama el modo de proponerla» *(Aut.);* también «el derecho que se tiene a cualquier cosa» *(Cov.).*

1337 *parto:* «cualquier producción física» *(Aut.).*

1348 *les dar:* por «dar les», forma común en la época de Lope.

1351 *cifra de muchos años:* expresión numérica, equivalente en este caso a síntesis, compendio.

1354 En el Ms. se lee «mayor» que incorporamos; tanto Jones (ed., 1966, pág. 69) como Kossoff (ed., 1968, pág. 293) leen «más».

1358 *atambor:* tambor. Casandra no compara a su marido, explica Kossoff (ed., 1968, pág. 293), «con un caballo espantado por el tambor sino con un caballo rijoso que corre tras las yeguas».

1360 *jaez:* cualquier adorno que se pone en las caballerías *(DRAE).*

va sembrando los pedazos,
allí las piezas del freno
vertiendo espumosos rayos;
allí la barba y la rienda,
allí las cintas y lazos;                                    1365
así el Duque, la obediencia
rota al matrimonio santo,
va por mujercillas viles
pedazos de honor sembrando.
Allí se deja la fama,                                       1370
allí los laureles y arcos,
los títulos y los nombres
de sus ascendientes claros;
allí el valor, la salud,
y el tiempo tan mal gastado,                                1375
haciendo las noches días
en estos indignos pasos,
con que sabrás cuán seguro
estás de heredar su estado;
o escribiendo yo a mi padre                                 1380
que es más que esposo tirano,
para que me saque libre

---

1363 *espumosos rayos:* la espuma que el caballo por su boca, a modo de rayos, produce con el ritmo de morder el freno. Se asocia un tanto con el «freno cano» de *El Polifemo* de Góngora (II, vv. 13-14). Véase Antonio Vilanova, *Las fuentes y los temas del «Polifemo» de Góngora,* vol. I, Madrid, Consejo Superior de Investigaciones Científicas, 1957, págs. 231-239.

1364 *barba:* pieza del arreo del caballo; una clase de freno, indica Kossoff (ed., 1968, pág. 293) quien, comentando una nota de Américo Castro («barba turca») a su edición de *El Buscón* de Quevedo, identifica «barba» con «barbada»: «cierto genero de cadenilla o hierro corvo, que de cama a cama del freno atravesado se pone a los caballos o mulas por debajo de la barba, y sirve para sujetarlos, y que obedezcan el freno» *(Aut.).*

1368 *mujercillas viles:* prostitutas *(Léxico,* 545-546). Esta alusión a las rameras con las que se entretiene el Duque coincide con el cuadro inicial del primer acto. La sociedad del Antiguo Régimen reguló con una serie de ordenanzas las mancebías. Afloran en *La Celestina, La lozana andaluza, Rinconete y Cortadillo,* al igual que en la *Pícara Justina,* por citar varios ejemplos.

1372 *nombres:* «fama, opinión, reputación o crédito» *(Aut.).*

1373 *claros:* «ilustre, respetable, insigne, famoso y digno de ser estimado y honrado» *(Aut.).*

del Argel de su palacio,
si no anticipa la muerte
breve fin a tantos daños.      1385

FEDERICO.   Comenzando vuestra Alteza
riñéndome, acaba en llanto
su discurso, que pudiera
en el más duro peñasco
imprimir dolor. ¿Qué es esto?      1390
Sin duda que me ha mirado,
por hijo de quien la ofende;
pero yo la desengaño
que no parezca hijo suyo
para tan injustos casos.      1395
Estó persuadido ansí;
de mi tristeza me espanto

_____ *tells her its about love?*

1383 *Argel:* Jones califica esta referencia de anacrónica (ed., 1966, pág. 130), aunque era convencional en la comedia de Lope. Al motivo le dedica Lope una temprana comedia que significativamente titula, *Los cautivos de Argel* (1599) *(Ac. N.,* IV), y que viene a ser una refundición de *El trato de Argel* de Cervantes (1581). La comedia de Lope se incluyó en la *Parte XXV,* Zaragoza, 1647. Del mismo año es *Argel fingido y renegado de amor (Ac. N.,* III). Argel, como lugar físico —y no menos metafórico— de cautiverio, tuvo en parte su inicio, con antecedentes en la literatura clásica e italiana, en el tan leído libro de fray Diego de Haedo, *Topografía e historia general de Argel,* Valladolid, 1612. Contó, por el número de ediciones, con numerosos lectores. Véase Ruth H. Kossoff, *«Los cautivos de Argel,* comedia auténtica de Lope de Vega»,* en *Homenaje a William L. Fichter, op. cit.,* págs. 387-397; George Camamis, *Estudios sobre el cautiverio en el Siglo de Oro,* Madrid, Gredos, 1977, págs. 151-174. Equivale a «prisión», «cárcel».

1390 *imprimir dolor:* «causar dolor».

1396-1397 «Esto» en Jones, obvio error tipográfico. La puntuación de Kossoff, que seguimos, parece dar más sentido a estos versos (1396-1397) que la propuesta por Jones: «Estó persuadido ansí, / de mi tristeza me espanto», es decir, como conclusión final a la que llega Federico, admirado de que Casandra atribuya su tristeza a pensamientos bajos; a su interés (v. 1409) ante el hecho de poder perder la herencia. Nuestra posible objeción es que no encontramos este tipo de puntuación en medio de verso a no ser con conjunción adversativa u oración coordinada. Otra posibilidad sería: «Estó persuadido ansí»; es decir, de este modo estoy persuadido, aunque me espanto de que atribuyas mi tristeza a bajos pensamientos; a interés. La forma interrogativa que propone Jones rompe la ilación lógica, silogística, de estos versos; lo mismo ocurre con vv. 1402-1407; *persuadir:* «obligar a alguno con el poder de las razones o discursos que le propone, a que ejecute alguna cosa o la crea» *(Aut.); me espanto:* «causar horror, miedo y espanto; asombrar e infundir susto y pavor»; «admirarse» *(Aut.).*

que la atribuyas, señora,
a pensamientos tan bajos.
¿Ha menester Federico,                                1400
para ser quien es, estados?
¿No lo son los de mi prima
si yo con ella me caso,
o si la espada por dicha
contra algún príncipe saco                            1405
destos confinantes nuestros,
los que le quitan restauro?
No procede mi tristeza
de interés, y aunque me alargo
a más de lo que es razón,                             1410
sabe, señora, que paso
una vida la más triste
que se cuenta de hombre humano
desde que amor en el mundo
puso las flechas al arco.                             1415
Yo me muero sin remedio,
mi vida se va acabando
como vela, poco a poco,

---

1406 *confinantes*: «continuo, vecino y que linda y toca los términos de otro»
(*Aut.*).

1407 Hartzenbusch altera «me» por «le»; la misma lectura aceptan van
Dam y Jones y éste indica que el cambio tiene más sentido («makes more
sense»; ed., 1966, pág. 130). Siguiendo a Kossoff, el pronombre indirecto «le»
alude, en boca de Federico, a Aurora, que es prima, huérfana, y cuyos estados
están por esta razón en peligro de ser usurpados por sus vecinos. Recordemos
que la acción se desarrolla en la corte de Ferrara, en Italia, fraccionada esta en
poderosos y, con frecuencia, Estados rivales. Federico, al casarse con Aurora,
pasaría a ser su «restaurador»; *restaurar*: en el sentido de recuperar, recobrar
(*Aut.*). Dixon [1973] alude a la variante «me» como otra posible lectura.

1414-1415 Alusión al tan recurrente mito de Cupido. Es el dios del amor,
«o, más bien, del deseo amoroso. Se le representa como un niño malicioso, armado de arco y carcaj lleno de flechas; a veces, vendado, ya que el Amor es
ciego; otras, con rosas, emblema de los placeres» (Pérez-Rioja, *Diccionario de
símbolos y mitos*, ed. cit., pág. 150a).

1418 *vela*: el motivo de la vela que se consume posee una tradición poética. Se asoció con el mito de Cupido y Psique, y con el símbolo de la maripo-
sa que revolotea en torno a la llama que la consume. Revela tanto el amor racional como el pasional. La autoconsumación es imagen del gozo y a la vez
del sufrimiento; no menos del inevitable morir.

                y ruego a la muerte en vano
                que no aguarde a que la cera          1420
                llegue al último desmayo,
                sino que con breve soplo
                cubra de noche mis años.
CASANDRA.       Detén, Federico ilustre,
                las lágrimas; que no ha dado          1425
                el cielo el llanto a los hombres,
                sino el ánimo gallardo.
                Naturaleza el llorar
                vinculó por mayorazgo
                en las mujeres, a quien,              1430
                aunque hay valor, faltan manos;
                o en los hombres, que una vez
                sólo pueden, y es en caso
                de haber perdido el honor,
                mientras vengan el agravio.           1435
                ¡Mal haya Aurora, y sus celos,
                que un caballero bizarro,
                discreto, dulce y tan digno
                de ser querido, a un estado
                ha reducido tan triste!               1440
FEDERICO.       No es Aurora, que es engaño.

_____

1429 *mayorazgo:* derecho de suceder el primogénito en los bienes; posee-
dor de los bienes vinculados *(DRAE).* Es decir, el llanto es herencia vinculada
a las mujeres.

1430 *quien:* es decir, quienes, uso normal en la época áurea (Lapesa, *Historia de la lengua española, op. cit.).*

1431 *faltan manos:* «falto de coraje para desenvainar la espada». En *Las paces de
los reyes y Judía de Toledo* (v. 549) *tener mano* equivale a «tener poder» *(Cov.).*

1437 *bizarro:* «generoso, alentado, gallardo, lleno de noble espíritu, lozanía y valor». «Valiente, esforzado»; también «muy galán, expléndido y adornado» *(Aut.).*

1441 La mítica Casandra era, de acuerdo con Homero, la más bella y gentil de las hijas de Príamo (rey de Troya) y Hécuba. Se la considera, al igual que
la Pitia o la Sibila, una profetisa inspirada. De hecho, profetizó cada uno de
los momentos cruciales de la historia de Troya. Aparece como figura del in-
moderado deseo en la novela de Juan Pérez de Montalbán, *La mayor confusión,*
incluida en *Sucesos y prodigios de amor en ocho novelas exemplares,* Madrid, 1624,
fols. 78-104, en donde desarrolla un arquetípico modelo de relaciones inces-
tuosas. Montalbán le dedica la novela a su tan admirado «Lope Félix de Vega
Carpio», y explica líneas adelante: «Esta novela de *La mayor confusión,* cuyo

198

CASANDRA. ¿Pues quién es?
FEDERICO.                    El mismo sol;
que desas Auroras hallo
muchas siempre que amanece.
CASANDRA. ¿Que no es Aurora?
FEDERICO.                    Más alto                    1445
vuela el pensamiento mío.
CASANDRA. ¿Mujer te ha visto y hablado,
y tú le has dicho tu amor,
que puede con pecho ingrato
corresponderte? ¿No miras                    1450
que son efetos contrarios,
y proceder de una causa
parece imposible?
FEDERICO.                    Cuando
supieras tú el imposible,
dijeras que soy de mármol,                    1455
pues no me matan mis penas,
o que vivo de milagro.
¿Qué Faetonte se atrevió

_a little manipulative_

_____

caso tiene mucha parte de verdad, restituyo a V. m. como cosa suya.» Anteriormente, Lope presenta a Casandra como prostituta en *La bella malmaridada* (*Ac. N.*, III), con quien anda enredado el marido de la bella Lisbella.

1443 *Suelta:* «de esas».

1447-1453 La mayoría de las ediciones (a excepción de la de Kossoff) incluyen estos versos entre signos de interrogación. La continua alusión a los «abrazos» de Casandra con Federico sugiere ya una inclinación amorosa por parte de ésta, y un posible barrunto de futuros celos al sentirse más tarde desplazada por Aurora. De ahí que la interrogación case con el grado de dramatización que presenta el estado de Casandra, alejada por el Duque y, potencialmente, por Federico. Esta diferencia de signos es cuestión de grado de efectividad teatral que ha de resolver el director de la obra sobre las tablas.

1451 *efetos:* véase nota a v. 819.

1453 *Cuando:* «si».

1458 *Faetonte:* hijo del dios Helio (el Sol) y de Climene. Logró conducir el carro de su padre por el espacio sideral, y produjo, desenfrenados los caballos, un gran desorden cósmico. Zeus, para evitar mayores males, fulminó a Faetón, que cayó en el río Eridano. La imagen se ajusta al sentido de movimiento ascendente (la conquista en el amor) que caracteriza las relaciones entre Casandra y Federico. Véase Antonio Gallego Morell, *El mito de Faetón en la literatura española*, Madrid, Consejo Superior de Investigaciones Científicas, 1961.

del sol al dorado carro,
o aquél que juntó con cera                         1460
débiles plumas infausto,
que sembradas por los vientos,
pájaros que van volando
las creyó el mar hasta verlas
en sus cristales salados?                          1465
¿Qué Belerofonte vio
en el caballo Pegaso
parecer el mundo un punto
del círculo de los astros?
¿Qué griego Sinón metió                            1470
aquel caballo preñado
de armados hombres en Troya,
fatal de su incendio parto?
¿Qué Jasón tentó primero

---

1460-1461 Referencia al mito de Ícaro, hijo de Dédalo. Después de que
Ariadna le facilitó a Teseo el modo de salir del laberinto, Minos, furioso, en-
cerró a Dédalo y a su hijo Ícaro en este lugar. El padre construyó unas alas de
cera que le permitieran la huida. Entusiasmado Ícaro con su vuelo se acercó
tanto al Sol que, al derretirse la cera, cayó en el mar y pereció ahogado. Se
constituyó en el símbolo del deseo ambicioso, de la ascensión imposible e
inútil. *Suelta, Parte XXI;* «de viles».

1466 *Belerofonte:* hijo de Poseidón. Entre sus hazañas destaca la muerte de
la Quimera, monstruo mitad león, mitad dragón con figura de cabra. Más tarde, enorgullecido por tantos triunfos, quiso elevarse con su caballo alado hasta la mansión de Zeus. Éste lo precipita a la tierra y lo mata *(Metamorfosis,* IV, 11).
Este mito tiene una obvia relación con el anterior. *Suelta, Parte XXI:* «Be-
lorofonte».

1468 *Parte XXI:* «del mundo».

1470 *Sinón:* es el espía que los griegos dejaron en Troya cuando fingieron
partir con toda su tropa y levantar el asedio. Pretendiendo ser un fugitivo de
su propia gente fue admitido en el interior de la ciudad. Indujo a los troyanos
a que introdujeran el caballo de madera, en cuyo interior estaban los soldados
griegos. De noche, Sinón permitió que éstos salieran, y se inició así la destrucción de Troya *(Eneida,* II, 57 y ss.). Estaba emparentado con Ulises. Es símbolo de la astucia y de la traición; Gitlizt [1980], pág. 28.

1474-1478 *Jasón:* el mito de Jasón guarda cierto paralelismo con la trama de
*El castigo sin venganza.* Fue el famoso héroe de los Argonautas en su viaje a la
conquista del vellocino de oro. Medea, hija del rey de la Cólquida, se enamo-
ra de Jasón y, prestándole ayuda, se apodera del famoso tesoro. Jasón la re-

|  | pasar el mar temerario, | 1475 |
|  | poniendo yugo a su cuello |  |
|  | los pinos y lienzos de Argos, |  |
|  | que se iguale a mi locura? |  |
| CASANDRA. | ¿Estás, Conde, enamorado |  |
|  | de alguna imagen de bronce, | 1480 |
|  | ninfa u diosa de alabastro? |  |
|  | Las almas de las mujeres |  |
|  | no las viste jaspe helado; |  |
|  | ligera cortina cubre |  |
|  | todo pensamiento humano; | 1485 |
|  | jamás amor llamó al pecho, |  |
|  | siendo con méritos tantos, |  |
|  | que no respondiese el alma: |  |
|  | «Aquí estoy; pero entrad paso.» |  |

pudia, y se convierte en víctima de la terrible venganza de Medea (Pérez-Rio-ja, *Diccionario de símbolos y mitos*, ed. cit., págs. 252b-253a). *Argos:* símbolo de la vigilancia, y del cielo cubierto de estrellas que titilan a manera de vigilantes ojos. «Esta voz es muy frecuente, y por metáfora se toma por la persona que está sobre aviso, vigilante y lista; y así se dice está hecho un Argos, esto es, muy cuidadoso y vigilante. Es tomado de la fábula de aquel Pastor a quien engañó y cegó Mercurio» *(Aut.)*. Aparece con frecuencia en Calderón como emblema del monarca vigilante, y que moraliza Gracián en *El Criticón* (II). Véanse, por ejemplo, Calderón, *Fieras afemina, Amor*, ed. de E. W. Wilson, Kassel, Reichenberger, 1984, pág. 224); Tirso, *Marta la piadosa* (v. 2605), *La villana de la Sagra* (vv. 1807-1808). Al mito le dedicó Velázquez un excelente lienzo («Mercurio y Argos»); Pérez de Moya, *Philosophia secreta*, I-II, ed. de E. Gómez de Baquero (Madrid, 1928), págs. 72 y ss.; *poniendo yugo a su cuello:* en el sentido de controlar. Cfr. Kossoff, ed., 1968, pág. 298; Díez Borque, ed. 1988, pág. 197; Geraldine Cleary Nichols [1977], pág. 221.

1479-1480  El motivo de la imagen o estatua de bronce con vida es recurrente en el folclore paneuropeo. Lo registra Stith Tompson, *Motif-Index* (D 435.1.1), y se asocia con Pigmalión. Lope lo saca a colación en *Peribáñez* (vv. 1844-1846). La anécdota del mancebo enamorado de una estatua de mármol, «de manera que no se podía apartar del lugar donde estaba, abrazándola», la narra Pero Mexía en *Silva de varia lección* (III, xiv); *La Dorotea*, ed. de Edwin S. Morby, Madrid, Castalia, 1968, acto III, esc. vii, pág. 268; McGrady [1983], págs. 46-47, nota 4.

1481  *Suelta, Parte XXI:* «o diosa»; van Dam transcribe «u diosa», tal como aparece en Ms.

1489  *paso:* «vale poco a poco, o despacio» *(Aut.);* también, «quedo, bajo»; «y le dijo muy paso», *Don Quijote* (II, 49, 60).

                    Dile tu amor, sea quien fuere,                    1490
                    que no sin causa pintaron
                    a Venus tal vez los griegos
                    rendida a un sátiro o fauno.
                    Más alta será la luna,
                    y de su cerco argentado                           1495
                    bajó por Endimión
                    mil veces al monte Latmo.
                    Toma mi consejo, Conde,
                    que el edificio más casto
                    tiene la puerta de cera;                          1500
                    habla, y no mueras callando.
FEDERICO.            El cazador con industria
                    pone al pelícano indiano

---

1490-1497 Tanto el mito de Venus como el de Diana fueron ejemplos, en el
Renacimiento, del deseo sexual. En boca de Casandra adquieren especial concepción. Diana (la Luna), enamorada de Endimión, descendió del cielo para
abrazarle, y le pidió a Zeus que conservara la belleza del atractivo pastor en un
eterno sueño (Pérez-Rioja, *Diccionario de símbolos y mitos*, ed. cit., pág. 191a). *Venus:* encarna los encantos y seducciones de la feminidad; es celebrada por sus
aventuras amorosas, tanto con dioses (Marte, Mercurio, Apolo, Baco) como con
otros héroes míticos (Faetón, Adonis). Se constituyó en canon eterno de la belleza femenina e inspiró a un buen número de pintores: desde los griegos (Apeles)
a los italianos (Botticelli) y flamencos (Rubens). La alusión a la pintura de Venus
abrazando a un sátiro, documenta Dixon [1973], la desarrolla Lope extensamente en *Dios hace reyes (Ac. N.,* IV, 586b) y reaparece en *El ejemplo de casadas
(Ac. N.,* XV, 16b), *La villana de Getafe (Ac. N.,* X, 398a) y en *La Dorotea. Latmo:*
se alude al monte de este nombre, en donde se ubica la caverna en la que Endimión, fatigado de andar y de cazar, quedó rendido en profundo sueño.
    1492  *tal vez:* alguna vez.
    1494  *Suelta, Parte XXI:* «se ve».
    1497  *Suelta, Parte XXI:* «Iathmo».
    1502  *industria:* «ingenio y sutileza, maña o artificio» *(Aut.).*
    1502-1519 La figura alegórica del pelícano que con el fin de sustentar a sus
hijuelos se hiere el pecho para que de él beban la sangre la fija como emblema el *Ars Symbolica* (LXX) de Boschius, y se ha relacionado, como figura de
Cristo, con varias referencias bíblicas (Rom 1, 25; Io 19, 34 y 6, 55). Está en el
*Auto de la fuente sacramental* de Timoneda, y en el himno «Adoro te devoto...»
de Santo Tomás de Aquino. Lope alude a tal figura en *El piadoso aragonés:* «Del
pelícano se escribe / que el pecho a sus hijos abre» *(Ac.* X, pág. 274b). Federico
describe, en términos alegóricos, su amor («pelícano») cuyos hijos son sus amorosos pensamientos. La anécdota del pelícano que al querer apagar la llama con sus
alas la enciende más con tal movimiento, lo que le hace finalmente caer en ma-

fuego alrededor del nido,
y él, descendiendo de un árbol                                   1505
para librar a sus hijos,
bate las alas turbado,
con que más enciende el fuego
que piensa que está matando;
finalmente se le queman,                                          1510
y sin alas en el campo
se deja coger, no viendo
que era imposible volando.
Mis pensamientos, que son
hijos de mi amor, que guardo                                      1515
en el nido del silencio,
se están, señora, abrasando;
bate las alas amor,

---

nos de los cazadores, la desarrolla Juan de Aranda, *Lugares comunes de conceptos, dichos y sentencias*, Sevilla, 1595, fol. 204r, ya con anterioridad en Horapollo: «Quod vbi deprenhenderint homines, locum illum arido bouis stercore circumlinunt, cui a ignem subiiciunt. Pelica[us] autem conspecto fumo, dum pennis suis ignem vult extinguere, e contrario earum agitatione accendit. Quo cum conflagrent eius alae, facile ab aucupibus capitur» *(Hieroglyphica, Ori Apollonis Niliaci de sacris notis et sculpturis libri duo*, París, 1551, fol. 78), con comentario en los *Hieroglyphica* de Piero Valeriano, Basilea, 1556. Una versión anterior a la de Aranda la desarrolla fray Luis de Granada en *Introducción del símbolo de la fe*, Salamanca, 1583; «[...] hace su nido [el pelícano] en la tierra, y por esto usan contra él desta arte los cazadores, que cercan el nido de paja y pónenle fuego. Entonces acude el padre a gran priesa a socorrer a los hijos, pretendiendo apagar la llama con el movimiento de las alas, con el cual no sólo no la apaga, mas antes la enciende más, y desta manera quemadas las alas en la defensa de los hijos, viene a manos de los cazadores, no extrañando poner su vida por ellos» *(Obras*, vol. I, Madrid, BAE, 1922, pte. I, cap. XVII, pág. 288). Cfr. M. Triwedi [1977], págs. 326-329; Dixon [1967], pág. 189. Curiosamente se coloca esta fábula en el centro de la comedia de Lope (consta de 3.021 versos). Se sobreentiende bajo esta alegoría la figura del «cazador» (se silencia), que sacrificará tanto el pelícano (Federico), como a sus polluelos: el objeto de sus deseos amorosos, Casandra. Cfr. McGrady [1983], pág. 47; van Antwerp [1981], págs. 208-209. Desarrolla las prerrogativas simbólicas de esta ave la tan consultada *Officina* de Ravisius Textor, Venecia, 1598, fol. 57. En *Jerusalén conquistada*, Lope señala en la marginalia (Libro IV, oct. 112) otras referencias.

1503 *Suelta*: «Peliciano».
1509 *Parte XXI*: «que piensa qua».

*he plants this seed of love—not her*

*wants to tell her but can't—she makes fire burn makes him burn up*

*you and are doomed*

y enciéndelos por librarlos.
Crece el fuego, y él se quema;                    1520
tú me engañas, yo me abraso;
tú me incitas, yo me pierdo;
tú me animas, yo me espanto;
tú me esfuerzas, yo me turbo;
tú me libras, yo me enlazo;                       1525
tú me llevas, yo me quedo;
tú me enseñas, yo me atajo;
porque es tanto mi peligro
que juzgo por menos daño,
pues todo ha de ser morir,                        1530
morir sufriendo y callando.

*all is natural—out of control & dramatic*

(*Vase* FEDERICO.)

*for first time use this*

CASANDRA.   No ha hecho en la tierra el cielo
cosa de más confusión
que fue la imaginación
para el humano desvelo.                            1535
Ella vuelve el fuego en hielo,
y en el color se transforma

*should since he leaves so fast*

1520-1527 Van Dam (ed., 1928, pág. 361) asocia estos versos con la condición de «Opósitos» de Petrarca. Díez Borque escribe al respecto: «La estructura anafórica y de disposición equivalente, así como la tensión antitética hace de éste uno de los más expresivos y emotivos pasajes de la pieza» (ed., 1988, pág. 199).

1521 *engañas:* «entretienes, distraes» *(DRAE).*

1527 *atajo:* «cortar, suspender, detener alguna acción; como atajar el discurso, atajar el razonamiento o proceso»; también «cortarse, o correrse un hombre de modo que no sepa obrar ni responder» *(Aut.).*

1531 *Suelta* y *Parte XXI* incluyen como acotación «(Vase)».

1532-1541 Wardropper [1987], págs. 198-199, comenta acertadamente sobre estos versos: «Porque, como ya decía Casandra, la imaginación —esa duplicación interior— "más engaña que informa", porque saben —o barruntan— su deshonra varios personajes: el delator anónimo, Batín, la criada Lucrecia, Aurora, el Marqués Gonzaga, y —sin duda alguna— algunos o muchos cortesanos de Ferrara. El acto bárbaro habrá sido en vano».

1537 *color:* «se toma algunas veces por viso, o especie de verosimilitud, semejanza, probabilidad o apariencia de verdad» *(Aut.).*

204

del deseo, donde forma
guerra, paz, tormenta y calma;
y es una manera de alma                    1540
que más engaña que informa.
   Estos escuros intentos,
estas claras confusiones,
más que me han dicho razones,
me han dejado pensamientos.                1545
¿Qué tempestades los vientos
mueven de más variedades
que estas confusas verdades
en una imaginación?
Porque las del alma son                    1550
las mayores tempestades.
   Cuando a imaginar me inclino
que soy lo que quiere el Conde,
el mismo engaño responde
que lo imposible imagino;                  1555
luego mi fatal destino
me ofrece mi casamiento,
y en lo que siento consiento;
que no hay tan grande imposible
que no le juzguen visible                  1560
los ojos del pensamiento.
   Tantas cosas se me ofrecen
juntas, como esto ha caído

---

1538 Jones escribe, siguiendo el autógrafo (aunque no está nada claro), «el deseo». El resto de las ediciones *Suelta* y *Parte XXI* leen claramente «del deseo», y pasa a ser así la «imaginación» («ella», v. 1534) el sujeto, y no el deseo.

1541 *informa:* «dar forma a una cosa y ponerla en punto y ser» *(Cov.);* también «la relación que se hace al juez o a otra persona del hecho de la verdad y de la justicia en algún negocio y caso» *(Cov.);* es decir, «la imaginación» es una especie *(manera)* de alma que, a diferencia de la auténtica, no da forma al cuerpo; tan sólo altera la percepción de la realidad.

1542 *escuros:* oscuros.

1545 *pensamientos:* «en el sentido de dudas, confusión», documenta Díez Borque (ed., 1988, pág. 200).

1547 *variedades:* «diferencia, o diversidad de algunas cosas entre sí»; «vale también inconstancia, instabilidad, o mutabilidad de las cosas» *(Aut.).*

1551 *Parte XXI:* «mayoras».

1563 *como:* «ya que».

sobre un bárbaro marido,
que pienso que me enloquecen.                    1565
Los imposibles parecen
fáciles, y yo, engañada,
ya pienso que estoy vengada;
mas siendo error tan injusto,
a la sombra de mi gusto                            1570
estoy mirando su espada.
    Las partes del Conde son
grandes, pero mayor fuera
mi desatino, si diera
puerta a tan loca pasión.                          1575
No más, necia confusión.
Salid, cielo, a la defensa,
aunque no yerra quien piensa,
porque en el mundo no hubiera
hombre con honra si fuera                           1580
ofensa pensar la ofensa.
    Hasta agora no han errado
ni mi honor, ni mi sentido,
porque lo que he consentido
ha sido un error pintado.                           1585
Consentir lo imaginado,
para con Dios es error

1565 La locura que presiente Casandra es debido a que le suceden estas cosas: sentir atracción hacia el Conde, tener un marido irresponsable, inhabilidad
de diferenciar entre lo correcto y lo maligno, a punto de hacer un «desatino,
si diera / puerta a tan loca pasión» (vv. 1574-1575). «Loco engaño» es la imaginativa suposición de Federico de heredar a su padre (v. 295). Batín adelanta
una definición de la «locura» (vv. 2784-2787).

1572 *partes:* «usado en plural se llaman las prendas y dotes naturales que
adornan alguna persona» *(Aut.).*

1582 *agora:* véase nota al v. 94.

1583 *sentido:* «entendimiento, o razón, en cuanto discierne las cosas»
*(Aut.).* «Un buen ejemplo de la compleja casuística del honor», explica Díez
Borque (ed., 1988, pág. 201), «que enlaza con los versos anteriores el pensa-
miento no ofende».

1585 *pintado:* de pintar; «se toma algunas veces por imaginar a su arbitrio,
o fingir en la imaginación a medida del deseo» *(Aut.).*

1586-1587 Ideas parecidas a las de Federico y Batín (vv. 981-982).

206

<blockquote>
mas no para el deshonor;<br>
que diferencian intentos<br>
el ver Dios los pensamientos      1590<br>
y no los ver el honor.
</blockquote>

*(AURORA entre.)*

AURORA.     Larga plática ha tenido<br>
       vuestra Alteza con el Conde.<br>
       ¿Qué responde?

CASANDRA.            Que responde<br>
       a tu amor agradecido.      1595<br>
        Sosiega, Aurora, sus celos,<br>
       que esto pretende no más.

*(Vase CASANDRA.)*

AURORA.     ¡Qué tibio consuelo das<br>
       a mis ardientes desvelos!<br>
        ¡Que pueda tanto en un hombre      1600<br>
       que adoró mis pensamientos,<br>
       ver burlados los intentos<br>
       de aquel ambicioso nombre<br>
        con que heredaba a Ferrara!<br>
       ¿Tú eres poderoso, amor?      1605<br>
       Por ti ni en vida, ni honor,<br>
       ni aun en alma se repara.<br>
        Y Federico se muere,<br>
       que me solía querer,

---

1591 *los ver:* «verlos» (Lapesa, *Historia de la lengua española, op. cit.*). La acotación «Aurora entra» se incluye en *Suelta* y *Parte XXI* después del v. 1591.

1603-1604 La expresión elíptica sobreentiende la acción de ganar «ambicioso nombre».

1605 Seguimos la puntuación de Jones, ya que respeta, en parte, la primera versión de Lope (tachada más tarde) en la que figura un signo de interrogación en los versos 1605 y 1607. En el orden emotivo de Aurora, que se inicia con formas exclamativas, la interrogación tiene coherencia con el estado actual de su ánimo. *Suelta, Parte XXI:* «Eres.»

con la tristeza de ver                                    1610
lo que de Casandra infiere.
    Pero, pues él ha fingido
celos por disimular
la ocasión, y despertar
suelen el amor dormido,                                   1615
    quiero dárselos de veras,
favoreciendo al Marqués.

(RUTILIO *y el* MARQUÉS.)

RUTILIO.     Con el contrario que ves,
             en vano remedio esperas
             de tus locas esperanzas.                     1620
MARQUÉS.     Calla, Rutilio, que aquí
             está Aurora.
RUTILIO.                  Y tú sin ti;
             firme entre tantas mudanzas.
MARQUÉS.     Aurora del claro día
             en que te dieron mis ojos,                   1625
             con toda el alma en despojos,
             la libertad que tenía;
             Aurora que el sol envía
             cuando en mi pena anochece,
             por quien ya cuanto florece                  1630
             viste colores hermosas,
             pues entre perlas y rosas
             de tus labios amanece;

---

1612-1615 El fingir celos los amantes es una de las convenciones dramáticas presentes en un gran número de comedias de Lope. Parte del código es la
persecución de los amores no correspondidos, al igual que el desdén (v. 1658).
Crean, explica Díez Borque (ed., 1988, pág. 202), argumento y generan tensio-
nes. En la tradición medieval, vale anotar C. S. Lewis, *The Allegory of Love*,
Londres, Oxford University Press, 1936; Denis de Rougemont, *L'Amour et
l'Occident*, París, Plon, 1939, y en relación con los cancioneros, Otis H. Green,
«Courtly Love in the Spanish *Cancioneros*», *PMLA*, 44 (1949), págs. 247-301.
    1622 *sin ti:* «sin ser dueño de tus actos».
    1631 *colores:* se usa aquí en su forma femenina; para su equivalente mascu-
lino, véase v. 1537.

desde que de Mantua vine,      1635
hice con poca ventura
elección de tu hermosura,
que no hay alma que no incline.
¡Qué mal mi engaño previne,
puesto que el alma te adora,      1640
pues sólo sirve, señora,
de que te canses de mí,
hallando mi noche en ti
cuando te suspiro Aurora!

No el verte desdicha ha sido,
que ver luz nunca lo fue,      1645
sino que mi amor te dé
causa para tanto olvido.
Mi partida he prevenido,
que es el remedio mejor;
fugitivo a tu rigor,      1650
voy a buscar resistencia
en los milagros de ausencia,
y en las venganzas de amor.

Dame licencia y la mano.

AURORA.    No se morirá de triste      1655
el que tan poco resiste,
ni galán ni cortesano,

Marqués, el primer desdén;
que no están hechos favores
para primeros amores      1660
antes que se quiera bien.

Poco amáis, poco sufrís;
pero en tal desigualdad,

---

1639 *puesto que:* «aunque». Véase v. 897.

1643 *suspiro:* «algunas veces es indicio de desear alguna cosa con grande ahínco» *(Cov.)* (véase bajo «sospirar»).

1648 *he prevenido:* «he dispuesto, he preparado».

1652 *en los milagros de ausencia:* en alusión al «olvido»; éste venga los desdenes de los que es víctima el enamorado.

1663-1664 Kossoff (ed., 1968, pág. 305) incluye «en tal disigualdad» entre signos de exclamación, y el siguiente verso como aparte. Pero todo se encadena en la relación silogística y, hasta cierto punto, argumentativa, de Aurora.

|         | con la misma libertad |      |
|---------|-----------------------|------|
|         | que licencia me pedís, | 1665 |
|         | os mando que no os partáis. | |
| MARQUÉS. | Señora, a tan gran favor, | |
|         | aunque parece rigor | |
|         | con que esperar me mandáis, | |
|         | no los diez años que a Troya | 1670 |
|         | cercó el griego, ni los siete | |
|         | del pastor, a quien promete | |
|         | Labán su divina joya, | |
|         | pero siglos inmortales, | |
|         | como Tántalo estaré | 1675 |
|         | entre la duda y la fe | |
|         | de vuestros bienes y males. | |
|         | Albricias quiero pedir | |
|         | a mi amor de mi esperanza. | |
| AURORA. | Mientras el bien no se alcanza, | 1680 |
|         | méritos tiene el sufrir. | |

---

1667 *Parte XXI:* «Sañoratan».

1668 *rigor:* «crueldad».

1670 *no los diez años:* de hecho, el cerco de Troya duró diez años. Los nueve primeros pasaron sin grandes acaecimientos. En el décimo año fue cuando Aquiles se retiró enojado contra Agamenón. En tal acción se inspira la *Ilíada* de Homero. En venganza por la muerte de su amigo, vuelve Aquiles al lugar de la batalla y mata a Héctor, el guerrero más competente de Troya. Véanse vv. 1470-1473.

1671-1673 Alusión a Raquel, hija de Labán. Pasó a ser la esposa predilecta de Jacob (Gen. 29, 6-30). Por medio de Bilhá, su esclava, fue madre de Dan y Neftalí; también de José y Benjamín, de cuyo nacimiento murió (Gen. 35, 16-18). Los amores de Jacob y Raquel fueron objeto de numerosas composiciones en la lírica del siglo XVII. Se tomaron como símbolo del amor perfecto. Consagra tales figuras Lope en su comedia *Los trabajos de Jacob (Ac.,* III, págs. 35-264), y en un conocido soneto, «Sirvió Jacob los siete años largos», con referencia en *Pastores de Belén* (libro I). *Parte XXI:* «Lebán.»

1674 *pero:* «sino».

1675 *Tántalo:* símbolo y proverbio del sufrimiento al que uno se ve obligado al privarse de aquello que parece estar a la mano. Fue castigado a sufrir hambre y sed angustiosas. Estando sumergido en el agua y rodeado de placenteros manjares, al intentar beber o comer, el agua y los manjares se desvanecían (Pérez-Rioja, *Diccionario de símbolos y mitos,* ed. cit., pág. 393).

1680 El autógrafo anota como acotación «Ca», posiblemente aludiendo a «Casandra», un obvio *lapsus mentis* de Lope. Tendría en mente a Aurora, que es

(*El* Duque, Federico *y* Batín.)

| | | |
|---|---|---|
| Duque. | Escríbeme el Pontífice por ésta | |
| | que luego a Roma parta. | |
| Federico. | ¿Y no dice la causa en esa carta? | |
| Duque. | Que sea la respuesta, | 1685 |
| | Conde, partirme al punto. | |
| Federico. | Si lo encubres, señor, no lo pregunto. | |
| Duque. | ¿Cuándo te encubro yo, Conde, mi pecho? | |
| | Sólo puedo decirte que sospecho, | |
| | que con las guerras que en Italia tiene, | 1690 |
| | si numeroso ejército previene, | |
| | podemos presumir que hacerme intenta | |
| | general de la Iglesia; que a mi cuenta | |
| | también querrá que con dinero ayude, | |
| | si no es que en la elección de intento mude. | 1695 |
| Federico. | No en vano lo que piensas me encubrías, | |
| | si solo te partías, | |

---

quien está en escena. Los versos en boca de ésta (vv. 1680-1681) guardan relación con los pronunciados anteriormente (vv. 1655-1666) donde se alude a la necesidad de sufrir en el amor como un paso para sus fines. Kossoff, al igual que otros editores (seguimos a Jones), *Suelta, Parte XXI*, Hartzenbusch, atribuyen estos versos al marqués Gonzaga. Díez Borque (ed., 1988, pág. 205) acepta la explicación y atribución que propone Kossoff (ed., 1968, pág. 306).

1682 En Ms. se lee «ponfice» por «Pontífice»; *por ésta*: «por la carta» que muestra el Duque a Federico.

1685 *Suelta, Parte XXI*: «Y que sea».

1690 El papa Martín V (1417-1431) se propone establecer el Papado como poder temporal en Italia, en la primera mitad del siglo xv (Jones, ed., 1968, pág. 131). Frente a esta interpretación Kossoff indica, acertadamente —creemos— (ed., 1968, nota v. 1383, pág. 294), que no hay por qué asumir que el texto, dejando aparte las fuentes, limite la acción a esa época, y a ese Papa. Otros, en años posteriores, también mantuvieron guerras (así Clemente VII aliado y enemigo de Carlos V) con el mismo fin. El anacronismo, que anteriormente le achacaba Jones a Lope, es establecida convención en la comedia. Para su público, al igual que para Lope, la acción se concibe como contemporánea. Querer establecer el tiempo histórico al que alude la acción de la comedia es intento fútil, dado que las referencias son mínimas y las alianzas de los Estados italianos con el Papado, al igual que sus guerras, fueron frecuentes a lo largo del siglo xv y xvi. Véase en el mismo sentido Díez Borque (ed., 1988, pág. 206).

1693 *que a mi cuenta*: «que en mi opinión, según supongo».

|           | que ya será conmigo; que a tu lado                          |      |
|           | no pienso que tendrás mejor soldado.                        |      |
| DUQUE.    | Eso no podrá ser, porque no es justo,                       | 1700 |
|           | Conde, que sin los dos mi casa quede.                       |      |
|           | Ninguno como tú regirla puede:                              |      |
|           | esto es razón, y basta ser mi gusto.                        |      |
| FEDERICO. | No quiero darte, gran señor, disgusto,                      |      |
|           | pero en Italia ¿qué dirán si quedo?                         | 1705 |
| DUQUE.    | Que esto es gobierno, y que sufrir no puedo                 |      |
|           | aun de mi propio hijo compañía.                             |      |
| FEDERICO. | Notable prueba en la obediencia mía.                        |      |

*(Váyase el* DUQUE.*)*

| BATÍN.    | Mientras con el Duque hablaste,                             |      |
|           | he reparado en que Aurora,                                  | 1710 |
|           | sin hacer caso de ti,                                       |      |
|           | con el Marqués habla a solas.                               |      |
| FEDERICO. | ¿Con el Marqués?                                            |      |
| BATÍN.    |                          Sí, señor.                         |      |
| FEDERICO. | ¿Y qué piensas tú que importa?                              |      |
| AURORA.   | Esta banda prenda sea                                       | 1715 |
|           | del primer favor.                                           |      |

---

1702 Jones transcribe «quede» por «puede», obvio error tipográfico.

1706 Van Dam explica: «Que esto es gobierno» como «razón de Estado». Kossoff deduce gobierno de gobernarle, es decir, vivir concertada y cuerdamente, de acuerdo con *Cov.*, con lo que rechaza así la opinión de van Dam. *Cov.* es más explícito sobre «governar» al definir la acción como «regir, encaminar y administrar, o la república o personas y negocios particulares, su casa y su persona». La razón de Estado de van Dam tiene también sentido: ha movido ésta toda la acción del Duque (pasada, presente y hasta futura). *Aut.* define el término como «la política y reglas con que se dirigen y gobiernan las cosas pertenecientes al interés y utilidad de la República».

1708 *Suelta* omite la acotación después de este verso. *Parte XXI* incluye «Vase».

1715 «En la comedia de Lope aparece, repetidamente», escribe Díez Borque (ed., 1988, pág. 207) «esta costumbre de dar a la amada una banda como prenda de amor, lo que se convierte, frecuentemente, en motivo de intriga, por los equívocos, generando un precioso mecanismo de estímulo-respuesta, y es base de argumento en piezas como *Antes que todo es mi dama*, de Calderón», y previamente en *El caballero de Olmedo*, de Lope.

212

MARQUÉS.              Señora,
              será cadena en mi cuello,
              será de mi mano esposa,
              para no darla en mi vida;
              si queréis que me la ponga,            1720
              será doblado el favor.
AURORA.       (Al MARQUÉS.) Aunque es venganza amorosa,
              parece a mi amor agravio.
              Porque de dueño mejora,
              os ruego que os la pongáis.            1725
BATÍN.        Ser las mujeres traidoras
              fue de la naturaleza
              invención maravillosa,
              porque si no fueran falsas,
              (algunas digo, no todas),              1730
              idolatraran en ellas
              los hombres que las adoran.
              ¿No ves la banda?
FEDERICO.                        ¿Qué banda?
BATÍN.        ¿Qué banda? ¡Graciosa cosa!
              Una que lo fue del sol,                1735
              cuando lo fue de una sola
              en la gracia y la hermosura,
              planetas con que la adorna;
              y agora como en eclipse,
              del Dragón lo extremo toca.            1740

---

1718 *esposa:* se usa la forma singular por «esposas», las piezas de hierro con las que se atan las manos del acusado de un delito. La banda que Aurora le ofrece al Marqués es a modo de «ligadura que unirá a ambos».

1722-1724 El Ms. presenta dos veces, al margen, a modo de acotación, la entrada «Au». Los versos anteriores (vv. 1722-1723) son pronunciados por Aurora, aparte; los vv. 1724-1726 son dirigidos al Marqués.

1731 *idolatraran:* idolatrar, «vale el que ama mucho, y con desordenado afecto» *(Aut.).*

1739 Véase nota al v. 94.

1740 *del Dragón lo extremo toca:* la punta de la cola de la constelación Dragón, lo que sugiere una mayor distancia del Sol, de acuerdo con la nota de Jones (ed., 1966, pág. 131), que recoge Kossoff (ed., 1968, pág. 310). Pero astronómicamente, la cabeza y la cola del Dragón son los nódulos de la Luna; es decir, los puntos donde tienen lugar los eclipses. Tal explicación adquiere coherencia con lo dicho previamente (v. 1739).

|            | Yo me acuerdo, cuando fuera |      |
|            | la banda de la discordia,    |      |
|            | como la manzana de oro       |      |
|            | de Paris y las tres Diosas.  |      |
| FEDERICO.  | Eso fue entonces, Batín,     | 1745 |
|            | pero es otro tiempo agora.   |      |
| AURORA.    | Venid al jardín conmigo.     |      |

*(Vanse los dos.)*

| BATÍN.     | ¡Con qué libertad la toma    |      |
|            | de la mano, y se van juntos! |      |
| FEDERICO.  | ¿Qué quieres, si se conforman | 1750 |
|            | las almas?                   |      |
| BATÍN.     | ¿Eso respondes?              |      |
| FEDERICO.  | ¿Qué quieres que te responda? |      |
| BATÍN.     | Si un cisne no sufre al lado |      |
|            | otro cisne, y se remonta     |      |
|            | con su prenda muchas veces   | 1755 |
|            | a las extranjeras ondas,     |      |
|            | y un gallo, si al de otra casa |    |
|            | con sus gallinas le topa,    |      |
|            | con el suyo le deshace       |      |

---

1741 *cuando:* «como si».

1741-1744 Alusión al juicio de Venus y Paris, al competir en belleza ésta con Juno y Palas Minerva. Venus obtuvo el premio y recibió una manzana de oro en señal de triunfo. Es motivo recurrente en la lírica del siglo XVII. Lo parodia Lope en el soneto «Como si fuera cándida escultura / en lustroso marfil de Banarrota», incluido en *Rimas humanas y divinas de Tomé de Burguillos* (fol. 7r), en donde se ofrece a «Juana» (también competidora con Venus), no una manzana, «pero todo un cesto» (v. 14); *Poesía selecta, op. cit.*, pág. 452.

1747 *Suelta* incluye como acotación «Vanse los dos»; Jones «Vanse los dos, (y Rutilio)», aunque como hace saber convincentemente Kossoff, Rutilio pudo marcharse antes. *Parte XXI* incluye como acotación, «Vase Aurora, el Marqués y Rutilio».

1750 *conforman:* conformar, «concordar, convenir, corresponder, y venir bien una cosa con otra» *(Aut.)*.

1755 Véase v. 419.

1756 *extranjeras ondas:* «cosa de fuera, de otra parte, no natural y propia del país o tierra donde uno es» *(Aut.)*.

|            | los picos de la corona,           | 1760 |
|            | y encrespando su turbante,        |      |
|            | turco por la barba roja,          |      |
|            | celoso vencerle intenta           |      |
|            | hasta en la nocturna solfa;       |      |
|            | ¿cómo sufres que el Marqués       | 1765 |
|            | a quitarte se disponga            |      |
|            | prenda que tanto quisiste?        |      |
| FEDERICO.  | Porque la venganza propia         |      |
|            | para castigar las damas           |      |
|            | que a los hombres ocasionan,      | 1770 |
|            | es dejarlas con su gusto;         |      |
|            | porque aventura la honra          |      |
|            | quien la pone en sus mudanzas.    |      |
| BATÍN.     | Dame por Dios una copia           |      |
|            | dese arancel de galanes;          | 1775 |

---

1760 *los picos de la corona:* éstos («picos»), indica Jones (ed., 1966, pág. 131), «are the feathers of his crests», pero los picos de la corona del gallo (la cresta) no es de plumas, sino carnosa. El sentido de este verso es que el gallo deshace con su pico la cresta (carnosa) del rival.

1762 *barba roja:* la barba sonrojada, carnosa, del gallo. Góngora en las *Soledades* alude en el mismo sentido a la cresta del gallo: «[...] de crestadas aves, / cuyo lascivo esposo vigilante / doméstico es del Sol nuncio canoro, / y de coral barbado, no de oro / ciñe, sino de púrpura, turbante» («Soledad primera», vv. 292-296). Obsérvese la posible extensión de la imagen, al asociarla con el conocido pirata Barbarroja *(La Dorotea,* acto II, esc. v), de origen turco, a que alude Kossoff (ed., 1966, pág. 311, nota), que acepta Díez Borque (ed., 1988, pág. 210), y que sugirió previamente Jones (ed., 1968, pág. 131).

1764 *solfa:* «armonía y música natural» *(Aut.);* voces entre sí diversas, aludiendo a la escala musical en sus varias notas. El gallo, al amanecer, trata de vencer con su canto (el «nuncio canoro» de Góngora) al resto de las aves. El adjetivo «nocturna» invalida la otra acepción que sugiere Jones («rain of blows», zurra de golpes; literariamente «lluvia») sacada del código de la picaresca y del lenguaje de germanía. Ms. «noturna»; es habitual la reducción de grupos consonánticos, como -ct.

1770 *ocasionan:* «poner en riesgo o peligros *(Aut.);* ceñido aquí, como indica Díez Borque (ed., 1988, pág. 211) «a problemas de amor-celos-galanteo, según la topística conocida de la comedia».

1775 *arancel de galanes:* «el decreto o ley que pone tasa en las cosas que se venden y en los derechos de los ministros de justicias *(Cov.);* «metafóricamente se toma por regla y norma para obrar, o hacer alguna cosa» *(Aut.).* Existió el «arancel para presos en la cárcel», para «casados». Puede hablarse, indica

215

<pre>
                    tomaréle de memoria.
                    No, Conde; misterio tiene
                    tu sufrimiento, perdona,
                    que pensamientos de amor
                    son arcaduces de noria;                        1780
                    ya deja el agua primera
                    el que la segunda toma.
                    Por nuevo cuidado dejas
                    el de Aurora, que si sobra
                    el agua, ¿cómo es posible                      1785
                    que pueda ocuparse de otra?
FEDERICO.           Bachiller estás, Batín,
                    pues con fuerza cautelosa
                    lo que no entiendo de mí
                    a presumir te provocas.                        1790
                    Entra, y mira qué hace el Duque,
                    y de partida te informa
                    porque vaya a acompañarle.
BATÍN.              Sin causa necio me nombras,
                    porque abonar tus tristezas                    1795
                    fuera más necia lisonja.


        (Vase.)
</pre>

---

Morby en su edición de *La Dorotea*, ed. cit., págs. 61-62, nota 80, «de todo un género, muy secundario, de aranceles, premáticas y privilegios». Aquí se refiere a las «normas» de actuación amorosa que acaba de dar Federico.

1778 *tu sufrimiento:* «tu paciencia, contención de ánimo».

1780 *arcaduces de noria:* los cangilones de la noria.

1783 *cuidado:* «con el significado de "amor", en la línea del amor como preocupación, sufrimiento», explica Díez Borque (ed., 1988, pág. 211).

1787 *Bachiller:* «hablador, charlatán».

1790 *provocas:* provocar, «irritar o estimular a uno con palabras u obras, para que se enoje»; «excitar, incitar e inducir a otro a que ejecute alguna cosas *(Aut.)*».

1792 La mayoría de las ediciones modernas (Kossoff, Díez Borque) indican la posibilidad de que se lea este verso como «y de su partida te informas», y no, como indica Jones (ed., 1966, págs. 131-132) con el sentido de «de camino».

1795 *abonar:* «aprobar y dar por buena alguna cosa, y asegurarla por tal» *(Aut.).* Batín da con el dedo en la llaga: el ánimo perturbador de Federico se debe al amor irreprimible que siente hacia su madrastra.

FEDERICO.        ¿Qué buscas, imposible pensamiento?
                Bárbaro, ¿qué me quieres? ¿Qué me incitas?
                ¿Por qué la vida sin razón me quitas,
                donde volando aun no te quiere el viento?     1800
                    Detén el vagaroso movimiento,
                que la muerte de entrambos solicitas;
                déjame descansar, y no permitas
                tan triste fin a tan glorioso intento.
                    No hay pensamiento, si rindió despojos,     1805
                que sin determinado fin se aumente;
                pues dándole esperanzas sufre enojos.
                    Todo es posible a quien amando intente,
                y sólo tú naciste de mis ojos,
                para ser imposible eternamente.                 1810

---

1797-1801 Peter N. Dunn comenta acertadamente estos versos; véase «Some Uses of Sonnets in the Plays of Lope de Vega», *BHS*, XXXIV (1957), págs. 213-222; en concreto, págs. 215-216. La imagen de Ícaro (v. 1800) se asocia con lo imposible de este amor, y con la esperanza de su logro a través del sufrimiento. La fijó Alciato en sus *Emblemas* (103). Cfr. Pablo Cabañas, «La mitología greco-latina en la novela pastoril: Ícaro o el atrevimiento», *Revista de Literatura*, I (1952), págs. 453-460; J. G. Fucilla, «Etapas en el desarrollo del mito de Ícaro en el Renacimiento y Siglo de Oro», *Hispanófila*, 8 (1960), págs. 1-34; Suzanne Guillou-Varga, *Mythes, mythographies et poésie lyrique au siècle d'or espagnol*, París, 1986, *passim*. El soliloquio de Federico se establece a medio camino entre el objeto deseado y la imposibilidad de su obtención, e insiste en el poder de tortura que posee la imaginación, y en el temor de que lo imaginado se haga real. Bajo el «triste fin» (v. 1804) se barruntan trágicas premoniciones. Se resuelven con la seducción de Federico por Casandra, que funciona a modo de respuesta vengativa ante los hechos del Duque. Cae así en las redes de su propio engaño.
    1802 *Suelta:* «solicita».
    1804 *Suelta:* «intente».
    1806 *Suelta:* «augmente».
    1809 Kossoff incluye «enojos»; en el Ms. fácilmente se lee «ojos».
    1810 Kossoff sugiere que Federico debe salir de la escena para entrar de nuevo en el v. 1856, de acuerdo con la cruz anotada en el margen del autógrafo (ed., 1968, pág. 314). Conforme a esta disposición tendría lugar un cambio de «cuadro». John Varey [1987], pág. 234, nota 9, cree que tal salida es innecesaria ya que no ha habido ni cambio de lugar ni de tiempo. En el «Cuaderno de dirección» para el montaje de Miguel Narros, que sigue la disposición escénica y el texto de Kossoff, anota: «Entra Casandra en busca de Federico» [1985], pág. 176. Sobre el monólogo de los versos siguientes escribe Díez Borque: «es recurso dramático de excelentes resultados para mostrar la angustia, el pensamiento, las dudas, el dolor de los personajes, cuya presentación en acto sería más compleja y no de inmediata captación» (ed., 1968, pág. 213).

(CASANDRA *entre.*)

CASANDRA.
Entre agravios y venganzas
anda solícito amor,
después de tantas mudanzas
sembrando contra mi honor
mal nacidas esperanzas.                        1815

En cosas inaccesibles
quiere poner fundamentos,
como si fuesen visibles;
que no puede haber contentos
fundados en imposibles.                         1820

En el ánimo que inclino
al mal, por tantos disgustos
del Duque, loca imagino
hallar venganzas y gustos
en el mayor desatino.                           1825

Al galán Conde y discreto,
y su hijo, ya permito
para mi venganza efeto,
pues para tanto delito
conviene tanto secreto.                         1830

Vile turbado, llegando
a decir su pensamiento,
y desmayarse temblando,
aunque, ¿es más atrevimiento
hablar un hombre callando?                      1835

---

1817 *Suelta, Parte XXI:* «fundamento».

1822 *Parte XXI:* «con tantos».

1827 *Parte XXI:* «permitió».

1828 «Para que sea efecto de mi venganza», interpreta Díez Borque (ed., 1988, pág. 214), dando a «permitir» el sentido de «consentir, admitir, no impedir». Y *su hijo:* sigue la calificación de Conde «galán, discreto y *además (sic)* hijo del Duque»; *efeto:* véanse vv. 819, 1451.

1834-1835 El Ms. presenta un signo de interrogación después de «callando». Tanto *Suelta* como *Parte XXI* lo suprimen; lo mismo hacen van Dam y Jones; la excepción es Kossoff (ed., 1968, pág. 315) y Díez Borque (ed., 1988, pág. 215), quienes siguen el Ms.

218

Pues de aquella turbación
tanto el alma satisfice,
dándome el Duque ocasión,
que hay dentro de mí quien dice
que si es amor no es traición;                1840
y que cuando ser pudiera
rendirme desesperada
a tanto valor, no fuera
la postrera enamorada,
ni la traidora primera.                       1845
A sus padres han querido
sus hijas, y sus hermanos
algunas; luego no han sido
mis sucesos inhumanos,
ni mi propia sangre olvido.                   1850
Pero no es disculpa igual
que haya otros males de quien
me valga en peligro tal;
que para pecar no es bien
tornar ejemplo del mal.                       1855
Éste es el Conde, ¡ay de mí!
pero ya determinada,
¿qué temo?

FEDERICO.                    Ya viene aquí
desnuda la dulce espada
por quien la vida perdí.                       1860
¡O hermosura celestial!

---

1837 *Suelta, Parte XXI:* «satisface».

1847-1848 *Suelta:* corrige la primera versión («hijos... algunos») en «hijas... algunas»; *Parte XXI* tiene «hijos... algunos». Van Dam cree que se alude posiblemente a los hijos de Lot, Mirra (hija de Ciniros), y a Tamar y Amnón.

1852 *quien:* véase nota al v. 670.

1857-1858 *Parte XXI* incluye «Aparte» como acotación después del v. 1857, que incluye Díez Borque (ed., 1988, pág. 216).

1859 *dulce espada:* adelanta Federico el instrumento con el que se ejecuta el castigo final del Duque, aunque el oxímoron adquiere también la significación de amoroso tormento. Díez Borque observa que «podría ser su lema: *dulce espada* por la pasión, por el amor; *desnuda* por la "anormalidad", por la alteración que ese amor supone, anunciando la tragedia» (ed., 1988, pág. 216).

CASANDRA.	¿Cómo te va de tristeza,
	Federico?

FEDERICO.	En tanto mal
	responderé a vuestra Alteza
	que es mi tristeza inmortal.	1865

CASANDRA.	Destiemplan melancolías
	la salud; enfermo estás.

FEDERICO.	Traigo unas necias porfías,
	sin que pueda decir más,
	señora, de que son mías.	1870

CASANDRA.	Si es cosa que yo la puedo
	remediar, fía de mí,
	que en amor tu amor excedo.

FEDERICO.	Mucho fiara de ti,
	pero no me deja el miedo.	1875

CASANDRA.	Dijísteme que era amor
	tu mal.

FEDERICO.	Mi pena y mi gloria
	nacieron de su rigor.

CASANDRA.	Pues oye una antigua historia,
	que el amor quiere valor.	1880
	Antíoco, enamorado
	de su madrastra, enfermó
	de tristeza y de cuidado.

---

1863 *Suelta, Parte XXI*: «¿en tanto mal?», en boca de Casandra.

1866 *Parte XXI*: «Destemplan».

1868 *porfías*: «instancia e importunación para el logro de alguna cosa» (*Aut.*).

1881-1883 Van Dam documenta esta anécdota en Valerio Máximo (*Factorum et dictorum memorabilium libri novem*). Añade que en el Ms. Lope intentaba, por boca de Batín (vv. 1315-1318), hacer una referencia a Antíoco, pero la tachó. Véase L. R. Kennedy, «The Theme of "Stratonice" in the Drama of Spain Peninsula», *PMLA*, 4 (1940), págs. 1010-1030; Frank F. Casa, *The Dramatic Craftmanship of Moreto*, Cambridge (Mass.), Harvard University Press, 1966, págs. 53-83. *Antíoco y Seleúco* de Moreto se puede considerar *avant la lettre* como una refundición de *El castigo sin venganza* de Lope: el amor del príncipe hacia su madrastra es del mismo modo caracterizado por Erasístrato como «amor imposible»; Dixon [1973], pág. 69, nota 21. La anécdota histórica en boca de Casandra (vv. 1881-1905) sirve de psicológico paralelo para develar en Federico su propia pasión, y aclarar la relación tripartita entre ella, Federico y el Duque. Aunque conviene señalar ciertas diferencias en relación con la anéc-

| FEDERICO. | Bien hizo si se murió, | |
|---|---|---|
| | que yo soy más desdichado. | 1885 |
| CASANDRA. | El Rey su padre, afligido, | |
| | cuantos médicos tenía | |
| | juntó, y fue tiempo perdido, | |
| | que la causa no sufría | |
| | que fuese amor conocido. | 1890 |
| | Mas Eróstrato, más sabio | |
| | que Hipócrates y Galeno, | |
| | conoció luego su agravio; | |
| | pero que estaba el veneno | |
| | entre el corazón y el labio. | 1895 |
| | Tomóle el pulso, y mandó | |
| | que cuantas damas había | |
| | en palacio entrasen. | |

FEDERICO.     Bien hizo si se murió,
              que yo soy más desdichado.                    1885
CASANDRA.     El Rey su padre, afligido,
              cuantos médicos tenía
              juntó, y fue tiempo perdido,
              que la causa no sufría
              que fuese amor conocido.                       1890
              Mas Eróstrato, más sabio
              que Hipócrates y Galeno,
              conoció luego su agravio;
              pero que estaba el veneno
              entre el corazón y el labio.                   1895
              Tomóle el pulso, y mandó
              que cuantas damas había
              en palacio entrasen.

---

dota clásica: a) que Estratónice no estaba enamorada de su amado; b) que Antíoco (hijo) guardó siempre un gran respeto a su padre Seleúco; c) que éste dio su esposa a su hijo, con lo que en tales actos se conjugan adulterio, incesto y hasta divorcio. La historia, pues, que cuenta Casandra guarda relación tan sólo «a medias» con su caso: un amado (Federico) enamorado de su madrastra, joven, bella y atractiva; McGrady [1983], pág. 48.

1884 *Parte XXI* incluye un «Aparte» antes de este verso, que aceptan tanto Kossoff como Díez Borque.

1891-1892 *Eróstrato:* el nombre de este médico era de hecho Erasístrato. Lope vacilaba, según muestra el autógrafo, en la ortografía, pues aparece en un principio la palabra *Erosa*, que da en *Erostr* y se completa con «ato», un poco por encima de la «r» final *(sic: Erastrᵃᵗᵒ)*. Tales vacilaciones son, explica Díez Borque (ed., 1988, pág. 218), «un curioso testimonio del modo de citar del Fénix, de su cultura, y del sistema de escribir teatro». Sin embargo, ambas formas (Eróstrato y Erasístrato) eran usadas comúnmente. Fue éste, al igual que Hipócrates (¿460-355 a.C.?) y Galeno (129-201 d.C.), un médico reconocido. San Isidoro en *Etimologías* (IV, 3, 21) indica que Hipócrates fue descendiente de Esculapio; que había nacido en la isla de Cos, creencia que proviene del Pseudo Sorano *(Quest medici)*. Suelta, *Parte XXI:* «En su ciencia que Galeno». Van Dam indica estar escrita en el Ms., sobre «Hipócrates», la variante «en su ciencia», por mano ajena a la de Lope. La tachadura, notamos, parece tener la peculiaridad caligráfica de otras muchas de Lope, aunque al tratarse de simples rayas es difícil de precisar.

1893 *agravio:* «la acción injusta e injuriosa; la ofensa que se recibe, o hace a otro» *(Aut.)*.

| FEDERICO. | Yo | |
| | presumo, señora mía, | |
| | que algún espíritu habló. | 1900 |
| CASANDRA. | Cuando su madrastra entraba, | |
| | conoció en la alteración | |
| | del pulso, que ella causaba | |
| | su mal. | |
| FEDERICO. | ¡Extraña invención! | |
| CASANDRA. | Tal en el mundo se alaba. | 1905 |
| FEDERICO. | ¿Y tuvo remedio ansí? | |
| CASANDRA. | No niegues, Conde, que yo | |
| | he visto lo mismo en ti. | |
| FEDERICO. | ¿Pues enojáste? | |
| CASANDRA. | No. | |
| FEDERICO. | ¿Y tendrás lástima? | |
| CASANDRA. | Sí. | 1910 |
| FEDERICO. | Pues, señora, yo he llegado, | |
| | perdido a Dios el temor, | |
| | y al Duque, a tan triste estado, | |
| | que este mi imposible amor | |
| | me tiene desesperado. | 1915 |
| | En fin, señora, me veo | |
| | sin mí, sin vos, y sin Dios; | |

---

1898 *Suelta, Parte XXI:* «Y yo...» En *Suelta* la «Y» está escrita a mano, observa acertadamente Díez Borque (ed., 1988, pág. 218).

1913 *a tan triste estado:* asocia el lexema el endecasílabo del conocido soneto de Garcilaso «Quando me paro a contemplar mi "stado"», que contó con múltiples ramificaciones en la lírica de la época; en una canción a lo divino de B. L. Argensola; en la *Diana enamorada* de Gil Polo y en el mismo Lope; en el soneto de las *Rimas sacras* (1614): «Cuando me paro a contemplar mi estado», en donde se establece una idéntica fraseología: «llegado» (v. 1911) frente a «perdido» (v. 1912), por ejemplo. Con la siguiente glosa aúna Lope dos tradiciones poéticas: Petrarca y Garcilaso, y cancioneros del siglo xv (Pedro de Cartagena, Jorge Manrique, Diego de Quiñones, Garci Sánchez de Badajoz).

1916-1920 Kossoff transcribe la glosa en letra cursiva y hace lo mismo con la «vuelta» de cada quintilla (vv. 1935, 1945, 1955, 1965, 1975), por considerarla un texto ajeno. Disfruta de una extensa exégesis. Véase al respecto Rafael Lapesa [1967], págs. 145-171; José María Cossío, «El mote "sin mí, sin vos y sin Dios" glosado por Lope de Vega», *RFE,* XX (1933), págs. 397-400. Amparado en un texto ajeno confiesa Federico su amor imposible hacia Casandra, y su desesperación ante el sentimiento de haber perdido el alma, el te-

sin Dios, por lo que os deseo;
sin mí, porque estoy sin vos;
sin vos, porque no os poseo.                           1920

    Y por si no lo entendéis,
haré sobre estas razones
un discurso, en que podréis
conocer de mis pasiones
la culpa que vos tenéis.                                1925
    Aunque dicen que el no ser
es, señora, el mayor mal,
tal por vos me vengo a ver,
que para no verme tal,
quisiera dejar de ser.                                  1930

    En tantos males me empleo,
después que mi ser perdí,
que aunque no verme deseo,
para ver si soy quien fui,
en fin, señora, me veo.                                 1935

---

mor a Dios y el respeto a su propio padre. Cfr. Wilson [1963], pág. 277. «No
hay duda», escribe Díez Borque (ed., 1988, pág. 219), «que son versos emble-
máticos de la agonía trágica de Federico». Lope ayudó a establecer el uso de la
glosa en la comedia nueva. Le venía al dedillo para fijar el estado psicológico
del amante, tal como sugiere Leo Spitzer en su reseña a la edición de van
Dam en *Archivum Romanicum*, XIII (1929), pág. 410: «Diese sonderbare Klam-
merform des Verses ist nur Sinnbild der seelischen Eingeklemmtheit des Hel-
den, die paradoxe Form des Glossens Sinnbild der gestörten Harmonie
zwischen Korper und Geist, Sein- und Nichtseinsgefühlen des gottlosen Zustan-
des»; véase Hans Janner, «La glosa española: estudio histórico de su métrica y de
sus temas», *RFE*, XXVII (1943), pág. 218; Dixon anota [1973], pág. 75, nota 37:
«The gloss is thus central, even mathematically, to the encounter proper; and
all the *quintillas* —rather exceptionally— have the same rhyme-scheme, ababa»;
Morley y Bruerton [1968], pág. 108; Jorner, art. cit., pág. 232, cita de Lope:
«Deseosos estaban las gentes de oír glosas, propia y antiquísima composición
de España, no usada jamás de otra nación ninguna.»
1926-1927 Por boca de Juan de Mairena, el personaje apócrifo de Antonio
Machado, comenta éste estos versos: «Reparará en que el poeta no hace suya
la afirmación, sino que declina o elude la responsabilidad del aserto. Reparar
en la elegancia del empleo de los 'impersonales' y en la probidad de algunos
poetas.» Véase Antonio Machado, *Juan de Mairena,* ed. de José María Valverde, Madrid, Castalia, 1971, pág. 143.

A decir que soy quien soy,
tal estoy, que no me atrevo,
y por tales pasos voy,
que aun no me acuerdo que debo
a Dios la vida que os doy.                    1940
Culpa tenemos los dos
del no ser que soy agora,
pues olvidado por vos
de mí mismo estoy, señora,
sin mí, sin vos, y sin Dios.                  1945
Sin mí no es mucho, pues ya
no hay vida sin vos, que pida
al mismo que me la da;
pero sin Dios, con ser vida,
¿quién sino mi amor está?                     1950
Si en desearos me empleo,
y él manda no desear
la hermosura que en vos veo,
claro está que vengo a estar
sin Dios, por lo que os deseo.                1955

---

1936 *soy quien soy:* Leo Spitzer discute extensamente la diferencia entre el
«soy el que soy», respuesta que da Dios a Moisés (Ex. 3, 14), y el «soy quien
soy» de la comedia española del siglo XVII; cfr. L. Spitzer, «Soy quien soy»,
*Nueva Revista de Filología Hispánica,* I (1947), págs. 113-127. Con tal frase se
asume la necesidad de actuar de acuerdo con lo que uno es o supone ideal-
mente que es. La misma frase expresa Sancho en *La estrella de Sevilla,* comedia de dudosa atribución *(RHi,* XLVIII [1920]), «"Soy quien soy" repiten
cientos de veces», escribe José Antonio Maravall, «en obras de Lope, Ruiz de
Alarcón, Rojas Zorrilla, Calderón, Moreto, etc., sus personajes nobles», *Teatro y literatura en la sociedad barroca,* Madrid, Seminarios y Ediciones, 1972,
pág. 99.
1952-1953 En mente tiene Federico el mandato divino: «nec desiderabis
uxorem eius» (Ex. 20, 12), y en contraposición la teoría platónica de la hermosura como fuente apetecible y origen del amor, comentada extensamente por León Hebreo en sus *Diálogos de amor,* trad. de Carlos Mazo, ed. de
José María Reyes Cano, Barcelona, PPU, 1986, pág. 393: «el amor apasiona-
do, que instiga al amante, se refiere siempre a alguna cosa bella» (4.1.3). Alexander A. Parker diserta brevemente sobre la naturaleza del amor de Federico, *La filosofía del amor en la literatura española 1480-1680,* Madrid, Cátedra,
1986, págs. 161-162.

```
          ¡O, qué loco barbarismo
       es presumir conservar
       la vida en tan ciego abismo
       hombre que no puede estar
       ni en vos, ni en Dios, ni en sí mismo!      1960
          ¿Qué habemos de hacer los dos,
       pues a Dios por vos perdí,
       después que os tengo por Dios,
       sin Dios, porque estáis en mí,
       sin mí, porque estoy sin vos?                1965
          Por haceros sólo bien,
       mil males vengo a sufrir;
       yo tengo amor, vos desdén,
       tanto, que puedo decir:
       ¡mirad con quién y sin quién!                1970
          Sin vos y sin mí peleo
       con tanta desconfianza:
       sin mí, porque en vos ya veo
       imposible mi esperanza;
       sin vos, porque no os poseo.                 1975
```

CASANDRA.    Conde, cuando yo imagino
a Dios y al Duque, confieso
que tiemblo, porque adivino
juntos para tanto exceso
poder humano y divino;              1980
pero viendo que el amor
halló en el mundo disculpa,

---

1956 *barbarismo*: «desorden, brutalidad y barbaridad en el modo de obrar y proceder» *(Aut.)*.

1961 *habemos*: «hemos». Véase Menéndez Pidal, *Manual de gramática histórica española, op. cit.*, págs. 302-303 (116, 2).

1970 Van Dam refiere este verso a una conocida glosa, frecuente en los siglos XVI y XVII que reza: «Con amor y sin dinero, / ¡mirad con quien y sin quién / para que me encuentre bien!» De tales expresiones paradójicas está empedrada la comedia nueva de Lope. En una de sus primeras comedias, *El último godo de España* (atribuible a Lope), el personaje Rodrigo acude a tal fraseología al expresar, «estaba sin mí, y conmigo» *(Ac.*, VII, pág. 79a).

1977 La relación entre Dios y el Duque (poder divino/poder humano) implica una conciencia de romper unas leyes; se contempla a partir de la violación del orden social y familiar establecido, y del castigo.

hallo mi culpa menor,
porque hace menor la culpa
ser la disculpa mayor.                               1985
       Muchas ejemplo me dieron,
que a errar se determinaron,
porque los que errar quisieron
siempre miran los que erraron,
no los que se arrepintieron.                          1990
       Si remedio puede haber,
es huir de ver y hablar;
porque con no hablar ni ver,
o el vivir se ha de acabar,
o el amor se ha de vencer.                            1995
       Huye de mí, que de ti
yo no sé si huir podré,
o me mataré por ti.

FEDERICO.    Yo, señora, moriré;
que es lo más que haré por mí.                        2000
       No quiero vida; ya soy
cuerpo sin alma, y de suerte
a buscar mi muerte voy,
que aun no pienso hallar mi muerte,
por el placer que me doy.                             2005

---

1986 *Parte XXI*: «Muchos ejemplos». *Suelta* presenta en corrección a mano, «muchas».

1987 Kossoff transcribe «errar», aunque en el Ms. se lee claramente «a errar».

1989 *Suelta*, «las que».

1998 La versión original de Lope («o me mataría [mataré] por ti»), que sigue Jones («mataré»), fue tachada, y encima, con caligrafía distinta, se escribió: «o me daré muerte aquí». *Suelta* y *Parte XXI* tienen «o me daré muerte a mí». Lo que Lope escribió fue «mataré», y no «mataría» (así leen Jones y van Dam). Entre la «r» [-ría] y la «p» [por], observa atinadamente Kossoff, no caben las dos vocales («i», «a»). Pero la forma del condicional («mataría») tampoco se ajusta a la intensa amenaza y determinación que mueve el discurso de Casandra. Poesse —quien sigue la lectura de Kossoff— observó en los autógrafos de Lope sólo cuatro casos de esta forma (no tuvo en cuenta *El castigo sin venganza*) en contra de más de sesenta de sinéresis. A Díez Borque (ed., 1988, pág. 221), le convence «la rareza de la sinéresis del condicional», que apunta Kossoff, y conserva también «mataría». Véase W. Poesse, *The Internal-Line Structure of Thirty Autograph Plays of Lope de Vega*, Bloomington, Indiana University, 1949, págs. 35-36; 38; Kossoff, ed., 1968, págs. 321-322, nota.

226

|              | Sola una mano suplico |      |
|              | que me des; dame el veneno |      |
|              | que me ha muerto. |      |

CASANDRA.                               Federico,
                      todo principio condeno,
                      si pólvora al fuego aplico.        2010
                      Vete con Dios.

FEDERICO.                             ¡Qué traición!

CASANDRA.  Ya determinada estuve;
                      pero advertir es razón
                      que por una mano sube
                      el veneno al corazón.             2015

FEDERICO.  Sirena, Casandra, fuiste;
                      cantaste para meterme
                      en el mar, donde me diste
                      la muerte.

CASANDRA.                     Yo he de perderme;
                      tente, honor; fama, resiste.     2020

FEDERICO.  Apenas a andar acierto.

CASANDRA.  Alma y sentidos perdí.

FEDERICO.  ¡O qué extraño desconcierto!

CASANDRA.  Yo voy muriendo por ti.

FEDERICO.  Yo no, porque ya voy muerto.       2025

---

2010 *si pólvora al fuego aplico:* idea del pelícano que al golpear sus alas sobre el fuego lo agita, y así acaba pereciendo. Véanse vv. 1502-1519.

2011 El «Aparte» fue insertado en *Parte XXI* después de este verso. Se puede aplicar no sólo a los vv. 2012-2015, sino también, como indica Kossoff (ed., 1968, pág. 322), a los siguientes de Federico (vv. 2016-2019); son parte del mismo diálogo. Expresan la «enajenación de los amantes quienes todavía se dirigen el uno al otro hasta el final del acto».

2116 *Sirena:* símbolo de la seducción atrayente y peligrosa; del irrefrenable deseo. El mito alude a la dulce melodía de estas ninfas marinas que encantaban a los navegantes y los obligaban a sumergirse en el mar para no dejar de oírlas; son «trofeos dulces de un canoro sueño» en verso inmejorable de Góngora («Soledad primera», vv. 1234-1237).

2117 *Suelta, Parte XXI:* «matarme»; *Suelta* corrige a mano «meterme».

2020 *Parte XXI* presenta, después de este verso, la siguiente acotación «(Entrándose cada uno por su parte)»; *Suelta, Parte XXI:* «ten honor»; *tente:* en sentido de «detente».

227

CASANDRA. Conde, tú serás mi muerte.
FEDERICO. Y yo, aunque muerto, estoy tal
           que me alegro, con perderte,
           que sea el alma inmortal,
           por no dejar de quererte.       2030

2026-2030 *Suelta* y *Parte XXI* no incluyen estos versos. Los versos están tachados con rayas al revés, forma de tachar no común en Lope. Díez Borque conjetura (ed., 1988, pág. 224) que detrás de tal supresión «puede haber alguna razón de autocensura de Lope o de los editores, habida cuenta de que cabe ver cierta irreverencia en esa "alma inmortal" enamorada, en esa muerte de amor».

# Acto tercero

(AURORA, *y el* MARQUÉS.)

| | | |
|---|---|---|
| AURORA. | Yo te he dicho la verdad. | |
| FLORO. | No es posible persuadirme. | |
| | Mira, si nos oye alguno, | |
| | y mira bien lo que dices. | |
| AURORA. | Para pedirte consejo, | 2035 |
| | quise, Marqués, descubrirte | |
| | esta maldad. | |
| MARQUÉS. | ¿De qué suerte | |
| | ver a Casandra pudiste | |
| | con Federico? | |
| AURORA. | Está atento. | |
| | Yo te confieso que quise | 2040 |
| | al Conde, de quien lo fui, | |
| | más traidor que el griego Ulises. | |
| | Creció nuestro amor el tiempo; | |
| | mi casamiento previne, | |

---

2041 *de quien lo fui:* «lo» alude a «querida», en referencia al verso previo «quise» («quiso», en nota de Jones). Véase van Dam (ed., 1928, págs. 371-372), para más ejemplos del uso del zeugma; también Kossoff, ed., 1968, pág. 325.

2042 *Ulises:* se alude al episodio del caballo de Troya, y a la caída de esta ciudad en manos de los Atenienses. La caracterización de Ulises como «engañoso» o «traidor» abunda en los textos clásicos latinos. Así en Horacio, «duplicis... Ulixei» *(Cam,* I, LI, 7); Virgilio lo califica de inventor de crímenes: «scelerum... inventor Ulixes» *(Eneida,* II, 164) (Kossoff, ed., 1968, pág. 325, nota); Gitlitz [1980], pág. 29.

cuando fueron por Casandra,                    2045
en fe de palabras firmes,
si lo son las de los hombres,
cuando sus iguales sirven.
Fue Federico por ella,
de donde vino tan triste                       2050
que en proponiéndole el Duque
lo que de los dos le dije,
se disculpó con tus celos,
y como el amor permite
que cuando camina poco                         2055
fingidos celos le piquen,
díselos contigo, Carlos;
pero el mismo efeto hice
que en un diamante; que celos
donde no hay amor no imprimen.                 2060
Pues viéndome despreciada,
y a Federico tan libre,
di en inquirir la ocasión;
y como celos son linces
que las paredes penetran,                      2065
a saber la causa vine.
En correspondencia tiene,
sirviéndole de tapices

---

2046 *fe:* «dar crédito y asenso a alguna cosa» *(Cov.)*. En Ms. se lee, como ya observamos, «fee». Véanse vv. 747, 833, 2172.

2060 *imprimen:* uso en forma intransitiva, no común. No está documentada en *Cov.* ni en *Aut.* Van Dam (ed., 1928, pág. 373) califica este verbo de «neutro», y le da el significado de «producir, causar impresión».

2062 *libre:* «ajeno, indiferente».

2067 *correspondencia:* «en arquitectura es cuando los lados y partes del edificio se remedan unos a otros, y hacen perspectiva y obra» *(Cov.)*. Díez Borque (ed., 1988, pág. 231) indica: «creo que quiere decir Lope —y así lo necesita por el argumento— que en lugar de tapices (forma habitual de decoración) los camarines estaban decorados con "retratos, vidrios y espejos"; como son simétricos, el espejo de un camarín bien pudo reflejar la imagen de lo que ocurría en el otro lado: los amantes ocultos a la vista, pero no al espejo que estaba enfrente».

2068 Jones indica que el indirecto «le» puede referirse a «tocador»; otros editores a «camarines».

Página del tercer acto de *El castigo sin venganza*.

retratos, vidrios y espejos,
dos iguales camarines                                    2070
el tocador de Casandra;
y como sospechas pisen
tan quedo, dos cuadras antes
miré y vi ¡caso terrible!
en el cristal de un espejo,                              2075
que el Conde las rosas mide
de Casandra con los labios.
Con esto, y sin alma, fuime
donde lloré mi desdicha,
y la de los dos que viven,                               2080
ausente el Duque, tan ciegos
que parece que compiten
en el amor y el desprecio,
y gustan que se publique
el mayor atrevimiento                                    2085
que pasara entre gentiles,
o entre los desnudos cafres

---

2069 *vidrios:* «se llama cualquier pieza o vaso formada de él»; «cualquier
cosa muy delicada y quebradiza» *(Aut.).* En Ms. «vidros».

2070 *camarines:* «el retrete donde tienen las señoras sus porcelanas, barros,
vidrios y otras cosas curiosas» *(Aut.).*

2072 *pisen:* «tocar o estar cerca» *(Aut.).*

2073 *cuadras:* sala o pieza espaciosa *(DRAE).*

2075-2077 Aurora observó a través de un espejo los besos de Federico en
las mejillas de Casandra. La relación de los varios espacios (el real y el refle-
jado) la expresa la pintura de la época, y el motivo, tan del Barroco, del «espejo en el espejo». Es símbolo común del autoconocimiento. Le revela a
Aurora la esquivez de Federico hacia ella y sus engañosas excusas. La transgresión moral se revela a través de un espejo. Al igual que éste fue fatal para
Medusa, lo será también para Casandra. Su muerte, como la del personaje
mitológico, es causada, indirectamente, por el ojo espía. El espejo fue consagrado como símbolo por Cesare Ripa, *Nova Iconologia,* Roma, 1573; edición ilustrada, 1603; Ernst Curtius, *Literatura europea y Edad Media latina,* I,
México, Fondo de Cultura Económica, 1976, pág. 472. Para su función en
las artes decorativas, véase Julián Gállego, «El espejo en el espejo», en *El cuadro dentro del cuadro,* Madrid, Cátedra, 1984, págs. 95-111.

2083 *Parte XXI:* «y desprecio».

2087 *cafres:* «llaman así a los naturales de la costa de África [...], y a semejanza se llama Cafre al hombre barbado y cruel» *(Aut.).*

que lobos marinos visten.
Pareciome que el espejo
que los abrazos repite,                    2090
por no ver tan gran fealdad,
escureció los alindes;
pero más curioso amor
la infame impresa prosigue,
donde no ha quedado agravio               2095
de que no me certifique.
El Duque dicen que viene
victorioso, y que le ciñen
sacros laureles la frente
por las hazañas felices                    2100
con que del Pastor de Roma
los enemigos reprime.
Dime, ¿qué tengo de hacer
en tanto mal? Que me afligen
sospechas de mayor daño,                   2105
si es verdad que me dijiste
tantos amores con alma;

---

2088 *lobos marinos:* alusión a la piel de la foca que usan estos cafres a modo
probablemente de taparrabos; Ravisius Textor, *Officina,* fol. 50 v.°. Aurora
quiere así grabar en la imaginación del espectador estas relaciones vistas como
monstruosas. Implica la idea establecida en la época de que las cosas cuanto
más alejadas de la civilización se hacían más raras y eran más fáciles de usar en
la comparación como términos extremos. Véase Mary W. Helms, *Ulysses Sail:
An Ethnological Odyssey of Power, Knowledge, and Geographic Distance,* Princeton, Princeton University Press, 1988, pág. 14 y ss. (gentileza de Luis Avilés).
2090 *Parte XXI:* «a los brazos».
2092 *alindes:* «se llama así un género de espejo grueso y cóncavo, que puesto contra los rayos del sol enciende y quema la parte a donde endereza su reflejo» *(Aut.).* Es decir, el mismo espejo, por no ver tal fealdad, oscureció su
propio reflejo para ocultar, de este modo, el nefasto encuentro de los sacríle-
gos amantes.
2094 *impresa:* forma arcaica de empresa (Lapesa, *Historia de la lengua española, op. cit.,* págs. 367-417). Así se escribe en *Suelta* y *Parte XXI.*
2096 *certifique:* «asegurar, afirmar, dar por cierta alguna cosa» *(Aut.);* el amor
de Federico y Casandra confirma («que no se certifique») el agravio u ofensa
cometida contra el Duque.
2107 *con alma:* es decir, sinceramente.

                    aunque soy tan infelice
                    que parecerás al Conde
                    en engañarme o en irte.                2110
MARQUÉS.            Aurora, la muerte sola
                    es sin remedio invencible,
                    y aun a muchos hace el tiempo
                    en el túmulo Fenices;
                    porque dicen que no mueren         2115
                    los que por su fama viven.
                    Dile que te case al Duque;
                    que como el sí me confirmes,
                    con irnos los dos a Mantua,
                    no hayas miedo que peligres;          2120
                    que si se arroja en el mar,
                    con el dolor insufrible
                    de los hijos que le quitan
                    los cazadores, el tigre,
                    cuando no puede alcanzarlos,          2125
                    ¿qué hará el ferrarés Aquiles
                    por el honor y la fama?
                    ¿Cómo quieres que se limpie

---

2108 *infelice:* uso aquí de la -e paragógica por efectos de rima; «infeliz».

2114 *Fenices:* plural de Fénix, usado propiamente en la poesía. Alusión mítica al ave de Arabia que, según el mito, renacía de sus propias cenizas. *Parte XXI,* «felices». Un año antes de salir *El castigo sin venganza,* José Pellicer de Salas Tovar (véase «Introducción»), saca *El Fénix y su historia natural, escrita en veinte y dos Exercitaciones, Diatribas, o Capítulos,* Madrid, 1630, y en la misma fecha el poema del conde de Villamediana (Juan de Tassis), *La Fénix,* se incluye en sus *Obras.* Las recopila Dionisio Hipólito de los Valles, Zaragoza, Juan de Lanaja, 1629, págs. 267-287. San Isidoro, *Etimologías* (XII, 7-22), ayudó a asentar el mito sobre esta ave fabulosa. *Parte XXI:* «felices».

2120-2025 Edward Topsell, *The History of Four-footed Beasts,* Londres, 1607, anota Jones (ed., 1966, pág. 133) documenta que, cuando esta bestia —el tigre— veía que sus hijos eran arrebatados, y que nunca iba a verlos, daba tales maullidos sobre la costa del mar, que muchas veces moría en el mismo sitio. Describe algunas de sus características la *Officina* de Ravisius Textor (fol. 39).

2126 *ferrarés Aquiles:* el duque de Ferrara. Aquiles fue celebrado héroe en la conquista de Troya. Fue muerto por la flecha que Paris le disparó y que le hirió en el talón.

234

tan fea mancha sin sangre,
para que jamás se olvide, 2130
si no es que primero el cielo
sus libertades castigue,
y por gigantes de infamia
con vivos rayos fulmine?
Este consejo te doy. 2135

AURORA. Y de tu mano le admite
mi turbado pensamiento.

MARQUÉS. Será de la nueva Circe
el espejo de Medusa,
el cristal en que la viste. 2140

---

2129 *fea mancha sin sangre:* contra este ritual de limpiar la mancha de la deshonra con la sangre derramada de la víctima, Lope diserta extensamente, como ya hemos indicado, en *La más prudente venganza*, incluida en *Novelas a Marcia Leonarda*, y por primera vez en *La Circe*, Madrid, 1624. Cfr. *Novelas a Marcia Leonarda*, ed. de F. Rico, ed. cit., págs. 108 y 141-142. Tanto la venganza como el duelo son los aspectos más dramáticos del concepto de la honra, «y se relacionan a las dimensiones sociológicas, éticas y jurídicas del concepto», escribe Eduardo Forastieri [1976], págs. 58-89; en concreto, pág. 67, nota 19, con extensas referencias bibliográficas.

2133-2134 *gigantes de infamia:* alusión a la revuelta de los gigantes que fueron fulminados por el rayo de Júpiter. Simbolizan la trivialidad («infamia») magnificada; la desmesura en provecho de los instintos corporales. En *Suelta* aparece la -e de «fulmine» corregida a mano, observa también Díez Borque (ed., 1988, pág. 234).

2136 *Y de tu mano:* en el sentido de «tu parte». En *Suelta* la «Y» está también añadida a mano.

2138 *Circe:* al motivo mítico de Circe, quien transformaba a los hombres en animales (cerdos, lobos, elefantes; *Met.* XIV, v. 247), Lope le dedicó un poema (1624) que lleva el mismo título. En *Arcadia* (1589) la califica de «hechicera famosa», y en *Circe* alude a las «hiervas benéficas» con las que transformaba a los hombres en bestias (I, 19). De acuerdo con Homero *(Odisea*, libro X), era de terrible aspecto; según otras versiones, combinaba una atractiva hermosura con el maligno don de sus hechizos; Geraldine Cleary Nichols [1977], pág. 222.

2139 *Medusa:* famosa hechicera de mirada torva que convertía en piedra a quien la miraba. Perseo, en su intento de aniquilarla, la vio tan sólo a través de la imagen que se reflejaba en el brillante escudo que Minerva le había regalado *(Met.*, IV, vv. 770 y ss.). Del mismo modo que Perseo se salva de Medusa a través de la imagen reflejada en el espejo, igual acaece a Aurora. Se salva ésta de los engaños de Casandra (Medusa) y de su víctima (Federico), al ver reflejados sus amorosos actos en el espejo de una sala del palacio de Ferrara. Janet Horrowitz Murray ve el espejo (vv. 1174-1178) como metáfora «for moral revelation» [1979], págs. 19-21; es también reflejo de acciones (v. 742); símil de otra representación (vv. 983-985); testigo y repetición de una infracción moral (vv. 2074-2077; 2089-2092).

(FEDERICO, y BATÍN.)

| | | |
|---|---|---|
| FEDERICO. | ¿Que no ha querido esperar | |
| | que salgan a recibirle? | |
| BATÍN. | Apenas de Mantua vio | |
| | los deseados confines, | |
| | cuando dejando la gente, | 2145 |
| | y aun sin querer que te avisen, | |
| | tomó caballos y parte; | |
| | tan mal el amor resiste, | |
| | y los deseos de verte, | |
| | que aunque es justo que le obligue | 2150 |
| | la Duquesa, no hay amor | |
| | a quien el tuyo no prive; | |
| | eres el sol de sus ojos, | |
| | y cuatro meses de eclipse | |
| | le han tenido sin paciencia. | 2155 |
| | Tú, Conde, el triunfo apercibe | |
| | para cuando todos vengan; | |
| | que las escuadras que rige | |
| | han de entrar con mil trofeos | |
| | llenos de dorados timbres. | 2160 |
| FEDERICO. | Aurora, ¿siempre a mis ojos | |
| | con el Marqués? | |
| AURORA. | ¡Qué donaire! | |
| FEDERICO. | ¿Con ese tibio desaire | |
| | respondes a mis enojos? | |
| AURORA. | ¿Pues qué maravilla ha sido | 2165 |
| | el darte el Marqués cuidado? | |
| | Parece que has despertado | |
| | de cuatro meses dormido. | |

---

2143 *Suelta, Parte XXI:* «el Duque vio».

2152 *prive:* privar, «tener valimiento y familiaridad con algún príncipe o superior, y ser favorecido de él» *(Aut.);* Kossoff da la acepción de «tener preferencia» (ed., 1968, pág. 330).

2154 *eclipse:* referencia a los cuatro meses que dura la ausencia del Duque.

2160 *timbres:* insignia que se coloca encima del escudo de armas para distinguir los grados de nobleza *(DRAE);* también acción gloriosa o cualidad personal que ensalza y ennoblece.

| MARQUÉS. | Yo, señor Conde, no sé | 2170 |
| | ni he sabido que sentís | |
| | lo que agora me decís; | |
| | que a Aurora he servido en fe | |
| | de no haber competidor, | |
| | y más, como vos lo fuera, | 2175 |
| | a quien humilde rindiera | |
| | cuanto no fuera mi amor. | |
| | Bien sabéis que nunca os vi | |
| | servirla, mas siendo gusto | |
| | vuestro, que la deje es justo, | |
| | que mucho mejor que en mí | 2180 |
| | se emplea en vos su valor. | |

*(Vase el [MARQUÉS].)*

| AURORA. | ¿Qué es esto que has intentado? | |
| | ¿O qué frenesí te ha dado | |
| | sin pensamiento de amor? | |
| | ¿Cuántas veces al Marqués | 2185 |
| | hablando conmigo viste, | |
| | desde que diste en ser triste, | |
| | y mucho tiempo después? | |
| | Y aun no volviste a mirarme, | |
| | cuanto más a divertirme. | 2190 |
| | ¿Agora celoso y firme, | |
| | cuando pretendo casarme? | |
| | Conde, ya estás entendido; | |
| | déjame casar, y advierte | |
| | que antes me daré la muerte | 2195 |
| | que ayudar lo que has fingido. | |
| | Vuélvete, Conde, a estar triste, | |
| | vuelve a tu suspensa calma; | |

---

2174 *Suelta* y *Parte XXI* incluyen «y mas si como vos fuera». Para la equivalencia de «como» y «si», véase Bello y Cuervo, *Gramática de la lengua castellana, op. cit.*, pág. 373.

2182 El Ms. incluye como acotación «Vase el Conde»; pero alguien distinto de Lope corrigió y cambió «Conde» por «Marqués». Tal enmienda, con más sentido, es seguida en *Suelta* y *Parte XXI*.

2193 *ya estás entendido:* «ya conoces tu intención».

237

que tengo muy en el alma
los desprecios que me hiciste.                    2200
  Ya no me acuerdo de ti.
¿Invenciones? ¡Dios me guarde!
¡Por tu vida, que es muy tarde
para valerte de mí!

*(Vase AURORA.)*

BATÍN.        ¿Qué has hecho?
FEDERICO.                    No sé, por Dios.      2205
BATÍN.   Al Emperador Tiberio
pareces, si no hay misterio
en dividir a los dos.
  Hizo matar su mujer,
y habiéndose ejecutado,                           2210
mandó a la mesa sentado
llamarla para comer.
  Y Mesala fue un romano
que se le olvidó su nombre.
FEDERICO.   Yo me olvido de ser hombre.          2215
BATÍN.   O eres como aquel villano
  que dijo a su labradora,
después que de estar casados
eran dos años pasados:
«Ojinegra es la señora.»                          2220

———————

2202-2204  La puntuación de Jones es bastante diferente de la de Kossoff. El
crítico inglés puntúa de la siguiente manera: «¡Invenciones! Dios me guarde: /
por tu vida, que es muy tarde / para valerte de mí.» El sustantivo «invenciones»
debe ir entre signos de interrogación, seguido de la frase exclamativa «Dios me
guarde! ¡Por tu vida!, [...]». Se ajusta al ánimo, un tanto irritado, de Aurora, que
exclama admirada ante la proposición de Federico de casarse con ella.
2206-2208  *Tiberio:* no fue Tiberio sino Claudio el que mató a su esposa
Mesalina, de acuerdo con el relato de Suetonio *(De vita Caesarum,* V. 39). El
significado parece ser, «si es que hay algún sentido en hacer diferencias entre
los dos» (Jones, ed. 1966, pág. 134). Dixon [1973] documenta el verso en Na-
harro; véase Gillet, *Propalladia,* III, 712.
2208  *en dividir a los dos:* «en separar al Marqués y a Aurora».
2213  *Mesala:* se alude a Mesala Corvinus, mencionado en la *Historia natu-
ralis* de Plinio (7, 90), quien llegó a olvidar su nombre a consecuencia de una
caída. Batín compara el olvido de Federico hacia Aurora con el de estos dos
personajes, y añade el ejemplo del labrador (vv. 2216-2220).

238

| FEDERICO. | ¡Ay, Batín, que estoy turbado, | |
| | y olvidado desatino! | |
| BATÍN. | Eres como el vizcaíno | |
| | que dejó el macho enfrenado, | |
| | y viendo que no comía, | 2225 |
| | regalándole las clines, | |
| | un galeno de rocines | |
| | trujo a ver lo que tenía; | |
| | el cual, viéndole con freno, | |
| | fuera al vizcaíno echó; | 2230 |
| | quitóle, y cuando volvió, | |
| | de todo el pesebre lleno | |
| | apenas un grano había, | |
| | porque con gentil despacho, | |
| | después de la paja, el macho | 2235 |
| | hasta el pesebre comía. | |
| | «Albéitar, juras a Dios», | |
| | dijo, «es mejor que dotora, | |

---

2223-2224  La anécdota o chiste del vizcaíno y su mula se hizo popular en la
España del siglo XVII. La recoge Maxime Chevalier en su edición de *Cuentecillos
tradicionales en la España del Siglo de Oro*, Madrid, Gredos, 1975, págs. 265-267. Donald McGrady [1983], pág. 56, sugiere la siguiente interpretación de la anécdota
contada por Batín: Federico es a modo de vizcaíno. No permite que su «mula»
(Aurora) pueda comer otra «cebada» (amar al marqués Gonzaga), ya que la mantiene retenida con la obligación de sus pasados amores. Apunta McGrady a un
tercer nivel, donde el trío se podría establecer entre las relaciones del Duque (vizcaíno), Casandra (mula) y el albéitar (Federico); Peter W. Evans [1979], pág. 332.

2226  *clines: Suelta* y *Parte XXI*: «crines».

2227  *galeno de rocines:* alusión humorística al oficio del veterinario; en
v. 2237 se le denomina «albéitar», palabra árabe derivada del verbo *béitar* (curar
bestias). Tanto los tratados médicos de Galeno como los de Hipócrates, escritos
en latín, fueron lectura común en los siglos XVI y XVII; véase nota al v. 1892.

2237-2240  Imitación burlesca, en castellano, del hablante vascuence que tiende a usar la segunda persona del singular en vez de la primera. Este tipo un tanto
cómico del vasco y su manera de expresarse en castellano fue uno de los tópicos
literarios en los siglos XVI y XVII. Lo trató extensamente Cervantes en su entremés
*El vizcaíno fingido*, en la comedia *La casa de los celos*, y en el capítulo 8 («Primera Parte») de *Don Quijote*. Así se dirige a Don Quijote un escudero, «que era vizcaíno»:
«Anda, caballero que mal andes; por el Dios que crióme, que, si no dejas coche,
así te matas como estás ahí vizcaíno.» *Suelta, Parte XXI*: «ahora» en el v. 2239.

2238  *dotora:* doctora, caso como en «efeto» de reducción de los grupos consonánticos cultos.

| | | |
|---|---|---|
| | y yo y macho desde agora | |
| | queremos curar con vos». | 2240 |
| | ¿Qué freno es éste que tienes, | |
| | que no te deja comer, | |
| | si médico puedo ser? | |
| | ¿Qué aguardas? ¿Qué te detienes? | |
| FEDERICO. | ¡Ay, Batín!, no sé de mí. | 2245 |
| BATÍN. | Pues estése la cebada | |
| | queda, y no me digas nada. | |

*(Entren* CASANDRA *y* LUCRECIA.*)*

| | | |
|---|---|---|
| CASANDRA. | ¿Ya viene? | |
| LUCRECIA. | Señora, sí. | |
| CASANDRA. | ¿Tan brevemente? | |
| LUCRECIA. | Por verte | |
| | toda la gente dejó. | 2250 |
| CASANDRA. | No lo creas; pero yo | |
| | más quisiera ver mi muerte. | |
| | En fin, señor Conde, ¿viene | |
| | el Duque mi señor? | |
| FEDERICO. | Ya | |
| | dicen que muy cerca está; | 2255 |
| | bien muestra el amor que os tiene. | |
| CASANDRA. | Muriendo estoy de pesar | |
| | de que ya no podré verte | |
| | como solía. | |

*(Aparte.)*

---

2247 *queda:* quieta.

2249 *tan brevemente:* es decir, «aceleradamente; con presteza, en poco tiempo» *(Aut.).*

2259 En el margen derecho del autógrafo Lope escribió una cruz con la indicación «aparte». Tal aparte, anota Kossoff (ed., 1968, pág. 334), indica que Lucrecia y Batín se quedan en la escena pero que no oyen lo que dicen Casandra y Federico. *Suelta* y *Parte XXI* dividen el v. 2259, y aplican la acotación tan sólo a Federico; lo mismo Jones. El hecho de que en el verso 2286 diga Federico «Qué te oirán», explica que bajo tal aparte se incluye tanto el discurso de Federico como el de Casandra.

| FEDERICO. | ¿Qué muerte | |
| | pudo mi amor esperar, | 2260 |
| | como su cierta venida? | |
| CASANDRA. | Yo pierdo, Conde, el sentido. | |
| FEDERICO. | Yo no, porque le he perdido. | |
| CASANDRA. | Sin alma estoy. | |
| FEDERICO. | Yo, sin vida. | |
| CASANDRA. | ¿Qué habemos de hacer? | |
| FEDERICO. | Morir. | 2265 |
| CASANDRA. | ¿No hay otro remedio? | |
| FEDERICO. | No, | |
| | porque en perdiéndote yo, | |
| | ¿para qué quiero vivir? | |
| CASANDRA. | ¿Por eso me has de perder? | |
| FEDERICO. | Quiero fingir desde agora | 2270 |
| | que sirvo y que quiero a Aurora, | |
| | y aun pedirla por mujer | |
| | al Duque, para desvelos | |
| | dél y de palacio, en quien | |
| | yo sé que no se habla bien. | 2275 |
| CASANDRA. | ¡Agravios! ¿no bastan celos? | |
| | ¿Casarte? ¿Estás, Conde, en ti? | |
| FEDERICO. | El peligro de los dos | |
| | me obliga. | |
| CASANDRA. | ¿Qué? Vive Dios, | |
| | que si te burlas de mí, | 2280 |
| | después que has sido ocasión | |
| | desta desdicha, que a voces | |

2265 *habemos:* véase nota al v. 1961.

2266 Jones omite la entrada de Federico quien dice «No», de manera que los vv. 2266-2268 se ven dichos por Casandra cuando proceden en realidad de Federico.

2271 *Suelta, Parte XXI:* «Aurora».

2273 *desvelos:* «privación del sueño por algún cuidado o accidente que le estorba» *(Aut.)*.

2274 *en quien:* es decir, «sobre quien», Bello y Cuervo, *Gramática de la lengua castellana, op. cit.,* pág. 128. Véanse vv. 670, 1430 y 1852. También se usa con valor plural (lat. *quem*), debido a la influencia de «que», invariable. El plural analógico «quienes» tarda en fijarse, Lapesa, *Historia de la lengua española, op. cit.,* págs. 289-324.

|            |                                      |      |
|------------|--------------------------------------|------|
|            | diga, ¡o qué mal me conoces!         |      |
|            | tu maldad y mi traición.             |      |
| FEDERICO.  | Señora.                              |      |
| CASANDRA.  | No hay que tratar.                   | 2285 |
| FEDERICO.  | Que te oirán.                        |      |
| CASANDRA.  | Que no me impidas.                   |      |
|            | Quíteme el Duque mil vidas,          |      |
|            | pero no te has de casar.             |      |

(FLORO, FEBO, RICARDO, ALBANO, LUCINDO, *el* DU-
QUE *detrás, galán, de soldado.*)

| RICARDO.  | Ya estaban disponiendo recibirte.              |      |
| DUQUE.    | Mejor sabe mi amor adelantarse.                | 2290 |
| CASANDRA. | ¿Es posible, señor, que persuadirte            |      |
|           | pudiste a tal agravio?                         |      |
| FEDERICO. | Y de agraviarse                                |      |
|           | quejosa mi señora la Duquesa,                  |      |
|           | parece que mi amor puede culparse.             |      |
| DUQUE.    | Hijo, el paterno amor, que nunca cesa          | 2295 |
|           | de amar su propia sangre y semejanza,          |      |
|           | para venir facilitó la empresa;                |      |
|           | que ni cansancio ni trabajo alcanza            |      |
|           | a quien de ver a sus queridas prendas          |      |
|           | más hiciera en sufrir larga esperanza.         | 2300 |

---

2291-2292 Jones (ed., 1966, pág. 134) supone que estas dos líneas corresponden a Casandra quien, en forma de aparte, se dirige a Federico. Siguiendo
esta lectura, el «agravio» sería la intención de Federico en casarse. Sin embargo, y de acuerdo con Kossoff (ed., 1968, pág. 336), es Casandra quien se dirige al Duque y el agravio alude a que éste, por llegar tan pronto e inesperada-
mente, no dio lugar a que se le recibiese triunfalmente. Véanse vv. 2292-2294.

2299 *Parte XXI:* «quien viene a ver a sus queridas prendas». Véanse vv. 419,
1572, 2337.

2300 En el Ms. y primeras ediciones se lee «más». Jones sigue el cambio llevado a cabo por Hartzenbusch (ed., *BAE*), quien lee «mal». Kossoff, y de
acuerdo eon la explicación de José F. Montesinos *(RFE,* XVI [1929], págs. 19-188),
deja «más». Montesinos comenta: «El sentido es más claro: "El separado de
sus queridas prendas desea volver a verlas, hace más, tiene más trabajo en la
dilación ('larga esperanza') que en todos los esfuerzos y penalidades que pueda costarle volver a ellas"» (pág. 185). Ambas lecturas son posibles. Como norma aceptamos, al igual que Kossoff, la del autógrafo siempre que esté avalada
por la *Suelta*. Tal es el caso. Dixon [1973] prefiere, a su vez, «más».

Y tú, señora, así es razón que entiendas
el mismo amor, y en igualarte al Conde
por encarecimiento no te ofendas.

CASANDRA.	Tu sangre y su virtud, señor, responde
que merece el favor; yo le agradezco,	2305
pues tu valor al suyo corresponde.

DUQUE.	Bien sé que a entrambos ese amor
[merezco,
y que estoy de los dos tan obligado,
cuanto mostrar en la ocasión me ofrezco.

Que Federico gobernó mi estado	2310
en mi ausencia, he sabido tan discreto,
que vasallo ninguno se ha quejado.

En medio de las armas os prometo,
que imaginaba yo con la prudencia
que se mostraba senador perfeto.	2315

¡Gracias a Dios que con infame ausencia
los enemigos del Pastor romano
respetan en mi espada su presencia!

Ceñido de laurel besé su mano,
después que me miró Roma triunfante,	2320
como si fuera el español Trajano.

Y así pienso trocar de aquí adelante
la inquietud en virtud, porque mi nombre
como le aplaude aquí después le cante;
que cuando llega a tal estado un
[hombre,	2325

---

2303  *encarecimiento:* «exageración» *(Cov.). Suelta:* «ofendos», si bien corregido a mano, observa también Diéz Borque (ed., 1988, pág. 244).

2305  Uso del «le» por «lo». Bello y Cuervo, *Gramática de la lengua castellana,
op. cit.,* pág. 291, nota 930, y págs. 474-476, nota 121.

2315  El orden es «la prudencia con que se mostraba»; van Dam (ed., 1928,
págs. 395-397) enumera un buen número de ejemplos que califica de «cons-
trucción viciosa».

2320  *Suelta, Parte XXI:* «triunfando».

2321  *Trajano:* Marcus Ulpius Trajanus fue el primer emperador procedente
de las provincias y, por lo tanto, el primer hispánico elevado a la dignidad impe-
rial. Se distinguió por sus aficiones culturales —fue amigo de Plinio el Joven—,
protegió las artes y las letras y fomentó la arquitectura y las obras públicas.

2323  *inquietud;* inquieto: «el que no tiene sosiego, reposo ni quietud» *(Cov.).*

|  | no es bien que ya que de valor mejora, |
|--|--|
|  | el vicio más que la virtud le nombre. |
| RICARDO. | Aquí vienen, señor, Carlos y Aurora. |

*(CARLOS y AURORA.)*

| AURORA. | Tan bien venido vuestra Alteza sea, | |
|--|--|--|
|  | como le está esperando quien le adora. | 2330 |
| MARQUÉS. | Dad las manos a Carlos, que desea | |
|  | que conozcáis su amor. | |
| DUQUE. | Paguen los brazos | |
|  | deudas del alma en quien tan bien se emplea. | |
|  | Aunque siente el amor los largos plazos, | |
|  | todo lo goza el venturoso día | 2335 |
|  | que llega a merecer tan dulces lazos. | |
|  | Con esto, amadas prendas, yo querría | |
|  | descansar del camino, y porque es tarde | |
|  | después celebraréis tanta alegría. | |
| FEDERICO. | Un siglo el cielo, gran señor, te guarde. | 2340 |

*(Todos se van con el DUQUE, y quedan BATÍN y RICARDO.)*

| BATÍN. | ¡Ricardo amigo! | |
|--|--|--|
| RICARDO. | ¡Batín! | |
| BATÍN. | ¿Cómo fue por esas guerras? | |
| RICARDO. | Como quiso la justicia, | |
|  | siendo el cielo su defensa. | |
|  | Llana queda Lombardía, | 2345 |
|  | y los enemigos quedan | |
|  | puestos en fuga afrentosa, | |

---

2327 *le nombre:* en sentido de distinción; renombre; calificar, dar fama.
2329 *Suelta, Parte XXI:* «También venido V. Alteza».
2331 *Dad las manos:* fórmula de cortesía.
2333 *Suelta, Parte XXI:* «a que también».
2345 *Llana:* «libre, sin obstáculos».

porque el león de la Iglesia
pudo con sólo un bramido
dar con sus armas en tierra.                    2350
El Duque ha ganado un nombre
que por toda Italia suena;
que si mil mató Saúl,
cantan por él las doncellas,
que David mató cien mil;                        2355
con que ha sido tal la enmienda
que traemos otro Duque;
ya no hay damas, ya no hay cenas,
ya no hay broqueles ni espadas,
ya solamente se acuerda                          2360
de Casandra, ni hay amor
más que el Conde y la Duquesa:
el Duque es un santo ya.

BATÍN.        ¿Qué me dices? ¿Qué me cuentas?
RICARDO.      Que como otros con las dichas      2365
dan en vicios y en soberbias,
tienen a todos en poco,
(tan inmortales se sueñan),
el Duque se ha vuelto humilde,

---

2348 *el león de la Iglesia:* obvia referencia al Papa, como se puede confirmar
en los versos siguientes y en el contexto de las luchas frecuentes del Papado
con los Estados vecinos. Kossoff indica que se alude al Duque y apoya su argumento en el v. 2397, en donde Ricardo se refiere al Duque como león
(vv. 2443-2445). El Papa es la figura de Pedro; en la iconografía medieval se representa bajo este animal. Es también figura de Cristo («Sic est saluator noster,
spiritualis leo de tribu Iuda, radix Dauid», Ap. 5, 5). De acuerdo con los *Emblemas* de Alciato, ed. de Mario Soria, Madrid, Editora Nacional, 1975, pág. 246, representa la «vigilancia y la guarda»: «Y en las entradas de la Iglesia a guisa / De
diligente guarda y jamás lerda / Está el león [...]»; Geraldine Cleary Nichols
[1977], págs. 218-219.
    2353-2355 1 Samuel 18, 6-7: «Porro cum reverteretur percusso Philisthaeo
David, egressae sunt mulieres de universis urbibus Israel, cantantes, chorosque
ducentes in occursum Saul regis, in tympanis laetitiae, et in sistris. Et praeci-
nebant mulieres ludentes, atque dicentes: Percussit Saul mille, / Et David de-
cem millia», *Biblia Vulgata*, ed. de Alberto Colunga y Laurentio Turrado, Madrid, Biblioteca de Autores Cristianos, 1965, pág. 235a; van Dam presenta
otros casos (ed., 1928, pág. 383).
    2359 *broqueles:* «escudos».

|  | y parece que desprecia | 2370 |
| | los laureles de su triunfo; | |
| | que el aire de las banderas | |
| | no le ha dado vanagloria. | |
| BATÍN. | ¡Plega al cielo que no sea, | |
| | después destas humildades, | 2375 |
| | como aquel hombre de Atenas, | |
| | que pidió a Venus le hiciese | |
| | mujer, con ruegos y ofrendas, | |
| | una gata dominica; | |
| | quiero decir, blanca y negra! | 2380 |
| | Estando en su estrado un día, | |
| | con moño y naguas de tela, | |
| | vio pasar un animal | |
| | de aquestos, como poetas, | |
| | que andan royendo papeles, | 2385 |
| | y dando un salto ligera | |
| | de la tarima al ratón, | |
| | mostró que en naturaleza | |
| | la que es gata será gata, | |

---

2374 *Suelta* y *Parte XXI,* «Plegue», «quiera el cielo».

2375 *Suelta:* «de estas».

2376-2391 La «gata de Venus» se incluye como motivo folclórico en el *Motif-Index* de Stith Thompson (J 1908.2). Lope lo recoge, documenta una vez más McGrady [1983], págs. 57-58 y nota 16, en *El ejemplo de casadas (Ac.,* XV, págs. 30a-b), en *El príncipe perfecto (Ac.* X, págs. 467d-468a), y en el soneto «Puso tan gran amor (si amor se llama)», de *Rimas humanas y divinas de Tomé de Burguillos,* cuyo título reza: «Casóse un galán con una dama y después andaba celoso» *(Poesía selecta,* ed. cit., pág. 476), con ramificaciones en *La Gatomaquia.* La fábula procede de Esopo y pasó a La Fontaine *(Fables,* II, 18) y Samaniego *(Fábulas,* V, 16). McGrady asocia la gata, como símbolo de la lujuria (recordemos el famoso soneto de Baudelaire), con Casandra. Véase también Geraldine Cleary Nichols [1977], págs. 209-230; van Dam, ed., 1928, pág. 384; Jones, ed., 1966, pág. 135; Kossoff, ed., 1968, pág. 340.

2379 *dominica:* la orden de los frailes mendicantes de Domingo de Guzmán, cuyos hábitos son de color blanco y negro.

2381 *estrado:* «la habitación y tarima donde las damas recibían a las visitas y donde está la *gata dominica* convertida en mujer. Fradejas Lebrero estudió la fábula esópica de Lope. Tal fábula aclara el sentido del v. 2800.

2382 *naguas de tela:* lo mismo que enaguas.

2386 *Suelta, Parte XXI:* «ligero». *Suelta* corrige a mano, cambiando a «ligera».

|           | la que es perra, será perra, | 2390 |
|           | *in secula seculorum.* | |
| RICARDO.  | No hayas miedo tú que vuelva | |
|           | el Duque a sus mocedades, | |
|           | y más si a los hijos llega, | |
|           | que con las manillas blandas | 2395 |
|           | las barbas más graves peinan | |
|           | de los más fieros leones. | |
| BATÍN.    | Yo me holgaré de que sea | |
|           | verdad. | |
| RICARDO.  | Pues, Batín, adiós. | |
| BATÍN.    | ¿Dónde vas? | |
| RICARDO.  | Fabia me espera. | 2400 |

*(Vase.)*

*(Entre el* DUQUE *con algunos memoriales.)*

| DUQUE. | ¿Está algún criado aquí? |
| BATÍN. | Aquí tiene vuestra Alteza |
|        | el más humilde. |
| DUQUE. | ¡Batín! |
| BATÍN. | Dios te guarde; bueno llegas. |
|        | Dame la mano. |

---

2391 *in saecula seculorum:* «por los siglos de los siglos». Sobre el uso del latín como recurso de comicidad, véase la nota de Díez Borque (ed., 1988, pág. 284), y el libro que cita de A. Torres Alcalá, *«Verbi gratia»: los escritores macarrónicos de España,* Madrid, J. Porrúa Turanzas, 1984.

2393 *mocedades:* «significa también la travesura o desorden, con que suelen vivir los mozos, por su poca experiencia; tómase regularmente por dimensión deshonesta o licenciosa» *(Aut.).* Véanse vv. 2442, 2517. El inicio dio lugar a una serie de obras literarias, tanto en verso *(Las mocedades de Rodrigo)* como teatrales *(Mocedades del Cid)* de Guillén de Castro. Sobre el nuevo cambio del Duque se establecen opiniones contrarias: Batín (vv. 2443-2448; 2800) frente a Ricardo (vv. 2361-2363).

2394 *si a los hijos llega:* «si llega a tener hijos».

2400 *memoriales:* «la petición que se da al juez o al señor para recuerdo de algún negocio» *(Cov.).* La carta o memorial, como recurso dramático, está presente en otras comedias de Lope. Véase una extensa relación en *El castigo del discreto,* ed. de William L. Fichter, Nueva York, Instituto de las Españas, 1925, nota al v. 1364. *Suelta* presenta la acotación «Vase» después de este verso.

| | | |
|---|---|---|
| DUQUE. | ¿Qué hacías? | 2405 |
| BATÍN. | Estaba escuchando nuevas | |
| | de tu valor a Ricardo, | |
| | que, gran coronista dellas, | |
| | Héctor de Italia te hacía. | |
| DUQUE. | ¿Cómo ha pasado en mi ausencia | 2410 |
| | el gobierno con el Conde? | |
| BATÍN. | Cierto, señor, que pudiera | |
| | decir que igualó en la paz | |
| | tus hazañas en la guerra. | |
| DUQUE. | ¿Llevóse bien con Casandra? | 2415 |
| BATÍN. | No se ha visto, que yo sepa, | |
| | tan pacífica madrastra | |
| | con su alnado; es muy discreta | |
| | y muy virtuosa y santa. | |
| DUQUE. | No hay cosa que la agradezca | 2420 |
| | como estar bien con el Conde; | |
| | que como el Conde es la prenda | |
| | que más quiero, y más estimo, | |
| | y conocí su tristeza | |
| | cuando a la guerra partí, | 2425 |
| | notablemente me alegra | |
| | que Casandra se portase | |
| | con él con tanta prudencia | |
| | que estén en paz y amistad; | |
| | que es la cosa que desea | 2430 |
| | mi alma con más afecto | |

2408 *coronista*: forma arcaica por «cronista». *Suelta*: «ques gran»; *Parte XXI*: «que es tan gran cronista dellas».

2409 *Héctor*: héroe troyano muerto por Aquiles en la defensa de su ciudad. Representó el baluarte de Troya. Su mismo nombre significa «el defensor», «el protector». El carácter de Héctor, escribe Pérez-Rioja, «simboliza las más positivas cualidades del héroe: el valor, la firmeza, la bravura, el recto criterio y el amor a la patria y a la familia, patentizado en su despedida de Andrómaca, uno de los más tiernos y conmovedores capítulos de la gran epopeya homérica» *(Diccionario de símbolos y mitos*, ed. cit., pág. 235b). Ms. transcribe «Hétor».

2415 *Parte XXI*: «Casandra».

2418 *alnado*: véase v. 646.

2420 *Suelta, Parte XXI*: «que le agradezco», variante difícil de constatar en Ms.

```
                de cuantas pedir pudiera
                al cielo; y así en mi casa
                hoy dos victorias se cuentan:
                la que de la guerra traigo,                    2435
                y la de Casandra bella,
                conquistando a Federico.
                Yo pienso de hoy más quererla
                sola en el mundo, obligado
                desta discreta fineza;                         2440
                y cansado juntamente
                de mis mocedades necias.
BATÍN.          Milagro ha sido del Papa
                llevar, señor, a la guerra
                al Duque Luis de Ferrara,                      2445
                y que un ermitaño vuelva.
                Por Dios, que puedes fundar
                otra Camáldula.
```

---

2434 *vitorias:* el Ms. presenta, como ya hemos observado, una reducción de los grupos consonánticos. Lo mismo en v. 2465.

2438 *de:* «desde»; es decir, desde hoy en adelante.

2440 *fineza:* «perfección, pureza y bondad de alguna cosa en su línea; delicadeza, primor» *(Aut.).*

2448 *Camáldula:* la variante «camándula» se halla en la *Parte XXI* y en ediciones posteriores. Orden religiosa fundada por Juan Romualdo al principio del siglo XI en Camaldoli, cerca de Florencia. Van Dam (ed. 1928, pág. 391) alude a la posible ironía de Batín al referirse a esta orden; no gozaba de buena reputación (Jones). Kossoff, sin embargo, desdice la interpretación de van Dam. La deriva del dicho «tener muchas camándulas». «Camandula» era también el «rosario que tiene sólo tres decenarios, cada uno con su *pater noster»;* y «enviar a vender camándulas» con el significado de «desacerse de la compañía de alguno, despidiéndose con desprecio» *(Aut.); «camandulo»* es el embustero, bellaco e hipócrita; «llámanse así porque regularmente rezan mucho» *(Aut.).* En gallego se recoge la expresión coloquial «ise é da camándula», que califica al individuo falso, aprovechado, que vive a cuenta de otros. Obviamente, la referencia de Batín es burlona ya que, si bien alude a la orden que se funda en Italia, indirectamente va dirigida al Duque quien, aparentemente arrepentido de su anterior vida licenciosa, puede iniciar otra nueva orden. Pero la asociación con el término objeto de la comparación, y con el mismo campo semántico que establece, pone en entredicho, en boca de Batín (no olvidemos su función de gracioso), el posible nuevo viraje en la vida del Duque. Los ermitaños, explica Wilson [1963], pág. 283, y nota 8, no tuvieron siempre buena reputación en la España del siglo XVII, y la camándula llegó a convertirse en pro-

| DUQUE. | Sepan | |
| | mis vasallos que otro soy. | |
| BATÍN. | Mas, dígame vuestra Alteza, | 2450 |
| | ¿cómo descansó tan poco? | |
| DUQUE. | Porque al subir la escalera | |
| | de palacio, algunos hombres | |
| | que aguardaban mi presencia | |
| | me dieron estos papeles, | 2455 |
| | y temiendo que son quejas, | |
| | quise descansar en verlos, | |
| | y no descansar con ellas. | |
| | Vete, y déjame aquí solo, | |
| | que deben los que gobiernan | 2460 |
| | esta atención a su oficio. | |
| BATÍN. | El cielo que remunera | |
| | el cuidado de quien mira | |
| | el bien público, prevenga | |
| | laureles a tus vitorias, | 2465 |
| | siglos a tu fama eterna. | |

*(Vase.)*

| DUQUE. | Éste dice: «Señor, yo soy Estacio, | |
| *(lea)* | que estoy en los jardines de palacio, | |

---

verbial para una conducta que no era ciertamente cristiana. Wilson recuerda
que Paulo, en *El condenado por desconfiado* de Tirso, era ermitaño, aludiendo a
otras referencias *(Don Quijote,* II, 14; *El Buscón).* B. Jiménez Patón, *Discurso de
los tufos, copetes y calvas,* Baeza, 1639, fol. 6r, escribe: «los reos, presos y deste-
rrados suelen dejar criar el cabello y barba por indicio de tristeza; y nuestros
ermitaños, que si bien habrá alguno bueno en ellos, temo no sean en más de
aquellos filósofos fingidos que murmura Juvenal: "Qui curios simulant et
Bachanalia bibunt"»; Américo Castro, *El pensamiento de Cervantes,* Barcelona,
Noguer, 1972, págs. 278-279 y 320, nota 126.

2457 *descansar en verlos:* «dejar la lectura de las quejas de los basallos para
otro momento» o «estar obligado a leerlas».

2467 Varias ediciones omiten la acotación «Vase», incluida en el Ms. bajo
una breve cruz, en el margen de la derecha, al final del último verso de Batín,
después del v. 2466. *Suelta* usa «lean» como acotación a lo largo del memorial;
*Parte XXI:* «lee el Duque» al principio, y en el resto «lee». En *Suelta* se omite
en vv. 2467, 2476; en *Parte XXI* se omite también en v. 2476.

250

y, enseñando a plantar yerbas y flores,
planté seis hijos: a los dos mayores          2470
suplico que le deis...» Basta, ya entiendo.
Con más cuidado ya premiar pretendo.
*(lea)*   «Lucinda dice que quedó viuda
del Capitán Arnaldo...» También pide.
*(lea)*   «Albano, que ha seis años que reside...»   2475
Éste pide también. *(lea.)* «Julio Camilo,
preso porque sacó...» Del mismo estilo.
*(lea)*   «Paula de San Germán, doncella honrada...»
Pues si es honrada, no le falta nada,
si no quiere que yo le dé marido.             2480
Éste viene cerrado, y mal vestido
un hombre me le dio, todo turbado,
que quise detenerle con cuidado.
*(lea)*   «Señor, mirad por vuestra casa atento;
que el Conde y la Duquesa en vuestra
[ausencia...»    2485
No me ha sido traidor el pensamiento;
habrán regido mal, tendré paciencia.
*(lea)*   «ofenden con infame atrevimiento
vuestra cama y honor». ¿Qué resistencia
harán a tal desdicha mis enojos?              2490
*(lea)*   «Si sois, discreto, os lo dirán los ojos.»
¿Qué es esto que estoy mirando?

---

2469 *Parte XXI:* «y enseñar».

2471 *Suelta* y *Parte XXI* (y ediciones posteriores) varían «le» por «les»; véase
v. 2305. Van Dam (ed., 1928, pág. 349) y Kossoff (ed., 1968, pág. 344) mantienen el «le» del Ms.; Díez Borque prefiere «les» (ed., 1988, pág. 253).

2481 Ediciones posteriores *(Ac.,* Kossoff) incluyen punto y coma después
de «mal vestido», concordando así la frase con «Éste» (el «sobre» que parece de
«mal aspecto»). En el autógrafo la puntuación es «éste viene cerrado, y mal
Vestido / un ombre, / me le dio todo turbado», por lo que «mal vestido» califica a «un hombre». El mismo sentido en *Suelta, Parte XXI,* y van Dam, entre
otros. «Mal vestido» bien puede aludir al estado del papel en el que está escrito el memorial, y no necesariamente al hombre que lo trajo, lectura que prefiere Díez Borque (ed., 1988, pág. 253).

2486 Es decir, no me he engañado. *Suelta* incluye «Duque» como acotación.

2489 *Suelta, Parte XXI:* «Duque.—Qué [...]».

2492 *Suelta, Parte XXI:* «Duque.—»

Letras, ¿decís esto o no?
¿Sabéis que soy padre yo
de quien me estáis informando                    2495
que el honor me está quitando?
Mentís; que no puede ser.
¿Casandra me ha de ofender?
¿No veis que es mi hijo el Conde?
Pero ya el papel responde                         2500
que es hombre, y ella mujer.
    ¡O fieras letras, villanas!
Pero diréisme que sepa
que no hay maldad que no quepa
en las flaquezas humanas.                         2505
De las iras soberanas
debe de ser permisión.
Ésta fue la maldición
que a David le dio Natán;
la misma pena me dan,                             2510
y es Federico Absalón.
    Pero mayor viene a ser,
cielo, si así me castigas;
que aquéllas eran amigas,
y Casandra es mi mujer.                           2515
El vicioso proceder
de las mocedades mías
trujo el castigo, y los días
de mi tormento, aunque fue

2508-2509 *Natán:* profeta que ejerció un gran influjo sobre David y su gobierno. Le reprendió duramente por la seducción de Betsabé y por la muerte de Urías: «Uriam Hethaeum percussisti gladio, et uxorem illius accepisti in uxorem tibi, et interfecisti eum gladio filiorum Ammon» (2 Sam. 12, 1-12; Sal 51, 2); Geraldine Cleary Nichols [1977], págs. 216-217; *Parte XXI:* «Alsalón».

2511 *Absalón:* dio muerte a su hermano Amnón y vengó así la violación de su hermana Tamar (2 Sam. 13, 1-29). Consagró estos amores incestuosos Tirso (*La venganza de Tamar*) y Calderón (*Los cabellos de Absalón*), que sale dos años después de *El castigo sin venganza*. Los consagró a su vez el *Romancero general*, X, ed. de Agustín Durán, Madrid, Atlas, 1945.

2514 *amigas:* «concubinas».

sin gozar a Bersabé,                              2520
ni quitar la vida a Urías.
    ¡O traidor hijo! ¿Si ha sido
verdad? Porque yo no creo
que emprenda caso tan feo
hombre de otro hombre nacido.                     2525
Pero si me has ofendido,
o si el cielo me otorgara
que después que te matara,
de nuevo a hacerte volviera,
pues tantas muertes te diera                      2530
cuantas veces te engendrara.
    ¡Qué deslealtad! ¡Qué violencia!
¡O ausencia, qué bien se dijo
que aun un padre de su hijo
no tiene segura ausencia!                         2535
¿Cómo sabré con prudencia
verdad que no me disfame
con los testigos que llame?
Ni así la podré saber,

---

2520-2521 *Bersabé*: David logró seducirla. Tras intentar en vano atribuir a
Urías la paternidad del hijo tenido con Betsabé, hizo que aquél pereciera ante
los muros de Rabá, y la tomó por esposa. La negada atribución de los propios
hijos, tenidos con otra mujer, tiene varios paralelos en la biografía de Lope de
Vega; en sus relaciones con Micaela de Luján, por ejemplo, y lo mismo con
Marta de Nevares. La seducción de Betsabé fue extensamente celebrada en las
artes plásticas. Veronés le dedica un magnífico cuadro («Betsabé y David») lo
mismo que Rubens («Betsabé»). Una extensa alusión tanto a David como a
Betsabé (el nombre bíblico es Bat-Seba: «la opulenta») y Tamar, la hace Lope,
por ejemplo, en *El piadoso aragonés (Ac.*, X), cuyo autógrafo fecha el 17 de agosto de 1626. Se incluye posteriormente en la *Parte XXI* (1635), ed. de J. N. Greer,
Austin, Texas University Press, 1951. Lope cuenta la historia con detalle en
*Pastores de Belén* (libro I). «A diferencia de David», explica Díez Borque, «el Duque no ha gozado a Bersabé, ni ordenado la muerte de su marido, Urías» (ed.,
1988, pág. 255); Kossoff, ed., 1968, pág. 246.
2522-2523 Tanto el Ms. como *Suelta* y *Parte XXI* no incluyen entre signos
interrogativos «¿Si ha sido / verdad? [...]». Sin embargo, dado el estado turbado del Duque, la conjunción interrogativa «si» (Jones) realza el carácter dramático de la actitud del Duque, entre incertidumbre y aseveridad.
2524 *caso tan feo*: «crimen tan nefasto».
2528 *Parte XXI*. «me matara».
2539 *Parte XXI*: «lo podré».

porque ¿quién ha de querer    2540
decir verdad tan infame?
    ¿Mas de qué sirve informarme?
Pues esto no se dijera
de un hijo, cuando no fuera
verdad que pudo infamarme.    2545
Castigarle no es vengarme,
ni se venga el que castiga,
ni esto a información me obliga;
que mal que el honor estraga,
no es menester que se haga,    2550
porque basta que se diga.

*(Entre* FEDERICO.*)*

| | |
|---|---|
| FEDERICO. | Sabiendo que no descansas, |
| | vengo a verte. |
| DUQUE. | Dios te guarde. |
| FEDERICO. | Y a pedirte una merced. |
| DUQUE. | Antes que la pidas, sabes    2555 |
| | que mi amor te la concede. |
| FEDERICO. | Señor, cuando me mandaste |
| | que con Aurora mi prima |
| | por tu gusto me casase, |
| | lo fuera notable mío;    2560 |
| | pero fueron más notables |
| | los celos de Carlos, y ellos |
| | entonces causa bastante |
| | para no darte obediencia; |
| | mas después que te ausentaste,    2565 |
| | supe que mi grande amor |
| | hizo que ilusiones tales |

---

2546 El Duque pone énfasis en el ultraje del hijo; es la parte más querida y allegada: su propia sangre.

2549 *estraga:* estragar, «hechar a perder, borrar, afear, descomponer, arruinar» *(Cov.).*

2560 *lo fuera notable mío:* «también hubiera sido un gran gusto para mí».

|          |                                   |      |
|----------|-----------------------------------|------|
|          | me trujesen divertido;            |      |
|          | en efeto, hicimos paces,          |      |
|          | y le prometí, señor,              | 2570 |
|          | en satisfacción casarme           |      |
|          | como me dieses licencia,          |      |
|          | luego que el bastón dejases.      |      |
|          | Ésta te pido y suplico.           |      |
| DUQUE.   | No pudieras, Conde, darme         | 2575 |
|          | mayor gusto. Vete agora           |      |
|          | porque trate con tu madre,        |      |
|          | pues es justo darle cuenta;       |      |
|          | que no es razón que te cases      |      |
|          | sin que lo sepa, y le pidas       | 2580 |
|          | licencia, como a tu padre.        |      |
| FEDERICO.| No siendo su sangre yo,           |      |
|          | ¿para qué quiere dar parte        |      |
|          | vuestra Alteza a mi señora?       |      |

---

2568 *divertido:* divertirse, «salirse uno del propósito en que va hablando, o dejar los negocios y, por descansar; ocuparse en alguna cosa de contento» *(Cov.);* «distraído».

2570 *Parte XXI:* «lo prometí».

2573 *bastón:* «insignia de los generales del ejército, como los bastones cortos, o bastoncillos eran de los emperadores, que los unos y los otros significaban suprema potestad» *(Cov.);* insignia del mando militar.

2581 *Parte XXI:* «pedre».

2582 En el Ms. se lee «Auror». Se suple por «yo» en *Suelta* y *Parte XXI.* Kossoff es de nuevo fiel al autógrafo (ed., 1968, pág. 349), frente a otras ediciones; van Dam, Jones, siguen la versión de *Suelta* y *Parte XXI.* La lectura se torna dialógica a partir del término «su sangre»; es decir, «no siendo su sangre» [«yo»] o [«Aurora»]. Ahora bien, todo el diálogo entre el Duque y Federico se centra en la relación legal, familiar —y hasta afectiva— entre Casandra y Federico. Lo implica la alusión «No siendo su sangre». La misma lectura la confirma «mi señora» (v. 2584), ya que Federico no puede llamarla madre. El hecho de que *Suelta* y *Parte XXI* salieran en vida de Lope, y de que a estas alturas cuidara la edición de sus comedias, nos lleva a suponer que el cambio («yo» en vez de «Aurora») se hiciese por alguien embebido en el correr dramático de la obra. Más problemático es asumir que se aluda a «Aurora» para despistar de este modo a Federico; supone que el Duque desconozca el *love affair.* Ante una verdadera relación de consanguinidad cabe que el hijo comunique a la madre sus intenciones de casarse. Pero Casandra a estas alturas es más bien «madrastra» y es, sobre todo, «amante». De ahí que Federico no vea la razón para que el Duque le haga saber a Casandra su intención de desposarse con Aurora, y de

| DUQUE. | ¿Qué importa no ser su sangre, | 2585 |
| | siendo tu madre Casandra? | |
| FEDERICO. | Mi madre Laurencia yace | |
| | muchos años ha difunta. | |
| DUQUE. | ¿Sientes que madre la llame? | |
| | Pues dícenme que en mi ausencia, | 2590 |
| | de que tengo gusto grande, | |
| | estuvistes muy conformes. | |
| FEDERICO. | Eso, señor, Dios lo sabe; | |
| | que prometo a vuestra Alteza, | |
| | aunque no acierto en quejarme, | 2595 |
| | pues la adora y es razón | |
| | que, aunque es para todos ángel, | |
| | que no lo ha sido conmigo. | |
| DUQUE. | Pésame de que me engañen, | |
| | que me dicen que no hay cosa | 2600 |
| | que más Casandra regale. | |
| FEDERICO. | A veces me favorece, | |
| | y a veces quiere mostrarme | |
| | que no es posible ser hijos | |
| | los que otras mujeres paren. | 2605 |
| DUQUE. | Dices bien y yo lo creo, | |
| | y ella pudiera obligarme | |
| | más que en quererme en quererte, | |
| | pues con estas amistades | |

─────────

que éste exprese en relación con la primera: «No siendo su sangre yo». De por
medio están también los celos que Casandra ha mostrado, y el previo enfrentamiento, un tanto violento (vv. 2270-2288), entre Casandra y Federico. Vemos cómo el Duque, versos seguidos (2624-2627), se sorprende («se corre») de
que Federico no tolere que llame a Casandra «madre»; lo que da más fuerza
a que «niegue que sea de su sangre». La ironía pervierte la actuación de los cuatro personajes, ya que se sabe más de lo que se dice. Díez Borque (ed., 1988,
pág. 258) es fiel a Kossoff, aunque reconoce que de la lectura que proponemos
«resultan más dramáticos y tensos estos versos».

2588 *Suelta, Parte XXI:* «ya difunta».

2592 *conformes:* véase nota al v. 1750.

2601 *regale:* regalar, «agasajar, o contribuir a otro con alguna cosa; alargar,
acariciar, o hacer expresiones de afecto y benevolencia; recrear, deleitar»
*(Aut.).*

256

aseguraba la paz.
Vete con Dios.

FEDERICO.                    Él te guarde.

*(Vase.)*

DUQUE.          No sé cómo he podido
mirar, Conde traidor, tu infame cara.
¡Qué libre! ¡Qué fingido
con la invención de Aurora se repara,     2615
para que yo no entienda
que puede ser posible que me ofenda!
          Lo que más me asegura
es ver con el cuidado y diligencia
que a Casandra murmura                      2620
que le ha tratado mal en esta ausencia;
que piensan los delitos
que callan cuando están hablando a gritos.
          De que la llame madre
se corre, y dice bien, pues es su amiga     2625
la mujer de su padre,
y no es justo que ya madre se diga;
pero yo, ¿cómo creo
con tal facilidad caso tan feo?
          ¿No puede un enemigo                  2630
del Conde haber tan gran traición forjado,
porque con su castigo,
sabiendo mi valor, quede vengado?

---

2611 *Suelta:* omite la acotación «Vase».

2614 *¡Qué libre!:* suelto de lengua; «diciendo todo lo que le parece sin respetar ni perdonar a nadie» *(Cov.);* «también licencioso, atrevido y desvergonzado» *(Aut.).*

2615 *invención:* de inventar; es decir, «mentir» *(Cov.); repara:* de reparar, defender, resguardar o precaver algún daño o perjuicio» *(Aut.)* acepción que recogen Jones (ed., 1966, pág. 135) y Kossoff (ed., 1968, pág. 350).

2618 *me asegura:* «me confirma en mis sospechas».

2624 *Suelta:* «llama»; *Parte XXI:* «llaman».

2625 *se corre:* «el que se avergüenza, irrita, enfada» *(Cov.); amiga:* concubina; persona que vive amancebada *(Aut.);* también amante *(Cov.).* Véase v. 2514.

Ya de haberlo creído,
si no estoy castigado, estoy corrido.                    2635

(*Entren* CASANDRA *y* AURORA.)

AURORA.      De vos espero, señora,
            mi vida en esta ocasión.
CASANDRA. Ha sido digna elección
            de tu entendimiento, Aurora.
AURORA.      Aquí está el Duque.
CASANDRA.                      Señor,                    2640
            ¿tanto desvelo?
DUQUE.                      A mi estado
            debo, por lo que he faltado,
            estos indicios de amor.
            Si bien del Conde y de vos
            ha sido tan bien regido,                     2645
            como muestra agradecido
            este papel, de los dos.
               Todos alaban aquí
            lo que los dos merecéis.
CASANDRA. Al Conde, señor, debéis                        2650
            ese cuidado, no a mí;
               que sin lisonja os prometo
            que tiene heroico valor,
            en toda acción superior,
            gallardo como discreto:                      2655
               un retrato vuestro ha sido.
DUQUE.      Ya sé que me ha retratado
            tan igual en todo estado,
            que por mí le habéis tenido;

---

2635 Tanto el Ms. como *Suelta* incluyen «Entre», *Parte XXI,* «Entren», que
sigue Jones. «Entre» es correcto, ya que alude a «entre Casandra» y, de forma
elíptica, a «entre Aurora»; *si no estoy castigado:* «si no estoy arrepentido».
   2636 *señora:* la forma presente en el Ms. que conserva Díez Borque (ed., 1988,
pág. 260) es «señora»; el resto de las ediciones (Jones, Kossoff) la moderniza
(«señora»).
   2645 *Suelta, Parte XXI:* «también».
   2655 *Suelta:* «disecreto», obvio error tipográfico.

258

|            | de que os prometo, señora,                    | 2660 |
|            | debida satisfacción.                          |      |
| CASANDRA.  | Una nueva petición                            |      |
|            | os traigo, señor, de Aurora:                  |      |
|            | Carlos la pide, ella quiere,                  |      |
|            | y yo os lo suplico.          Creo             | 2665 |
| DUQUE.     | que le ha ganado el deseo                     |      |
|            | quien en todo le prefiere.                    |      |
|            | El Conde se va de aquí,                       |      |
|            | y me la ha pedido agora.                      |      |
| CASANDRA.  | ¿El Conde ha pedido a Aurora?                 | 2670 |
| DUQUE.     | Sí, Casandra.                                 |      |
| CASANDRA.  | ¿El Conde?                                     |      |
| DUQUE.     | Sí.                                           |      |
| CASANDRA.  | Sólo de vos lo creyera.                       |      |
| DUQUE.     | Y así se la pienso dar;                       |      |
|            | mañana se han de casar.                       |      |
| CASANDRA.  | Será como Aurora quiera.                      | 2675 |
| AURORA.    | Perdóneme vuestra Alteza,                     |      |
|            | que el Conde no será mío.                     |      |
| DUQUE.     | ¿Qué espero más? ¿Qué porfío?                 |      |
|            | Pues, Aurora, en gentileza,                   |      |
|            | entendimiento y valor,                        | 2680 |
|            | ¿no vence al Marqués?                         |      |
| AURORA.    | No sé.                                         |      |
|            | Cuando quise y le rogué                       |      |
|            | él me despreció, señor,                       |      |

---

2662-2665 Casandra quiere que Carlos se case con Aurora; de este modo evitará que Federico se despose con ésta. El Duque recibe, como vemos, dos peticiones distintas: una por parte de Federico (casarse con Aurora); otra por parte de Casandra, que se case con Carlos, el Marqués.

2667 *prefiere:* bajo la acepción de «preferencia». *Aut.* da el significado de «primacía, ventajosa o mayoría que alguna persona o cosa tiene sobre otra, ya en el valor, en la estimación o merecimiento».

2678 Las ediciones más recientes (Jones, Kossoff) coinciden en la puntuación de este verso. *Parte XXI* puntúa un tanto erráticamente: «Que espero, más que porfío», con posteriores alteraciones («¿Qué espero? Mas ¿qué porfío?» en Hartzenbusch, *Ac.*). *Parte XXI* incluye la acotación «Aparte».

2682 Ms. «roge» en vez de «rogué», que corrigen ediciones posteriores (Jones, Kossoff, Díez Borque).

|            |                                                              |      |
|------------|--------------------------------------------------------------|------|
|            | y agora que él quiere, es justo                              |      |
|            | que yo le desprecie a él.                                     | 2685 |
| DUQUE.     | Hazlo por mí, no por él.                                      |      |
| AURORA.    | El casarse ha de ser gusto;                                  |      |
|            | yo no le tengo del Conde.                                     |      |

*(Vase* AURORA.*)*

| DUQUE.     | ¡Extraña resolución!                                         |      |
| CASANDRA.  | Aurora tiene razón,                                          | 2690 |
|            | aunque atrevida responde.                                    |      |
| DUQUE.     | No tiene, y ha de casarse,                                   |      |
|            | aunque le pese.                                              |      |
| CASANDRA.  | Señor,                                                        |      |
|            | no uséis del poder, que amor                                 |      |
|            | es gusto, y no ha de forzarse.                               | 2695 |

*(Vase el* DUQUE.*)*

|            | ¡Ay de mí, que se ha cansado                                 |      |
|            | el traidor Conde de mí!                                       |      |

*(Entre el* CONDE.*)*

| FEDERICO.  | ¿No estaba mi padre aquí?                                    |      |
| CASANDRA.  | ¿Con qué infame desenfado,                                   |      |
|            | traidor Federico, vienes,                                     | 2700 |
|            | habiendo pedido a Aurora                                      |      |
|            | al Duque?                                                     |      |

---

2688 *Suelta* omite la acotación; *Parte XXI* transcribe «vase».

2695 La edición de Jones incluye una llamada de la nota (*) en el aparte «Vase el Duque», que coloca entre paréntesis, pero omite su explicación en la sección correspondiente («Notes»). En *Suelta* y *Parte XXI* se lee como acotación «Vanse Aurora, y el Duque», que tiene más sentido que la del Ms., ya que Aurora regresa después del v. 2775, observa también Kossoff (ed., 1968, pág. 354).

2696-2697 *Parte XXI:* pone estos versos en boca de Aurora, y lo corrige a mano.

2702 *Paso:* «blandamente, quedo» *(Aut.).* Se usa también como interjección para cohibir o refrenar a alguno o para poner paz entre los que riñen. Federico le pide a Casandra que hable bajo por el «peligro» que corre de que la oigan. Véase v. 1489.

| FEDERICO. | Paso, señora; |
| | mira el peligro que tienes. |
| CASANDRA. | ¿Qué peligro, cuando estoy, |
| | villano, fuera de mí? | 2705 |
| FEDERICO. | ¿Pues tú das voces ansí? |

*(Entre el* DUQUE *acechando.)*

| DUQUE. | Buscando testigos voy. |
| | Desde aquí quiero escuchar; |
| | que aunque mal tengo de oír, |
| | lo que no puedo sufrir | 2710 |
| | es lo que vengo a buscar. |
| FEDERICO. | Oye, señora, y repara |
| | en tu grandeza siquiera. |
| CASANDRA. | ¿Cuál hombre en el mundo hubiera |
| | que cobarde me dejara, | 2715 |
| | después de haber obligado |
| | con tantas ansias de amor |
| | a su gusto mi valor? |
| FEDERICO. | Señora, aun no estoy casado. |
| | Asegurar pretendí | 2720 |
| | al Duque, y asegurar |
| | nuestra vida, que durar |
| | no puede, Casandra, ansí; |
| | que no es el Duque algún hombre |
| | de tan baja condición, | 2725 |
| | que a sus ojos, ni es razón, |
| | se infame su ilustre nombre. |

---

2705 *villano:* «rústico, o descortés» *(Aut.).*

2706 Jones escribe en la acotación «asechándolo» siguiendo el autógrafo. Las ediciones de *Ac.* y *BAE* modernizaron la ortografía e impusieron «acechando». Van Dam alude, citando a Cuervo, a cómo las dos ortografías se usaban indistintamente. Sin embargo, el significado varía: *asechar:* «es poner artificiosamente con malicia y engaño encubierto alguna trama para hacer daño a otro [...] ocultando de industria el artificio y la intención»; *acechar:* «mirar con particular cuidado y cautelosa atención desde alguna parte oculta; observar sin ser visto alguna cosa» *(Aut.). Ansí:* así.

2724 *algún:* «un».

|               | Basta el tiempo que tan ciegos |      |
|               | el amor nos ha tenido.         |      |
| CASANDRA.     | ¡O cobarde mal nacido!         | 2730 |
|               | Las lágrimas y los ruegos      |      |
|               | hasta hacernos volver locas,   |      |
|               | robando las honras nuestras,   |      |
|               | que de las traiciones vuestras |      |
|               | cuerdas se libraron pocas,     | 2735 |
|               | ¿agora son cobardías?          |      |
|               | Pues, perro, sin alma estoy.   |      |
| DUQUE.        | Si aguardo, de mármol soy.     |      |
| *(aparte)*    | ¿Qué esperáis, desdichas mías? |      |
|               | Sin tormento han confesado,    | 2740 |
|               | pero sin tormento no,          |      |
|               | que claro está que soy yo      |      |
|               | a quien el tormento han dado.  |      |
|               | No es menester más testigo;    |      |
|               | confesaron de una vez;         | 2745 |
|               | prevenid, pues sois juez,      |      |
|               | honra, sentencia y castigo;    |      |
|               | pero de tal suerte sea         |      |
|               | que no se infame mi nombre;    |      |
|               | que en público siempre a un hombre | 2750 |
|               | queda alguna cosa fea.         |      |
|               | Y no es bien que hombre nacido |      |
|               | sepa que yo estoy sin honra,   |      |
|               | siendo enterrar la deshonra    |      |
|               | como no haberla tenido.        | 2755 |
|               | Que aunque parece defensa      |      |
|               | de la honra el desagravio,     |      |

---

2737 *perro:* «metafóricamente se da este nombre por ignominia, afrenta y desprecio» *(Aut.).* La acotación «(aparte)» se incluye en *Parte XXI;* no está en el Ms. La incluye Kossoff y, últimamente, Díez Borque (ed., 1988, pág. 266), quien explica: «aunque, estrictamente, no es necesaria, ya que por los versos y acotación anterior se entiende que el Duque está oculto a la vista de Federico y Casandra, escuchando» (v. 2706).

2740 *Sin tormento:* «sin tortura».

2746 *prevenid:* «advertir o avisar a otro de alguna cosa»; «en lo forense es anticiparse el juez en el conocimiento de la causa, cuando puede tocar a varios» *(Aut.).*

                    no deja de ser agravio
                    cuando se sabe la ofensa.

    (Vase.)

CASANDRA.      ¡Ay, desdichadas mujeres!                        2760
                    ¡Ay, hombres falsos sin fe!
FEDERICO.      Digo, señora, que haré
                    todo lo que tú quisieres,
                       y esta palabra te doy.
CASANDRA.      ¿Será verdad?
FEDERICO.                      Infalible.                        2765
CASANDRA.      Pues no hay a amor imposible.
                    Tuya he sido, y tuya soy;
                       no ha de faltar invención
                    para vernos cada día.
FEDERICO.      Pues vete, señora mía,                           2770
                    y pues tienes discreción,
                       finge gusto, pues es justo,
                    con el Duque.
CASANDRA.                      Así lo haré
                    sin tu ofensa; que yo sé
                    que el que es fingido no es gusto.           2775

    (Vanse los dos.)

    (Entren AURORA y BATÍN.)

───────────────

2758-2759 *No deja de ser agravio / cuando se sabe la ofensa:* extensamente se ha dis-
cutido en la comedia la doble vertiente de la honra como virtud frente a la basada
en opinión, bajo cuya axiología se instaura el Duque. Surgió en la *Partida Segunda,
título XIII, Ley 4,* y se reafirma como opinión en los casuistas de los siglos XVI y XVII.
Cfr. Gustavo Correa, «El doble aspecto de la honra en el teatro del siglo XVII», *Hispanic Review,* XXVII (1958), págs. 99-107; William L. Fichter, *Lope de Vega's «El castigo del discreto», together with a Study of Conjugal Honor in his Theater,* Nueva York, Instituto de las Españas, 1925, págs. 29-67; Eduardo Forastieri [1976], págs. 78 y ss.
    2761 *Suelta, Parte XXI:* «sin fe»; Ms., como ya observamos, «fee».
    2766 El verso en el Ms. es claro: «Pues no hay a amor imposible», frente a
la omisión de «a» en *Parte XXI* y en Kossoff (ed., 1968, pág. 357).
    2768 *invención:* véase v. 2615.
    2775 *Suelta, Parte XXI:* «Vanse. Entra Aurora y Batín.»

BATÍN.        Yo he sabido, hermosa Aurora,
              que ha de ser, o ya lo es
              tu dueño el señor Marqués,
              y que a Mantua os vais, señora,
              y así os vengo a suplicar              2780
              que allá me llevéis.

AURORA.                              Batín,
              mucho me admiro. ¿A qué fin
              al Conde quieres dejar?

BATÍN.        Servir mucho y medrar poco
              es un linaje de agravio                2785
              que al más cuerdo, que al más sabio
              o le mata o vuelve loco.
              Hoy te doy, mañana no,
              quizá te daré después.
              Yo no sé quizá quién es;                2790
              mas sé que nunca quizó.
              Fuera desto, está endiablado
              el Conde; no sé qué tiene:
              ya triste, ya alegre viene,
              ya cerdo, ya destemplado.               2795
              La Duquesa, pues, también
              insufrible y desigual;

---

2779 *Suelta, Parte XXI:* «Mantua vas».

2780 *Suelta, Parte XXI:* «así vengo».

2781 *Suelta, Parte XXI:* «lleves».

2784 *medrar:* «crecer, aumentarse, adelantarse, o mejorarse pasando de un estado a otro mejor» *(Aut.);* sentido de interés en Batín.

2785 *linaje:* «la descendencia de las casas y familias» *(Cov.);* especie, clase. Véase v. 42.

2789-2792 Sutil juego de palabras entre «quizá», «quizó» y el homófono «quiso», anotan tanto Jones (ed., 1966, pág. 135) como Kossoff (ed., 1968, pág. 357). En *Suelta* la «z» de «quizo» está corregida a mano, observa Díez Borque (ed., 1988, pág. 269).

2792 *endiablado:* endiablar, «dañar, pervertir, corromper, y hacer que uno de bueno se vuelva malo, y haga obras del diablo» *(Aut.).*

2795 *destemplado:* «alterar, desconcertar la armonía, el buen orden y concierto de alguna cosa» *(Aut.).*

2797 *desigual:* «la persona o cosa inconstante y varia, que ya está de buen semblante, ya de malo, y se muda con ligereza y liviandad sin causa, ni motivo» *(Aut.).*

|          | pues donde va a todos mal, |      |
|----------|---------------------------|------|
|          | ¿quieres que me vaya bien? |      |
|          | El Duque, santo fingido,  | 2800 |
|          | consigo a solas hablando, |      |
|          | como hombre que anda buscando |  |
|          | algo que se le ha perdido. |     |
|          | Toda la casa lo está;     |      |
|          | contigo a Mantua me voy.  | 2805 |
| AURORA.  | Si yo tan dichosa soy     |      |
|          | que el Duque a Carlos me da, |   |
|          | yo te llevaré conmigo.    |      |
| BATÍN.   | Beso mil veces tus pies,  |      |
|          | y voy a hablar al Marqués. | 2810 |

*(Vase y entra el* DUQUE.)

| DUQUE. | ¡Ay, honor, fiero enemigo!    |      |
|--------|-------------------------------|------|
|        | ¿Quién fue el primero que dio |      |
|        | tu ley al mundo? ¿y que fuese |      |
|        | mujer quien en sí tuviese     |      |
|        | tu valor, y el hombre no?     | 2815 |

---

2800 *santo fingido:* Kossoff apunta al significado de inocente, inadvertido, simple; «es decir, que el duque finge no saber lo que pasa.» Y continúa: «Esta acepción de santo cuadra con los versos siguientes mejor que una referencia escéptica a la reforma moral del Duque.» Wardropper [1987], pág. 200, nota 8, cree que el duque «es al final de la obra lo que ha sido al comienzo: un autócrata irresponsable para con sus vasallos y entregado a sus imaginaciones de autonomía», en lo que discrepa de Edward M. Wilson [1963], págs. 265-298, y de Alexander A. Parker [1970], págs. 697-699. Véase nuestra nota al v. 2448. Sobre la función de Batín como gracioso, a diferencia del prototípico de la comedia, véanse las notas de Fernando Lázaro Carreter, «Funciones de la figura del donaire en el teatro de Lope», *El castigo sin venganza» y el teatro de Lope de Vega*, págs. 31-48.

2804 *Toda la casa lo está:* «Toda la casa [lo] está perdida».

2810 *Suelta, Parte XXI* incluye la acotación «vase y entra el Duque».

2812-2815 Malamente se lee en el Ms. un punto después de «mundo»; indicaría, de estar claro, el final de la interrogación. De ser así, la palabra que le sigue («y») iría en mayúscula. Incluimos todos los versos (2812-2815) como una extensa exclamación. Dentro del efecto dramático que implica esta escena, las dos interrogaciones casan del mismo modo a estos fines. Tal parece el sentido en *Parte XXI*, que cierra la interrogación al final del v. 2815. Por el contrario, tanto Kossoff (ed., 1968, págs. 258-259) como Díez Borque (ed., 1988, pág. 270), incluyen los versos entre signos de interrogación.

<pre>
                  Pues sin culpa el más honrado
               te puede perder, honor,
               bárbaro legislador
               fue tu inventor, no letrado.
                  Mas dejarla entre nosotros                    2820
               muestra que fuiste ofendido,
               pues ésta invención ha sido
               para que lo fuesen otros.
                  ¡Aurora!
AURORA.                        ¡Señor!
DUQUE.                                  Ya creo
               que con el Marqués te casa                       2825
               la Duquesa, y yo a su ruego;
               que más quiero contentarla
               que dar este gusto al Conde.
AURORA.        Eternamente obligada
               quedo a servirte.
DUQUE.                           Bien puedes                    2830
               decir a Carlos que a Mantua
               escriba al Duque, su tío.
AURORA.        Voy donde el Marqués aguarda
               tan dichosa nueva.
</pre>

*(Vase AURORA.)*

---

2818 *bárbaro legislador:* se ha visto este verso como una dura crítica por parte de Lope a la convención del código del honor. Guillén de Castro lo atribuye instituido por algún «bárbaro loco» (*Engañarse engañando*, en *Obras completas de Guillén de Castro*, Madrid, Real Academia Española, vol. III, pág. 165). De «legislador tirano» lo califica Calderón en *El pintor de su deshonra*. En *Los comendadores de Córdoba (Ac.*, XI) se pone en juego el honor de todo un grupo de aristócratas (duque, marqués, conde). Es clásica la definición que pasa Lope en esta comedia sobre el aspecto social de la honra. Véase una aguda lectura de la «tragedia de honor», referente a Calderón, en Francisco Ruiz Ramón, *Calderón y la tragedia*, Madrid, Alhambra, 1984, págs. 107-164. «Bárbaro», escribe Dixon: «is a key concept in this tragedy of unnatural primitive passion» [1973], pág. 69. Así en v. 1194; también «bárbaro caballo» (v. 262) y «bárbaro marido» (v. 1564), rechaza la venganza que tomaría como «bárbara hazaña» (v. 2841). De «loco barbarismo» (v. 1956) se califica el incontrolado deseo de Federico.

2819 *letrado:* «juristas abogados» (*Cov.*).

2834 *Suelta, Parte XXI* incluyen como acotación «(Vase)».

DUQUE.                    Cielos,
hoy se ha de ver en mi casa                    2835
no más de vuestro castigo.
Alzad la divina vara.
No es venganza de mi agravio,
que yo no quiero tomarla
en vuestra ofensa, y de un hijo                    2840
ya fuera bárbara hazaña.
Éste ha de ser un castigo
vuestro no más, porque valga
para que perdone el cielo

---

2836 El uso «de» con «más» es raro, explica Jones (ed., 1966, pág. 135), en especial en forma negativa, a no ser que se use como adjetivo numeral. Sin embargo, y de acuerdo con Kossoff, «de» era la forma preferida en el Siglo de Oro
en lugar de «que». Así, por ejemplo, «tener de» en vez de «tener que». Kossoff remite a su *Vocabulario de la obra poética de Herrera*, Madrid, 1966, pág. 74b (acepción 34). Véase ed. de *El castigo*, pág. 263, nota 649, para otras referencias.

2837 *vara:* «la que por insignia de jurisdicción traen los ministros de justicia en las manos, por lo cual son conocidos y respetados; metafóricamente se
toma por castigo o rigor» *(Aut.).*

2839 *Suelta, Parte XXI:* «ya no».

2844-2845 Es decir, «porque valga el rigor por la templanza para que perdone el cielo» o, más claramente: lo que de algún modo es rigor lo perdone el cielo, ya que en verdad es templanza; templanza en el sentido de moderación; continencia de la ira, cólera u otra pasión. Se considera como «virtud que modera
los apetitos y el uso excesivo de los sentidos, sujetándolos a la razón, así para la
salud del cuerpo como para las funciones del alma» *(Aut.).* La interpretación de
estas líneas, un tanto oscuras, dio lugar a un cordial intercambio entre Victor
Dixon y A. A. Parker [1970], págs. 157-166. El primero define de extraña o rara
(«odd») la interpretación de Vossler que Parker defiende. Ven éstos el castigo ajeno a cualquier tipo de venganza, y se atenúa a su vez «el castigo eterno de los jóvenes» (Karl Vossler, *Lope de Vega y su tiempo,* Madrid, Revista de Occidente, 1933, pág. 283). Para García Valdecasas, *El hidalgo y el honor,* Madrid, Revista
de Occidente, 1958, págs. 174-177, el castigo es, por lo contrario, extremo, dada
la posibilidad de no arrepentimiento, y en contra del relato de Bandello. El Duque se exime de cualquier tipo de venganza al no ser el instrumento directo del
castigo. Menéndez Pidal [1958], págs. 145-148, anota que el perdón impetrado
por el Duque («que perdone el cielo») no es para los jóvenes adúlteros, sino por
el «rigor» que usa, «por la templanza que en los móviles del castigo pondrá, pensando siempre, más que en el adulterio, en el dolor que le causa el amor paternal, indeleble a pesar de la ofensa». Pero la lectura de Menéndez Pidal, siguiendo a Vossler, indica Dixon, asume el rigor del castigo que ejecuta el Duque. De
ahí que impetre, dada su templanza, el perdón divino para los dos amantes. Pero
si se altera levemente la puntuación de estos dos versos, cambia del mismo

el rigor por la templanza.                                    2845
Seré padre y no marido,
dando la justicia santa
a un pecado sin vergüenza
un castigo sin venganza.
Esto disponen las leyes                                       2850
del honor, y que no haya

---

modo el sentido. De este modo se puede leer: «éste ha de ser un castigo vuestro no más, porque valga para que el cielo perdone el rigor [del castigo temporal mío]». Se ventila así la diferencia entre el castigo temporal (del Duque)
frente al eterno (divino) que se quisiera aminorar, dentro del contexto teoló-
gico. Evitaría de este modo la condenación eterna, dado el adulterio cometido, y la imposibilidad de arrepentimiento. Lope en el autógrafo —observó sa-
gazmente Dixon— escribió en un principio: «Esto ha de ser un castigo / sin
venganza, porque balga / para que perdone el cielo» (vv. 2842-2844), que alteró después por: «Este ha de ser un castigo / vuestro no más: porque balga»,
pasando a ser «el castigo» el sujeto en ambas oraciones. La corrección de estos
versos se escribe en el margen de la derecha del Ms. Pero el verso «Uno no
más: porque balga», cuya variante previa, tachada, fue «sin benganza, porque
balga», tuvo otra corrección anterior que se extiende a los vv. 2845-2847. Con
la gentil ayuda de Kossoff pudimos descifrar en el autógrafo las reliquias cali-
gráficas de los tres versos tachados. Se lee: «Sin venganza y sin saña / proba-
das mis afrentas / cuando se dobla mi infamia.» Lope, como vemos, vaciló a
la hora de justificar la acción del Duque. Lo muestran los versos tachados dos
veces, y el acomodo a la rima de los versos precedentes, que da en la tercera
escritura. El Duque espera, pues, el perdón que, dado el rigor del castigo, se
mitiga con el uso de la templanza que pone en su ejecución. Aunque como
padre desearía el mismo tipo de perdón para su hijo y esposa (Parker, Vossler),
teológicamente imposible. Tal interpretación se carga de connotaciones estrictamente éticas y morales. Asumir al Duque ante tales cavilaciones, cuya
moral fue siempre tan laxa, implica inclinar la balanza más hacia el problema
religioso, menos hacia el humano; y encajonar al Duque en un contexto que
tiende excesivamente a lo divino. Por otra parte, el otro «castigo» —el derivado de la ejecución que, maquiavélicamente, se traza— continuará afligiendo
al Duque, más allá de la última escena. El acto final revela también el desconcierto de su vida anterior.

2847 *Suelta:* «dondo»; en el Ms. se nota la corrección a mano que da «dando».

2849 Juan de Horozco y Covarrubias escriben: «El que tiene poder tenga
templanza, / dexe pasar la ira, que es fuego, / no quiera del castigo hazer venganza» (*Emblemas morales*, Segovia, 1591, libr. II, núm. 321). Santo Tomás
*(Summa theologica,* II, II qu. 108, art. 2), documentan Dixon y Parker [1970],
págs. 157-166, es específico sobre la templanza: «[...] punitio peccatorum, secundum quod pertinet ad publicam justitiam, est actus justitiae commutative;
secundum autem quod pertinen ad immuntatem alicujus personae singularis,
a qua injuria propulsatur, pertinet ad virtutem vindicationis».

publicidad en mi afrenta
con que se doble mi infamia.
Quien en público castiga
dos veces su honor infama;                    2855
pues después que le ha perdido,
por el mundo le dilata.
La infame Casandra dejo
de pies y manos atada,
con un tafetán cubierta,                       2860
y por no escuchar sus ansias,
con una liga en la boca;
porque al decirle la causa
para cuanto quise hacer
me dio lugar desmayada.                        2865
Esto aun pudiera, ofendida,
sufrir la piedad humana;
pero dar la muerte a un hijo,
¿qué corazón no desmaya?
Sólo de pensarlo, ¡ay triste!,                 2870
tiembla el cuerpo, espira el alma,
lloran los ojos, la sangre
muere en las venas heladas;
el pecho se desalienta,
el entendimiento falta,                        2875
la memoria está corrida
y la voluntad turbada;

---

2857 *dilata:* «extender, alargar, diferir» *(Cov.)*.

2865 *Suelta:* «medio».

2866 *Suelta, Parte XXI:* «ofendido».

2870 El dilema del Duque, a la hora de sacrificar a su hijo, semeja al monólogo de Guzmán el Bueno, dividido entre la entrega de la plaza militar o la
muerte de su hijo, desarrollado en la comedia de Vélez de Guevara, *Más pesa
el Rey que la sangre. Parte XXI:* «olo».

2871 *espira:* «rendir el alma» *(Cov.);* «apartarse el alma del cuerpo» *(Aut.)*.

2876 *corrida:* avergonzada, confundida, irritada. Véase nota al v. 2625. El
parlamento del Duque, a la hora del castigo, se dirige más a Federico que a Casandra, y alude a ésta en vv. 2858-2865; a Federico en vv. 2868-2914. Véase
Kossoff, ed., 1968, pág. 361 y notas a vv. 2625 y 2635; Díez Borque, ed., 1988,
pág. 272.

como arroyo que detiene
el hielo de noche larga.
Del corazón a la boca                                   2880
prende el dolor las palabras.
¿Qué quieres, amor? ¿No ves
que Dios a los hijos manda
honrar los padres, y el Conde
su mandamiento quebranta?                               2885
Déjame, amor, que castigue
a quien las leyes sagradas
contra su padre desprecia,
pues tengo por cosa clara
que si hoy me quita la honra,                           2890
la vida podrá mañana.
Cincuenta mató Artaxerxes
con menos causa, y la espada
de Dario, Torcato y Bruto
ejecutó sin venganza                                    2895
las leyes de la justicia.
Perdona, amor, no deshagas
el derecho del castigo,
cuando el honor, en la sala
de la razón presidiendo,                                2900
quiere sentenciar la causa.
El fiscal verdad le ha puesto
la acusación, y está clara
la culpa; que ojos y oídos

---

2892 *Artaxerxes:* seguramente Artajerjes III, rey de Persia, que reina hacia 358 a.C. Aseguró su posición ejecutando a sus hermanos y rivales.

2894 *Dario:* posiblemente «el Segundo». Tomó parte en una pelea dinásti-
ca y eliminó a su propio hermano Arsites. *Torcuato* (Titus Manlius Torcuatus):
fue considerado como un padre severo por los romanos. Lo fijó el proverbio:
«Manliana imperia.» *Bruto:* se alude a Lucius Junius, fundador de la república
romana quien, de acuerdo con la leyenda, castigó a sus hijos con la pena de
muerte. Ordenó, documenta Jones (ed., 1966, pág. 136), la muerte de su propio hijo por no obedecer una prohibición del padre.

2899 *sala:* «se llaman unas piezas grandes de palacio, en lo bajo de él, donde se juntan los consejeros de su Majestad a despachar los negocios de justicia
y gobierno» *(Cov.).*

juraron en la probanza.                                    2905
Amor y sangre, abogados
le defienden; mas no basta,
que la infamia y la vergüenza
son de la parte contraria.
La ley de Dios, cuando menos,                              2910
es quien la culpa relata,
su conciencia quien la escribe.
Pues ¿para qué me acobardas?
Él viene. ¡Ay cielos, favor!

(*Entre el* CONDE.)

FEDERICO.     Basta que en palacio anda                   2915
              pública fama, señor,
              que con el Marqués Gonzaga
              casas a Aurora, y que luego
              se parte con ella a Mantua.
              ¿Mándasme que yo lo crea?                   2920
DUQUE.        Conde, ni sé lo que tratan,
              ni he dado al Marqués licencia;
              que traigo en cosas más altas
              puesta la imaginación.

---

2905 *probanza:* «el examen que se hace de la cosa que se va averiguando
jurídicamente» *(Cov.).*

2910-2911 A. Domínguez Ortiz, *Hechos y figuras del siglo XVIII español*, Madrid, Siglo XXI de España, 1971, pág. 242, indica cómo aún seguían vigentes
en el papel (alude al siglo XVIII) las antiquísimas leyes sobre el castigo de los
adúlteros. Pero la ley que ponía el poder del marido agraviado para que mata-
se por su mano, si le placía al ofensor, había caído en pleno desuso. *Relatar:*
«referir o contar algún suceso, o historia» *(Aut.).*

2912 *su conciencia:* es decir, la de Federico (Jones, ed., 1966, pág. 135); *conciencia* en el sentido de «ciencia de sí mismo o ciencia ciertísima, y así certini-
dad de aquello que está en nuestro ánimo, bueno o malo» *(Cov.); escribe* en el
sentido de «registrar».

2913 El sujeto de «acobardas», de acuerdo con Jones (ed., 1966, pág. 135),
es «amor». Para Kossoff (ed., 1968, pág. 363) puede ser «juicio», que relaciona
con el verso 2774. Pero lo que acobarda al Duque son el «amor» y la «sangre»
(v. 2906). Sangre asocia paternidad, amor, el afecto que el Duque sentía hacia
su hijo.

2919 *Suelta, Parte XXI:* «parta».

271

| FEDERICO. | Quien gobierna, mal descansa. | 2925 |
| | ¿Qué es lo que te da cuidado? | |
| DUQUE. | Hijo, un noble de Ferrara | |
| | se conjura contra mí | |
| | con otros que le acompañan; | |
| | fiose de una mujer, | 2930 |
| | que el secreto me declara; | |
| | inecio quien dellas se fía, | |
| | discreto quien las alaba! | |
| | Llamé al traidor finalmente, | |
| | que un negocio de importancia | 2935 |
| | dije que con él tenía; | |
| | y cerrado en esta cuadra | |
| | le dije el caso, y apenas | |
| | le oyó, cuando se desmaya; | |
| | con que pude fácilmente | 2940 |
| | en la silla donde estaba | |
| | atarle y cubrir el cuerpo, | |
| | porque no viese la cara | |
| | quien a matarle viniese, | |
| | por no alborotar a Italia. | 2945 |
| | Tú has venido, y es más justo | |
| | hacer de ti confianza | |
| | para que nadie lo sepa. | |
| | Saca animoso la espada, | |
| | Conde, y la vida le quita; | 2950 |
| | que a la puerta de la cuadra | |
| | quiero mirar el valor | |
| | con que mi enemigo matas. | |
| FEDERICO. | ¿Pruébasme acaso, o es cierto | |
| | que conspirar intentaban | 2955 |
| | contra ti los dos que dices? | |

---

2927 *Suelta:* «dijo un» que se corrige a mano.
2937 *cuadra:* «sala o pieza espaciosa» *(DRAE).*
2940 *Suelta, Pane XXI:* «finalmente».
2956 *Parte XXI:* «dice».

| | |
|---|---|
| DUQUE. | Cuando un padre a un hijo manda |
| | una cosa injusta o justa, |
| | ¿con él se pone a palabras? |
| | Vete, cobarde, que yo... 2960 |
| FEDERICO. | Ten la espada, y aquí aguarda; |
| | que no es temor, pues que dices |
| | que es una persona atada; |
| | pero no sé qué me ha dado, |
| | que me está temblando el alma. 2965 |
| DUQUE. | Quédate, infame. |
| FEDERICO. | Ya voy, |
| | que pues tú lo mandas, basta; |
| | pero ¡vive Dios! |
| DUQUE. | ¡O perro! |
| FEDERICO. | Ya voy, detente; y si hallara |
| | el mismo César, le diera 2970 |
| | por ti, ¡ay Dios!, mil estocadas. |

*(Vase, metiendo mano.)*

| | |
|---|---|
| DUQUE. | Aquí lo veré; ya llega; |
| | ya con la punta la pasa. |
| | Ejecute mi justicia |
| | quien ejecutó mi infamia. 2975 |
| | ¡Capitanes! ¡Hola, gente! |
| | Venid los que estáis de guarda. |
| | ¡Ah, caballeros, criados! |
| | Presto. |

*(Entren el MARQUÉS, AURORA, BATÍN, RICARDO, y todos los demás que se han introducido.)*

---

2959 *¿...se pone a palabras?*: «¿...se pone a discutir?».

2971 La acotación «(Vase, metiendo mano)» la presenta *Parte XXI;* la incorpora Kossoff (no está en Ms.), indicando que «la coma es de Jones» (ed., 1968, pág. 365).

2973 *Suelta:* «ya con la punta, la espada»; *Parte XXI:* «con la punta de la espada».

2976 Jones lee «¡Ola, gente!» por «Hola, ¡gente!» y «¡Ha caballeros, criados!» por «¡Ah, caballeros, criados!».

| MARQUÉS. | ¿Para qué nos llamas, | |
| | señor, con tan altas voces? | 2980 |
| DUQUE. | ¡Ay tal maldad! A Casandra | |
| | ha muerto el Conde, no más | |
| | de porque fue su madrastra, | |
| | y le dijo que tenía | |
| | mejor hijo en sus entrañas | 2985 |
| | para heredarme. ¡Matalde, | |
| | matalde! El Duque lo manda. | |
| MARQUÉS. | ¿A Casandra? | |
| DUQUE. | Sí, Marqués. | |
| MARQUÉS. | Pues no volveré yo a Mantua | |
| | sin que la vida le quite. | 2990 |
| DUQUE. | Ya con la sangrienta espada | |
| | sale el traidor. | |

*(Salga el* CONDE, *con la espada desnuda.)*

| FEDERICO. | ¿Qué es aquesto? | |
| | Voy a descubrir la cara | |
| | del traidor que me decías, | |
| | y hallo... | |
| DUQUE. | No prosigas, calla. | 2995 |
| | ¡Matalde, matalde! | |

_____

2981 Van Dam y Kossoff escriben «¡Hay» por «¡Ay [...]».

2986 *Matalde:* metátesis por «matadle», a la que ya hemos aludido.

2992 «Con la espada desnuda» añade como acotación la *Parte XXI.* En la versión de Bandello, como en la refundición de Belleforest y la traducción castellana, se narra cómo el gobernante de Ferrara envió a su esposa a la cárcel, «uno de los de su consejo con dos frailes, persona de gran doctrina y vida aprobada; el uno para que les llevase las tristes y espantables nuevas de su muerte, y los otros para que la persuadiese a que se arrepintiese de sus pecados y rogase a Dios tuviese misericordia de su ánima. Y lo mismo se hizo con el conde su hijo [...]».

2995 Kossoff (ed., 1968, pág. 366) indica que Lope deja un «enigma», ya que «¿Federico ha visto, o no, quien era?» a quien había matato. Creemos que el misterio lo revelan los vv. 2993-2995. Federico, al descubrir la capa que cubría al supuesto «traidor» (que acaba de ajusticiar por mandado del Duque), describe «y hallo [...]». La forma temporal del verbo suple el silencio textual de Federico, que se descifra ante la vista del espectador. En el *Cuaderno de dirección* de Miguel Narros [1986], pág. 260, se anota: «Federico descubre que la víctima de su crimen ha sido Casandra».

274

| | | |
|---|---|---|
| MARQUÉS. | ¡Muera! | |
| FEDERICO. | ¡O padre! ¿Por qué me matan? | |
| DUQUE. | En el tribunal de Dios, | |
| | traidor, te dirán la causa. | |
| | Tú, Aurora, con este ejemplo, | 3000 |
| | parte con Carlos a Mantua, | |
| | que él te merece, y yo gusto. | |
| AURORA. | Estoy, señor, tan turbada, | |
| | que no sé lo que responda. | |
| BATÍN. | Di que sí, que no es sin causa | 3005 |
| | todo lo que ves, Aurora. | |
| AURORA. | Señor, desde aquí a mañana | |
| | te daré respuesta. | |

*(Salga el* MARQUÉS.*)*

| | | |
|---|---|---|
| MARQUÉS. | Ya | |
| | queda muerto el Conde. | |
| DUQUE. | En tanta | |
| | desdicha, aun quieren los ojos | 3010 |
| | verle muerto con Casandra. | |

*(Descúbrales.)*

| | | |
|---|---|---|
| MARQUÉS. | Vuelve a mirar el castigo | |
| | sin venganza. | |
| DUQUE. | No es tomarla | |
| | el castigar la justicia. | |
| | Llanto sobra, y valor falta; | 3015 |

---

2997-3002 En el autógrafo (fol. 106r) estas líneas fueron tachadas e incluidas al final (fol. 111r.). *Parte XXI* incluye como acotación después del v. 2997: «Vanse todos riñendo con él», y la variante «porque».

3008 La edición de Jones incluye la acotación «Salga el Marqués» no presente en Kossoff, pero sí en Ms. *Parte XXI*: «salga el Marqués». Éste ya está en escena a partir del v. 2979. Se puede suponer que la muerte de Federico a manos del Marqués sucede detrás de los bastidores (con frecuencia en el ropero, o en otra dependencia contigua).

3012 *Suelta, Parte XXI*: «un testigo».

3015 *Suelta, Parte XXI*: «valor sobra y llanto falta».

BATÍN.
pagó la maldad que hizo
por heredarme.
                    Aquí acaba,
senado, aquella tragedia
del castigo sin venganza,
que siendo en Italia asombro,                    3020
hoy es ejemplo en España.


Laus Deo, et M[atri] V[irgini]
En Madrid, prim° de Agosto: de 1631.
Frey Lope Félix de Vega Carpio.

---

3016-3017 *Pagó la maldad que hizo / por heredarme:* ante los cortesanos que,
llenos de pavor, escuchan al Duque, la frase revela cómo Federico pagó con su
muerte la traición que le hizo al primero: heredarle en el ducado. De ahí que
triunfe la justicia. Pero hay otra posible lectura: el destino también le había señalado a él como heredero de las acciones de su padre. Pagó así la maldad que
hizo como consecuencia de haberle heredado, con su «vicioso» proceder,
en sus «mocedades» (vv. 2516-2517); Bruce W. Wardropper [1987], pág. 190.
Aunque convincente, no creemos que ante los cortesanos, y ante el cuerpo
inerte de Federico, el Duque enuncie este mea culpa para justificar su «castigo».
En el uso de la preposición «por» en vez de «para» ve Kossoff (ed., 1968, pág. 367)
la ambigua caracterización. La crónica oficial de Ferrara hará constar que la
muerte de Federico fue por «traición»: mató por celos a Casandra. El «por» es
el objeto instrumental de la acción del Duque. Casa dentro de la definición
de la acción de la tragedia. Se desarrolla, de acuerdo con Aristóteles, a través de
una establecida serie de «imitaciones simultáneas». *Suelta* escribe «acba».
    3021 Jones omite la inscripción incluida después del último verso «Laus
deo et M[atri] V[irgini]. En Madrid [...]», que consta en *Suelta. Parte XXI* incluye: «Fin de la tragedia del *castigo sin venganza».* Véase al respecto, Lope de
Vega, *El sembrar en buena tierra,* ed. de William L. Fichter, Nueva York, Modern Language Association of America, 1944, págs. 233-235. El autógrafo de la
Ticknor Collection, Boston Public Library, incluye en el folio 111r. la aprobación de la obra que firma Pedro de Vargas Machuca, en «Madrid, a 3 de Mayo
de 1632». La precede la rúbrica de Lope que firma: «Frey Lope Félix de Vega
Carpio»; en otras ediciones «Fray». El Ms. incluye «Véala Pedro de Vargas Machuca». Éste escribe después de la rúbrica: «Este trágico suceso del Duque de
Ferrara está escrito con verdad y con el debido decoro a su persona y las introducidas. Es ejemplar y raro caso. Puede representarse. Madrid 9 de mayo 1632.»
Véase Lope de Vega, *Laurel de Apolo,* ed. de Antonio Carreño, Madrid, Cátedra, 2007, silva VIII, vv. 504-505.

*Apéndices*

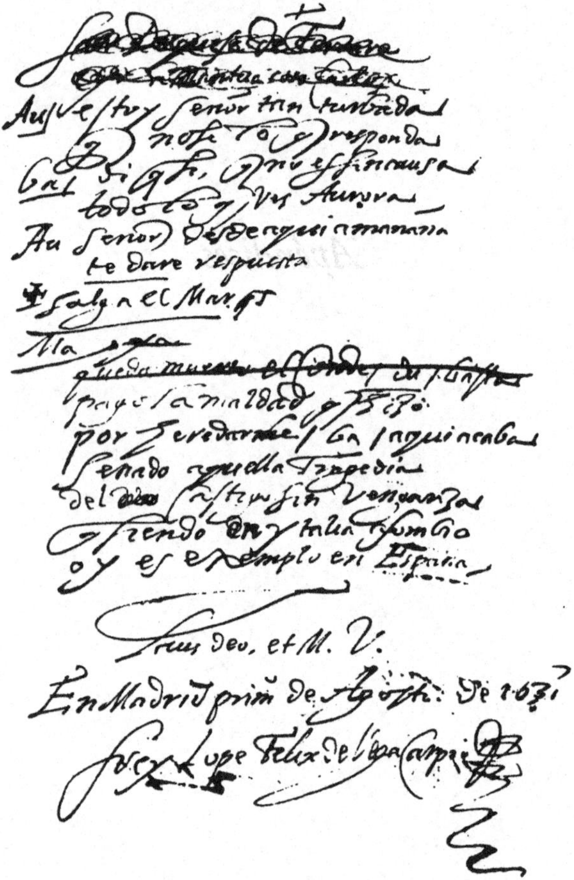

Aur. Yo estoy señor tan turbada
no sé lo q[ue] responda.
Bat. Di q[ue] sí, q[ue] no es sin causa
todo lo q[ue] ves Aurora.
Au. Señor, desde aquí a mañana
te daré respuesta.
Salga el Marq[ué]s
paga la maldad q[ue] hizo
por heredarme. Aquí acaba
senado aquella Tragedia
del castigo sin venganza
q[ue] siendo en Italia asombro
oy es exemplo en España.
Laus Deo, et M. V.
En Madrid prim[ero] de Agosto de 1631
Frey Lope Felix de Vega Carpio

Una página del manuscrito de *El castigo sin venganza*.

# 1. Dedicatoria*

## AL EXCELENTÍSIMO SEÑOR DUQUE
## DE SESSA, MI SEÑOR

Desigual atrevimiento parece dedicar a Vuestra Excelencia esta tragedia, cuando fuera más justo poemas heroicos, de quien fueran argumento las gloriosas hazañas de sus progenitores invictísimos, que dieron a la Corona de España tantos reinos, a las plumas tantas historias, a la fama tantos triunfos,

---

* Lope fue gran adulador de sus mecenas. La relación con el duque de Sessa fue extensa y duradera. Arroja la otra cara de Lope: la del servil y lisonjeador. Sobresalen entre aquellos a quienes sirvió el obispo Jerónimo Manrique, el marqués de Malpica, el duque de Alba y el conde de Lemos. Pero su relación con el duque de Sessa fue diferente: le confió, en una voluminosa correspondencia, sus confidencias familiares y amorosas (de doña Juana de Guardo a Marta de Nevares); lo mismo el Duque a Lope: amores con doña Francisca y una tal Jacinta. Hay algo de teatral también en esta relación epistolar de Lope con los demás: «sólo así podría haber aceptado la ingrata tarea de escribir de amor a las amantes de sus mecenas, fingiendo ternura, celos o pasión conforme lo exigían la ternura, los celos o la pasión del otro», escribe Nicolás Marín (Lope de Vega, *Cartas*, ed., pág. 9). Lope fue para el duque de Sessa lo que éste no pudo ser: un magnífico poeta que escribía por él y para él versos de amor que éste dirigía a sus amantes como propios; también su mejor divertidor y chocarrero al comentarle con sabia destreza sobre casuística amorosa. De alguna manera le alimentaba así sus múltiples fascinaciones eróticas. Véase sobre esta relación entre Lope y el duque de Sessa, Agustín G. de Amezúa [1941-1943]; C. Rico-Avello, *Lope de Vega: flaquezas y dolencias,* Madrid, Aguilar, 1971; L. Astrana Marín, *Vida azarosa de Lope de Vega,* 3.ª ed., Barcelona, Juventud, 1963. En cuanto a las «dedicatorias», véase Thomas E. Case, *Las dedicatorias de Partes XIII-XX de Lope de Vega,* Madrid, 1975.

y a las armas insignes de su apellido tantas banderas, de que son fieles testigos reyes infieles, y alguno que, preso, ocupa con honra suya un cuartel de ellas entre los Córdobas, Cardonas y Aragones, ilustrísimos por inmortal memoria en tantos siglos, y por sangre generosa en tantos reinos. Mas, como suele el que cultiva flores enviar al dueño del jardín algunas, como en reconocimiento de que son suyas las que quedan, así yo me atrevo a enviar a Vuestra Excelencia las de este asunto; indicio de que reconocen las demás que de todas es señor, como del que las cultiva. En los amigos, los presentes son amor; en los amantes, cuidado; en los pretendientes, cohecho; en los obligados, agradecimiento; en los señores, favor; en los criados, servicio. Este no va a solicitar mercedes, sino a reconocer obligaciones, de tantas como he recebido de sus liberales manos en tantos años que ha que vivo escrito en el número de los criados de su casa. Guarde Nuestro Señor a Vuestra Excelencia como deseo.

FREY LOPE FÉLIX DE VEGA CARPIO

# 2. Prólogo**

## PRÓLOGO

Señor lector, esta tragedia se hizo en la corte sólo un día, por causas que a vuesamerced le importan poco. Dejó entonces tantos deseosos de verla, que los he querido satisfacer con imprimirla. Su historia estuvo escrita en lengua latina, francesa, alemana, toscana y castellana: esto fue prosa, agora sale en verso; vuesamerced la lea por mía, porque no es impresa en Sevilla, cuyos libreros, atendiendo a la ganancia, barajan los nombres de los poetas, y a unos dan sietes y a otros sotas (que hay hombres que por dinero no reparan en el honor ajeno, que a vueltas de sus mal impresos libros venden y compran), advirtiendo que está escrita al estilo español, no por la antigüedad griega y severidad latina; huyendo de las sombras, nuncios y coros, porque el gusto puede mudar los preceptos, como el uso los trajes y el tiempo las costumbres.

---

** Sobre la problemática que presenta este «Prólogo» (fuentes, género, representación, estilo, libreros de Sevilla) ya disertamos ampliamente en nuestra «Introducción». Remitimos a la bibliografía y a las notas consignadas en la sección correspondiente. En cuanto a «fuentes», es útil el trabajo de Gail Bradbury [1980], págs. 53-65, y Manuel Alvar [1986], págs. 1-38; género, Domingo Ynduráin [1987], págs. 141-161; representación, Varey [1987], págs. 223-239 y Miguel Narros [1986]; estilo, Dixon [1973], págs. 63-81; Wilson [1963], págs. 265-298; Peter W. Evans [1979], págs. 321-334, entre otros.

# 3. Aprobación de la edición
## *Suelta,* Barcelona, Pedro Lacavallería, 1634

### APROBACIÓN DEL MUY REVERENDO PADRE
### MAESTRO FRAY FRANCISCO PALAU,
### DEL ORDEN DE PREDICADORES

He leído con sumo gusto y debido aplauso la famosa tragedia de *El castigo sin venganza,* la cual me ha mandado leer el muy ilustre señor don Ramón Santmenat y de Lanuza, canónigo y arcediano y vicario general en la santa iglesia de Barcelona para que, con mi aprobación y censura, se pueda comunicar por la impresión a todo el mundo y satisfacer a tantos que con particulares y debidas ansias desean verla. Con decir que es de frey Lope Félix de Vega Carpio y que la confiesa por hija de su ingenio, queda aprobada por muy conforme a la fe y buenas costumbres y adornada y compuesta de suma erudición, dotrina, elegancia y agudeza acostumbrada; y de hecho es tal esta tragedia que solo podía ser de Lope, y sólo la podía hacer su caudaloso ingenio. Pero ¿qué hay que admirarse de esta?; pues quien hubiere leído sus obras (que son muchísimas) y advertido aquel su natural corriente y propiedad de términos, que parece que le obedecen todas las ciencias y historias y la frasis castellana, le ha de tener por la octava maravilla del mundo, pues dicen ellas mismas que todo lo sabe, y con eminencia, y que es la preciosa piedra Acates, la cual (como cuenta Plinio y refiere Bartolomé Cassaneo) tenía esculpidas las nueve musas (que son las ciencias) con sus cetros y demás insignias e instrumentos, y al dios Apolo en medio tocando su cítara. Y así si se glorió y tuvo por muy dichoso Pirro, rey de los epirotas, de tener tan inestimable piedra, con mayores ventajas debe estar muy ufana la coronada villa de Madrid, y aún España toda, de tener a Lope, y por muy felices y dichosos los presentes siglos, que gocen de su resplandor y quedan enriquecidos con sus quilates, pues tienen en un sujeto todas las musas, que es tener todas las ciencias; y así merece le pongan como a aquéllas los dorados cetros en las manos y coronen sus sienes con vistosas y gallardas guirnaldas de plumas, como las que se pusieron las mismas musas, compuestas de las que tomaron de las alas de sus vencidas sirenas, porque atrevidamente quisieron competir con ellas, como lo refieren Alciato, Lilio Giraldo, Séneca, Pitágoras, San Clemente Alejandrino, San Teodoreto, Del Río y otros para que prosiga con su veloz vuelo la parlera fama de este nuestro ave Fénix, no de España, y por España sola (que para nuestro héroe es corto espacio), sino del mundo y por el mundo todo.

Éste es mi sentimiento, que para elogio es muy corto.

De Santa Catalina Mártir de Barcelona, julio 23 de 1634.

Fray Francisco Palau
Santmenat Vic. Gen. & Ofic.
Don Francisco de Erill, Cancell.

## 4. *Historias trágicas ejemplares, sacadas del Bandelo veronés, nuevamente traducidas de las que en lengua francesa adornaron Pierres Bouistau y Francisco de Belleforest,* Salamanca, Pedro Lasso, a costa de Juan de Millis, 1589

### HISTORIA UNDÉCIMA

*De un marqués de Ferrara que, sin respecto del amor paternal, hizo degollar a su propio hijo porque le halló en adulterio con su madrastra a la cual también hizo cortar la cabeza en la cárcel.*

#### Repártese en cinco capítulos

Puesto que en la memoria [de] los hombres los amores incestuosos hayan sido desagradables en la presencia de Dios y en el respecto de los hombres, los escándalos que se han seguido de ellos darán bastante testimonio así de la gravedad del pecado como del mal que causa en las casas y personas donde ha tenido algún atrevimiento y derramado su simiente. Por éste fue muerto a traición Amón, hijo de David, por su propio hermano Absalón, el cual cayendo después en este mismo vicio, usando deshonestamente de las concubinas de su padre, por justa venganza de Dios fue muerto miserablemente por Joab, general de la gente de armas de Judea. Y traeremos aquí la brutal e incestuosa deshonestidad de una Semíramis, y alabarla hemos de la muerte que recibió, que fue conforme a sus merecimientos, por las propias manos del mismo con quien ella (contra todo derecho divino y humano) procuraba juntarse.

Y así me tendréis por excusado si recitare una historia acontecida de pocos años acá en nuestra Europa, con un hecho tan detestable, pernicioso y contra toda razón (teniendo respeto a las circunstancias y calidades de las personas), cual nunca las historias ni poetas han sacado a la luz, y también os contaré la cruel justicia usada por un padre contra su proprio hijo, la cual debría ser ejecutada así, indiferente manera, sin hacer ninguna excepción de personas, pues vemos que a solo este propósito los antiguos nos la pintaron con los ojos cerrados y con el peso y cuchillo de venganza en las manos. Pues, de otra manera, ni los príncipes ni los potentados tendrían seguridad en sus palacios y casas reales, y la honestidad de las mujeres (por cualquier precio que fuese) estaría en duda de ser corrompida. Entre las cuales estoy maravillado que se haya hallado una de alta e ilustre casa tan lasciva que, olvidada de su propia vergüenza, de la naturaleza de su sexo, de la sangre y del estado en que había sido Dios servido ponerla, no haya podido aplacar el fuego de su concupiscencia y enfrenar el apetito desreglado de su carne, de manera que sus locos conceptos no hayan manifestado el fruto de la bondad sembrada en entrañas.

Pero la escuridad de los hechos de semejantes lobas servirá de lustre y claridad para las que con su resplandor ofuscan y hacen que paren en humo semejantes figuras, hinchendo de olor suave y bueno todo este hemisferio bajo el cual, sin esta suavidad estaría en peligro de gustar una contagiosa pestilencia, atento que la corrupción de las depravadas costumbres que vemos y experimentamos cada día en toda la cristiandad donde hay tanto mal que la indiferencia de los pecados es guardada por muchos, a la manera y costumbre de los estoicos, porque un contrato no puede recibir fuerza sino con la comparación de su opuesto, ni la virtud sería tan alabada sin el contrario objeto del vicio, ni el resplandor si las tinieblas no nos declaran su placer y provecho.

Y así, si siempre ha habido grandes pecadores, contra quien se han ejercitado las plumas de los doctos, no han faltado buenos ni sabios que se hayan ocupado en alabar la excelencia de los que (teniendo la virtud por contraria de éstos) han dado y dan ordinariamente indicios manifiestos de su claridad, los cuales entre la multitud de tantos vicios como ha habido, han sido solamente los que han estado mirando esta farsa, sin representar en ella ni usar de semejante deshonestidad de vida (como estos de quien pretendo hablar) que oscurecieron su fama, puesto que su nombre haya tenido alguna dignidad, y sido colocados en grados y estados altos, como lo podréis ver leyendo esta historia que se sigue.

## Capítulo primero

*En que se cuenta quien fue el marqués Nicolás de Ferrara y su hijo Hugo, conde de Rovigo y se trata su manera de vivir, y cómo se casó segunda vez, y lo que su mujer trató con una dama suya.*

Cuando vivió Filipe María, duque de Milán, hijo de Juan Galeazo (el que tantas veces tuvo guerra contra los florentines y los de su liga), reinando en Francia Carlos séptimo, que fue el que echó los ingleses de Normandía, el excelente magnánimo príncipe Nicolás de Este, tercero marqués de Ferrara (que por su singular prudencia había sido muchas veces elegido por juez árbitro para concordar las diferencias sucedidas entre los príncipes de Italia) tuvo guerra con un primo suyo llamado Azzo de Este, y con ayuda de los venecianos, florentines y boloñeses, aunque bastardo, echó del marquesado al dicho Azzo, que era el legítimo y derecho sucesor, fuera de Italia, y le constriñó a acabar sus días en destierro en la isla de Candia, llamada antiguamente Creta. Y puesto que Ferrara le obedeció como a usurpador injusto, él se gobernó tan bien, tratando al pueblo con amor, que jamás ninguno de sus predecesores vivió tan pacíficamente.

Este, estando ya confirmado y quieto en el estado, se casó la primera vez con una hija del señor Francisco de Carrara, que a la sazón lo era de Padua, de quien hubo un hijo que en su baptismo se llamó Hugo, cuya hermosura y fisonomía prometían una cierta excelencia y grandeza, de quien trataré adelante muchas veces por ser uno de los principales motivos de esta historia. Llamábanle, por quererlo así su padre, conde de Rovigo, y criáronle los que le tenían a cargo con tanto cuidado y diligencia cuanto convenía se tuviese con el hijo de tan gran príncipe como era el que señoreaba a Ferrara.

Pocos días después del nacimiento de este niño, murió la marquesa, su madre, con gran pesar de su marido, que la amaba en extremo, y con descontento general de sus súbditos, que habían conocido en ella tanta humanidad y liberalidad que quedó impresa su memoria en sus ánimos mientras vivieron.

Creciendo este príncipe en edad, daba tales muestras de virtudes y valor, que se hubieran hallado pocos señores en Italia de su calidad que se le igualaran, si fortuna o su desgracia no le hubieran hecho dar tal caída que en el progreso de sus años viniese a desmentir del buen principio que se había tenido de su grandeza.

Mas ¿qué digo? Pues las voluntades y deseos de los hombres tienen sus menguantes y crecientes, como el inquieto e inconstante movimiento del mar, que jamás está en un ser; cosa que no es así en los juicios y ordenamientos de Dios, de que no se pasa ninguno sin tener el fin ordenado en su presciencia y, conforme a esto, no fue el fin del conde cual se había esperado de las conjeturas de su virtud pueril.

Y como el marqués Nicolás quedase después de la muerte de su mujer mozo y de buena disposición, propuso no casarse otra vez y, por no tener a ninguno de los potentados sus vecinos por enemigo, comenzó a tomar sus placeres y a pasar su tiempo en tanto vicio que casi todas las noches mudaba manjar para regalar con este medio su lujuria. Y fue esto de tal manera, que no debió de ser menos la multitud de sus hijos bastardos que lo fue la que estaba con el antiguo rey Príamo poco antes que le cercasen los griegos en Troya. Y porque no dejemos de decir ninguna cosa de las pertenecientes al discurso de esta historia que quiero contar, ni de las que tocan al desastre acontecido al conde de Rovigo, hijo del marqués Nicolás, digo que no quedó ningún hijo legítimo al dicho marqués, y que le concedió León, que fue el mayor de los bastardos, y después del señoreo el nombrado y famoso Borso, que fue hijo de una dama senesa, del ilustre linaje de los Tolomeos. Y este Borso, por haber hecho grandes servicios a la Iglesia de Roma, fue hecho duque de Ferrara por el papa Paulo Segundo, siendo emperador Federico de Austria, que también le declaró por duque de Regio y de Módena, reinando en Francia Luis Undécimo.

Volviendo, pues, a nuestro propósito, después de haber vivido el marqués mucho tiempo sin mujer legítima, persuadido, a lo que se entiende, de algunos de sus vasallos, determinó de casarse, y negociose de manera que se vino a concluir con una hija del señor Carlos Malatesta, que a la sazón era un grande y poderoso tirano y señoreaba muchas ciudades y villas en la Marca y Romaña, con fama de ser uno de los más valerosos y diestros capitanes de cuantos en su tiempo ejercitaban el arte militar en Italia.

Poco tiempo después el marqués, aunque su mujer era hermosa y de hasta diez y ocho años, no dejó de continuar sus primeros vicios, andándose de mujer en mujer, y no parecía sino que se había casado más por dar contento a sus vasallos, o por encubrir sus apetitos desordenados, que para abstener su deshonestidad y multiplicar su linaje, cosa que fue causa que Dios, para castigarle, envió un escándalo a su casa digno de ser notado, porque es tan extraño cuanto es posible, y si su memoria no fuera tan reciente no se le diera crédito.

Mas es tal la paciencia del Señor, que está aguardando a que se convierta el pecador pero, viéndole endurecido en su maldad, al fin le castiga tan ásperamente que sus descendientes se suelen sentir del grave rigor. Por tanto, el buen cristiano debía mirar con diligencia los ejemplos de esta paciencia sin segunda, y así entendería que, con el tiempo, no queda ninguna cosa sin castigo en la presencia de este Señor, porque ¿qué mayor daño puede suceder en la casa de un príncipe que su deshonra o la de los suyos? O ¿qué dolor puede ser mayor que verse hecho verdugo de su propia sangre, como lo ha acostumbrado mostrar la justicia de Dios sobre los que, perseverando en sus vicios, han acomulado maldad a maldad, y encendido al Señor con su incorrección?

Como le aconteció a este marqués cuya mujer, viéndose menospreciada y, como quien presumía mucho de su hermosura, no pudo mandar tanto en su constancia ni de tal suerte templar sus deseos que no se quejase un día a una dama suya que había traído consigo cuando vino de su tierra y de quien confiaba sus secretos; y estando ésta sola en la cámara de su señora, como viese que cuando estaba en secreto se entristecía, y que de cada día iba perdiendo su buena gracia, se atrevió a decirle estas razones:

—No creo, mi señora, os parecerá cosa nueva que, movida del deseo que tengo de serviros, haya tanto atrevimiento en mí que os pregunte de dónde procede la ocasión de una mudanza tan súbita como la que veo en vos, que solíades ser el único contento y placer de los enojos y penas de vuestro padre y mi señor con vuestras gracias; o, si por ventura os ha sobrevenido algún enojo, porque no hacéis otro oficio sino llorar, sospirar y quejaros. Suplícoos, mi señora que, si en el tiempo que he estado en vuestro servicio he hecho alguna cosa que merezca recompensa, me hagáis tanta merced que me digáis la ocasión de vuestro mal para que, si yo pudiese hacer alguna cosa con mi poca posibilidad que sea para aliviar vuestra pena, emplee en ella mi persona juntamente con mi vida, que os tengo ofrecida de gran tiempo acá, que estaré obediente a lo que me quisiéredes mandar.

—Amiga —dijo la duquesa—, ¿no es razón que me queje siendo quien soy, pues me veo de tal manera menospreciar del marqués, como tú lo ves y entiendes? Y prométote que si la esperanza de algún alivio no me consolase, verías brevemente el sacrificio que haría de mi vida a la crueldad del que hace más cuenta de mujeres públicas y deshonestas que de mí, que soy su mujer, y aun tal que en hermosura no daré ventaja a ninguna de cuantas viven.

—Y ¿cómo mi señora? —respondió la dama—. ¿No tenéis otra causa que os dé descontento sino estos amores vanos y locos del marqués mi señor? Dígoos que si no hay otra, es ese fundamento bien flaco para tanto sentimiento y causa harto liviana para que os quejéis tanto. Dejad aparte eso y procurad vivir alegre con los que os aman y tienen en lo que es razón; esperad a que el tiempo enfríe sus ardores y le haga mudar voluntad, pues veis que no es menester sino un poco de desgusto para hacerle apartar de sus deseos apasionados y malas conversaciones. Entonces gozaréis vos sola de lo que de derecho es vuestro, sin hacer cosa tan mala como entregar vuestra honra con amistad ilícita a otro que al que os ha sido dado por señor y marido, y sin afligir vuestra vida con esa desesperación loca que procede de celos mal ordenados.

—¡Oh, cómo es verdad —dijo la marquesa llorando— lo que dice el proverbio común: que los sanos dan fácilmente consejo a los que tienen alguna enfermedad grave! Oh amiga, y cómo si tú sintieras el mal que padezco, vieras que no me deja sosegar y entendieras la verdad de lo que tanto me congoja y priva de sentido, y aun sé cierto que, teniendo compasión de mí, me aconsejaría de otra manera, y junto con ello me ayudarías a poner en ejecución lo necesario para mi descanso y contento. El marqués tiene hecho curso de mucho tiempo atrás y es tal que tengo por imposible mude manera de vivir si no fuere muriendo o por demasiada vejez. Y, entretanto, pasaré yo mi tiempo en balde, acompañada sin compañía, y habré de sustentarme las noches con lágrimas en lugar de descansar, y los días, contra mis deseos, no tendré alegría para contentar al que se le da tan poco por mi contento, ni por la obligación que me tiene conforme a las leyes del sagrado matrimonio con que estamos ligados. Pluguiera a Dios que hubiera muerto en la cuna, porque llegado a esta edad, no probara cuántas son las fuerzas de un agravio injusto, hecho a una mujer menospreciada y olvidada de su marido. Ahora conozco cuán venturosas son las que, por ser de baja condición, osan sin mucho respeto manchar la sangre cuya infamia no redunda sino en deshonra de pocos. ¡Oh honra y grandeza, y con cuánta tiranía ponéis freno a las mujeres cuando son más estimadas en los ojos de los hombres! ¿Por qué no es igual esta condición a todas, para que el pueblo en ninguna manera manchara nuestro lustre más de lo que lo hace con la fama de los plebeyos y mujeres ordinarias, con quien juntamente muere la memoria de sus hechos y se sepulta en la misma sepultura que sus cuerpos? A lo menos si las leyes castigaran de la misma manera a los maridos desleales como hacen a las simples mujercillas que por vicio natural se olvidan alguna vez dejándose vencer de los apetitos de la carne, te digo que yo me vengara a mi placer del agravio que me hace este perjuro y mal marido, para que entrambos igualmente recibiéramos el castigo conforme al merecimiento de nuestras faltas. Mas, ¡ay de mí!, que los que al principio hicieron las leyes fueron unos tiranos inquietadores de nuestro contento y enemigos comunes de nuestro descanso autorizándolas sin tomar para ello nuestro parecer y consentimiento.

Y después, levantándose como casi fuera de sí, dijo con voz que declaraba la fuerza de su tormento y con gran dolor de espíritu:

—Si pensase morir un millón de veces, no dejaré pasar este agravio sin venganza y quiero que sepa que no pretendo vivir ociosa y estarme llena de enojos mientras él se da buen tiempo y, después, suceda lo que sucediere; harto basta (a lo que me parece) sufrir una tiranía tan grande y haber padecido tantas y tan agudas tentaciones, que lo mejor que de ellas puede salir no es menos de padecer que la triste y miserable rabia de la muerte.

## Capítulo II

*De la respuesta que la dama dio a la marquesa. Y cómo ella se enamoró del hijo de su marido y se determinó de descubrirle su deseo y la orden que para ella tuvo.*

Como la marquesa acabó las palabras dichas, se paró aguardando la respuesta de la dama la cual, habiéndolo pensado bien, habló así:

—Mi señora, puesto que jamás he experimentado qué cosa es la fuerza del amor, ni tampoco he sentido cuán grande sea el dolor y enojo de la que se siente agraviada de quien debiera ser amada, creo que la pena y pasión de lo uno y de lo otro es tan grande que sobrepuja a las mayores alteraciones que atormentan el espíritu, las cuales son nada respeto de esta destrucción, que no se puede decir. Para lo cual tengo y tomo argumento en vos, señora mía, cuya constancia veo bambalear

292

con este viento y furor de celos, en quien jamás hasta ahora se ha notado indicio de mudanza ni visto falta. Mas, ¡oh buen Dios, que conoces la flaqueza de los espíritus humanos y cuán acosados son con tentaciones livianas, que no hacen menos movimiento en nosotros que las olas del mar cuando en algún día de los más calurosos del verano se hinchan con torbellinos! ¿Qué es esto, señora? ¿Qué se ha hecho de la continencia que os hizo un tiempo nombrada sobre las más hermosas damas de la Romaña? Ruégoos procuréis permanecer en la virtud, reputación en que hasta aquí habéis vivido con tanto contento de vuestros padres y de los que os quieren bien. Y si la razón está tan ahogada en vos que tenéis determinado dar salto en la deshonestidad buscando otro que satisfaga vuestros apetitos sin el marqués, vuestro marido, que a lo menos hagáis vuestras cosas con tanto secreto que el ilustre linaje del que procedéis no sea deshonrado, ni vos infamada con afrentoso castigo.

No respondió la marquesa a la discreta persuasión de su dama, antes comenzó a tener diversos pensamientos y ninguno de qué medio ternía para no hacer a su marido la injuria que le hacía, sino todos para ver cómo se podía vengar y quién sería el con quien daría el contracambio a su marido, pagándole en la misma moneda. Y como sea cierto que la razón no se conoce hasta que el pecado y virtud dan juntos un mismo pago, porque la virtud tiene esa preeminencia sobre su contrario, que se propone en un sujeto para instrucción de otro, cosa que no se puede decir del vicio, pues vemos no ser permitido que si alguno se descuida en sus deshonestidades, apartándose de sus buenas costumbres, siguiendo su ejemplo nos arrojamos tras él, a rienda suelta nos vamos corriendo al vicio, como si fuera cosa de mucho precio. Y con todo eso, se usa tanto esto el día de hoy, que hay muchos que se andan siguiendo los vicios, de la misma manera que si tomasen ejemplo de cosas que no lo son, en que puede tener lugar equidad y no cabe represión. De que nos dará bastante ejemplo la locura de esta marquesa, que de tal suerte se dejó cargar de sus vanos y mal reglados apetitos que, pervirtiendo la orden común y derecho natural, cuanto a la reverencia de la sangre y persona, aún cuanto a la honestidad civil que la ley tiene puesta y constituida entre los hombres, vino a aficionarse a uno cuyos abrazos deshonestos la debieran atemorizar más que la memoria de la muerte.

Y fue así que, como queda dicho, tenía el marqués un hijo del primer matrimonio, gentil mozo, que al tiempo que la marquesa su madrastra cayó en esta locura, podría estar en edad de veinte años poco más o menos, y de éste se enamoró esta segunda Fedra, aunque no fue él quien imitó la virtud de Hipólito el amazonio, en cuanto toca a resistir este amor tan loco y incestuoso de la marquesa, su madrastra, aunque fue heredero del otro griego que murió por la justa ira de su padre, puesto que esto no fue contra razón porque lo había pecado, y en lo que hizo el otro fue para que su virtud y templanza fuese más alabada y éste hizo que se entendiese su vicio y quiso prevaricar contra su padre, como se verá en el discurso de esta historia.

Pues viéndose este príncipe mozo regalar con tanto amor y caricias por su madrastra y entendiendo que no tenía placer si no era cuando estaba contemplando en la gentileza y buenas gracias del conde de Rovigo, que jamás pensara que semejante deslealtad pudiera caber en el ánimo de la mujer del marqués de Ferrara, su padre, por lo cual hablaba muchas veces con ella, aunque su conversación era con tanta reverencia cuanta debe tener un hijo a su madre, cosa que no tenía ella por paga, teniendo ojo a trabar con otra amistad más estrecha, porque cuanto más le vía, tanto más sentía arder las primeras llamas de su amor, y de tal manera se encendió este fuego que, viendo cómo el conde, como mozo y nuevo en cosas de amores, no tenía cuenta con sus señas y deshonesto mirar, suspiros y pláticas interrumpidas, que hubieran fácilmente descubierto la pena que sentía la marquesa a otro que fuera más avisado, temiendo en poco su honra y vida si el conde lo dijese a su padre, se determinó a descubrirle la afición que le tenía. Y decía hablando entre sí:

—¿Cómo se aliviará mi mal si le tengo secreto al de quien espero salud? ¿Es, por ventura, adevino, que ha de imaginar la causa de las amorosas caricias y regalos que le hago? Bien entiendo que su poca edad le hace que no entienda lo más dificultoso que hay de entender en el hombre, que son los conceptos. Y puesto que fuera tan discreto que hubiera entendídolos, vergüenza mezclada con temor le habrán cerrado el paso para salirme al camino a lo que yo deseo tanto, y, pues, a lo que creo, no me desechará, quiero ser la primera que quite este amor y vergüenza que impiden mi contento, pues primeramente sentí el fuego de amor y experimenté la punta de la flecha de Cupido. Y espero que, aunque esta jornada es grande y peligrosa, no dejaré de salir con ella, porque, si no le pudiere mover mi hermosura y mis ardientes y regaladas caricias no encendieren fuego en sus entrañas y mi amor no penetrare sus sentidos; ya sé los lazos y redes con que le tengo de asir. Suceda, pues, lo que sucediere, que o yo moriré, o le daré a entender con mi propia lengua lo que por él padezco, atento que en semejantes negocios suelen ser peligrosas las embajadas. Y, junto con esto, le rogaré que remedie mis pasiones y, si no se hiciere como yo quiero, ya tengo imaginado cómo remediar mi desgracia y esta vida tan desesperada.

Y habiendo tomado consigo una resolución, como esta loca e incestuosa procurase la manera que tendría para ejecutarla, le fue fortuna tan favorable que en este mismo tiempo el duque de Milán, Filipe Visconte envió a llamar al marqués Nicolás para ciertos negocios de importancia, para cuya expedición había de estar días en aquel estado. Por la cual causa, habiendo el marqués puesto su casa en orden, se fue donde estaba el duque, cuyo confederado y gran amigo era, de que no recibió ningún pesar la marquesa, su mujer, porque hacía cuenta que, estando fuera su marido trataría con el simple conde el asiento de sus concupiscencias, y daría orden cómo de allí en adelante se pagase del marqués que estaba ausente de lo que, a su parecer, le debía.

Y, pocos días después de su partida, estando un día acabando de comer, en su aposento, pensativa e imaginando la manera que podría tener para poner en ejecución el cumplimiento de sus deseos, tomó un laúd en sus manos y comenzó a tocarle con tanta destreza y gracia que la dama, su criada, estaba como colgada de las cuerdas de su instrumento. Y a este tiempo no dejó la marquesa de concertar la voz con el son que hacía, cantando un soneto a este propósito.

Acabado que hubo su canto, volvió de nuevo a pensar más profundamente en sus amores, mostrando en su semblante que era gran negocio el que imaginaba y no pasión de las ordinarias, pues de tal manera le hacía revolver sus pensamientos con señales exteriores. Y, finalmente, vencida de la rabia de sus deseos, mandó a la dama de quien tanto se fiaba fuese a llamar al conde Hugo, y que le dijese viniese solo porque quería tratar con él cierto negocio de importancia. Ella lo hizo así, aunque con alguna sospecha de lo que le quería, por haberlo conocido en el mirar deshonesto y sospiros que salían de su señora cuando se pasmaba contemplando al conde, su entenado, y habiendo llegado donde estaba le dijo:

—Señor conde, mi señora la marquesa os ruega vais a hablar con ella, porque ha de tratar con vos un negocio que os importa mucho, y hallaréisla en su casa con deseo, a lo que creo, de comunicar con vos cosas que no han sido hasta aquí por vos gustadas ni entendidas.

No tuvo cuenta el conde Hugo con las palabras de la mensajera, antes, guardándole su desgracia, se fue a la cama de la marquesa.

Entretanto, la dama que había ido a buscarle, ora sea que la fealdad de lo que sospechaba le hiciese no volver donde estaba su señora, o que no quiso impedir su contento, viéndola pasar tan triste vida, se retrujo a una recámara donde, adivinando el triste suceso de los dos, se deshacía en lágrimas y, agravada de tristeza y cansancio, se durmió. Y en este tiempo, entrado que hubo el conde en el aposento de su madrastra, le salió ella a recibir con mucha cortesía y, tomándole por la mano, le hizo sentar cerca de sí.

## Capítulo III

*De cómo la marquesa se descubrió a su entenado, y la respuesta que él la dio, y la conclusión de sus malditos amores.*

Después del recibimiento que la marquesa hizo al conde, queriendo ella dar principio a su plática, se comenzó de tal manera a levantar su corazón que, peleando con sus sentidos, impidieron el oficio de los miembros exteriores, porque la lengua quedó muda, los ojos se le bajaron y el rostro se le desnudó con tal color que hubiera hecho vergüenza a la que tanto deseaba verse a solas con el conde, si se viera. Y habían causado tal trueco estas dos cosas diferentes, es a saber, amor y vergüenza, la una queriendo hacer salir sus rayos a luz, y la otra poniéndose delante con el velo de la inclinación natural y de la razón. Mas, al fin, el más imperfecto y menos poderoso quedó en esta causa con la vitoria, porque la marquesa, después de haber derramado algunos suspiros, sin hablar palabra y enojada de su indiscreta vergüenza, que por tal la juzgaba ella, finalmente, rompiendo su silencio con un mirar bastante a penetrar hasta lo más profundo, según era lastimoso, temblándole la voz y con poco sosiego, atenta la continuación que sentía en su interior y los diversos pensamientos que se movían en ella, apretando la mano al conde, le dijo:

—Si no tuviera, señor, tantas ocasiones para contaros mis males y justas quejas, creyérades, si quisiérades, que no fuera yo de tan poca vergüenza que intentara cansaros los oídos, y de la misma manera manifestar delante de vos cosas que —puede ser— os parecerán extrañas; os importan, pues por amor de vos, a quien quiero tanto, no sabré ni aún podré encubríroslas; porque, si tal hiciese, no sólo os engañaría, mas haría contra lo que debo a mi conciencia, y a quien está en el lugar que yo para con vos. Ya sé no ignoráis la vida que el marqués, vuestro padre, ha hecho después de la muerte de vuestra madre, que está en el cielo, y que la multitud de hijos bastardos que el día de hoy se ven en vuestra casa, si Dios no lo remedia, no usarán con vos adelante de más humanidad y cortesía de la que vuestro padre usó para con vuestro primo, que era derecho y legítimo señor de esta tierra, a quien él desposeyó y envió desterrado a la isla de Candia. Y, como veo la poca cuenta que hace de vos y de mí, me ha pesado mil veces de haber venido a esta tierra, no tanto por pena que siento de lo que toca, como porque adevino los trabajos que os están aparejados si no lo remediáis con tiempo y discreción. Y no digo, ni menos quiero, penséis os aconsejo que ensuciéis vuestras manos en la sangre y vida de quien os dio ser; aunque también os quiero avisar que soy de parecer de que abráis los ojos del entendimiento y consideréis el fin que podrán tener estos negocios.

Cuanto a mí, no dudaré de hacer cuanto pueda por vos, atento que, para deciros verdad (y esto lo dijo abrazándole y besándole), os quiero y tengo en más que a hombre que viva y os lo mostraré si quisiéredes verlo por experiencia. Y pluguiera a Dios que mi casamiento se hiciera a mi voluntad, que os digo que no gozará otro sino el conde Hugo de la hija del señor Malatesta. Y aun cuando mi señor y padre me habló sobre el matrimonio de Ferrara, de vos fue él de quien me trató, y no del marqués. Perdónelos Dios a los que me engañaron, que nuestra unión fuera harto más conveniente que la de vuestro padre, pues éramos iguales en edades y conformes en costumbres y así pudieran atarnos con una ligadura perpetua, donde ahora la tengo contra mi voluntad con quien me menosprecia, siendo quien soy, y que sigue, ama y aun regala a las madres de los que un día os quitarán vuestros estados, y podría ser que la vida. Y, conforme a esto, podréis, señor, entender el dolor que sentiré en haber perdido el medio de ser perpetuamente vuestra, y considerad la vida que habré de hacer en lo porvenir, amándoos como os amo, si viere la perdición y enajenamiento de vuestros estados. Pongo a Dios por juez de cuánta sea la angustia con que os descubro este secreto, porque el deseo que tengo de que vos seáis tan mío, como yo lo soy vuestra, está de tal manera arraigado en mí, que sola la muerte es quien podrá apartarle de mí.

Y acabando de decir esto, se puso a besarle de otra manera que suelen las mujeres honestas hacerlo con sus parientes. Y después añadió a sus primeras razones:

—Por tanto, mi señor y especial amigo, no queráis ser causa de la muerte de la que os procura cómo engrandeceros y por la misma vía se hace ella, de sin ventura, la más bien afortunada mujer que vive el día de hoy. Tened misericordia de la que os hace tan pródiga liberalidad. Y si la crueldad tiene más lugar en vos que mis ruegos y el singular amor que os tengo, acabad señor a esta mujer sin ventura, que haciendo lo que no os pide, no tardará de ejecutar en sí lo que vos no hiciéredes, y seréis ocasión de vuestra deshonra y de la muerte de la más fiel aficionada amiga que tenéis en este mundo.

El conde, no menos admirado de las palabras que de las deshonestas caricias de su madrastra, quedó fuera de sí sin poderle responder ni apartarse de ella. La marquesa, que era hermosa en extremo, moza y tan tierna como de buena gracia y tal que, a lo que creo, si la hubieran visto los filósofos más apartados o desgraciados de los tiempos antiguos, hubieran sentido la ocasión de semejante objeto y arrojado de sí el bordón y talega, y aun olvidado la contemplación de las cosas naturales por darse a la ejecución de las obras de naturaleza. Y aun digo que me parece que si la hija de Minos fuera tan hermosa y agraciada y usó de tales tocamientos y dulzuras como las de esta dama, no puedo creer que su Hipólito fuera tan frío o porfiado que no hubiera dejado las redes y perros de la caza de Diana para hacer lo que ella le pedía con tanta instancia.

Pues esta hermosa dama, viendo a su amigo en esta duda y de tal manera turbado que no había mostrado ningún mal semblante a cosa de las que le había dicho, determinó pasar adelante y batir el hierro mientras estaba caliente, para que este mozo, estando divertido en diversos pensamientos, no midiese con la razón la gravedad de un hecho tan malo como el abominable pecado que cometía contra el que le engendró, juntando con tan gran fealdad su persona con la en quien estaba mezclada la sangre de su padre, y no queriendo que tampoco viniese a descubrir la pena, peligro y daño en que se metía siguiendo su maldito y deshonesto consejo.

Por lo cual, se arrojó de nuevo sobre el cuello del conde besándole y acariciándole de tantas maneras que el pobre conde consintió en este maldito asalto, y aumentado sus retozos y meneos deshonestos, no sólo dio lugar a que le acariciase de esta manera, antes le encendió y emponzoñó con la misma rabia y veneno que había sembrado amor en las entrañas de la nueva Fedra, y comenzó a olvidarse de sus honestos propósitos y a hechar a parte la reverencia que debía a su padre y a la honestidad de su lecho nupcial cuyo violamiento o corrupción jamás se pasó sin traer consigo pérdida, afrenta y deshonra de los que cometen semejante maldad. Y olvidose tanto de su primera templanza que se puso a besarla y, finalmente, viendo que tenía licencia para andar por las fuerzas de su gracioso enemigo, vino a hacer otros tocamientos deshonestos y, bajando sus ojos, dio muestras de no sé qué vergüenza con que se declaraba su voluntad, y díjole ella entonces:

—Amigo, ¿por qué me hacéis morir? ¿Cuál es la causa por que no aplicáis este fuego que me abrasa, de que tengo por entendido sentís las llamas que me abrasan?

Y habiéndole dicho esto, hizo el conde lo que restaba sin usar más de la reverencia que hasta allí, y experimentó lo que jamás había probado, y pareciole cosa tan sabrosa que determinó de proseguirla si ella quisiese, y como ella no era de mal gusto, mayormente que le había parecido que el aprendiz era hecho a su voluntad, vino a condecender fácilmene con lo que él quería.

Considerad ahora el segundo acto de esta tragedia para que notéis si los bienes y contentos de los hombres son perpetuos y si los grandes han de tener menos secretas sus liviandades que los menores deben procurar que no se descubran, pues es cierto que tienen más preeminencia los ojos en la cabeza de una república que los miembros más ínfimos. Y cuando la cabeza padece trabajo, las partes que le están sujetas no pueden dejar de tener sentimiento de su pena. Y ésta es la causa por que se habla siempre de los príncipes y se hace tan poca cuenta de los plebeyos cuya memoria se desvanece como el viento.

## CAPÍTULO IV

*De cómo los dos enamorados proseguían en sus amores, y cómo lo vino a saber el marqués.*

Concluidos como fueron estos incestuosos amores, porque este negocio no se podía hacer sin tercero, determinaron comunicarlo con la dama que había ido a buscar al conde, que tenía harta duda de lo que ya habían hecho. Y después de haberse ido el conde, se fue ella para la marquesa la cual, con un meneo más gracioso de lo que tenía de costumbre, le dijo:

—Ya habéis visto, amiga, el trabajo en que he pasado mi tiempo y el poco contento que he tenido mientras ha estado aquí el marqués. Dios me ha hecho merced que se haya ausentado por algunos días para que yo tuviese orden cómo remediar en lo por venir lo que me faltaba, y con esta su ida me muestra el bien que podrá poner fin a mis desventuras. Yo he escogido un amigo tal que naturaleza no sabrá formar otro más perfecto, así en gentileza, bondad, cortesía y valor como en sangre, que reina en él de tal manera que hace ventaja a la misma nobleza. Yo os he tenido siempre por discreta y fiel, por haber tenido mis secretos tan guardados como era razón. Y habiendo sido vos quien ha oído la comunicación de mis primeras aficiones y el simple objeto de los principios de mis amores, se requiere que, conforme a razón, os manifieste el fin a que todo ello tiraba, y lo que de ello se ha seguido, confiándome tanto de vuestra virtud y discreción que tendréis secreto este negocio, como lo merecen las personas a quien toca y lo requiere la aficionada amistad que os tengo.

Y queriendo proseguir en sus razones, la dama no teniendo paciencia para escucharla, le dijo:

—Pluguiera a Dios, señora, que hubiera cortado la muerte el hilo a mis años cuando entré en esta casa desdichada, que con este medio hubiera evitado dos desventuras en que mi desgracia me ha metido, sin que pueda huir de ellas; porque siendo como soy doncella, tengo de ocuparme en oficio que no es conveniente a mi estado y edad. Será necesario al fin, atenta a la abominación de lo que sospecho, que vea un escándalo que causará la total destrucción vuestra y del por quien vos guiais esta loca y mal considerada empresa. No porque sea yo quien pretende infamaros, porque así me ayude Dios como me sería más agradable la muerte que veros en un trabajo de tanto perjuicio, así a vuestra edad como a vuestra grandeza. Mas son los juicios de Dios tan rectos y justos y tan pesados en la balanza de su justicia, que no se les pasa cosa en vano. Yo sé, mi señora, y sabe Dios (y esto dijo arrancando un suspiro de lo más profundo de sus entrañas) la pena con que os digo y traigo a la memoria esto, que el conde es aquél (¡oh gran Dios, que solo en acordarme de ello me hace temblar!) que ensucia el lecho y es competidor de su propio padre. Y de sí mismo es este que por vuestra causa toma venganza en sí mismo, y aun quien, pensando remediar vuestras pasiones y dolores, ordena para sí un jarabe tan amargo que sólo su olor le será causa de tal vómito que maldirá mil veces el punto en que comenzó esto que, a lo que entiendo, está ya ejecutado. Y ruega a Dios sea servido que yo sea adevina falsa en lo que digo. Cuanto a lo que toca a vos, señora, estad segura de mí, porque os juro que ningún tormento, por grave que sea, ni muerte ignominiosa que se me dé, me harán decir cosa contra vos, con que pueda escurecer vuestra honra, que hasta ahora habéis conservado con tanta reputación. Y debajo de esto, empleadme en lo que os pluguiere, porque, pues ya está hecho el mal recaudo, el consejo es por demás, y veréis cómo hago lo que fuere en mí por serviros.

—Hermana —dijo entonces la marquesa— hanme movido de tal manera vuestras palabras que conozco que me decís verdad. Mas ¿qué queréis que haga? Que es tan grande la fuerza de amor que no sabría cómo apartarme de esto que parece haber ordenado mi ventura para mi contento. Y así como entre todas las pasiones humanas es preferida ésta, así no se puede quitar por fuerza ni diligencia. Por lo cual os ruego no me digáis más eso, porque usaremos de tal prudencia que no lo puedan ver los de más claros ojos. Solamente quiero instruyáis al conde en lo que ha de hacer y le digáis a qué horas podrá venir cómodamente a verme. Y mirad que pongo mi vida y honra en vuestras manos, y que tenéis en vuestro poder su ventura o desventura.

De esta manera se pasaron algunos meses en que los dos enamorados se juntaban sin que ninguno de los cortesanos entendiese, ni aun sospechase tan abominable traición aunque veían la gran conversación que tenía la marquesa y el conde y que ella le regalaba y acariciaba muy familiarmente, pero creían lo hacía por contentar al marqués, por que no pensase que no quería bien a los hijos de la primera mujer, y también porque, como se ha dicho, el conde era tan honesto y de buena condición, que atraía a sí las voluntades de cuantos le trataban. Y lo que más confirmaba la opinión de estos caballeros en que la amistad de esta señora con el conde no excedía de lo que se requería, era la virtud y gentileza del conde.

Pero Fortuna, que no puede olvidar sus mudanzas, y el cielo enojado de un hecho tan malo y injuria tan abominable, cometida así contra Dios como contra el padre y marido de los delincuentes, despertó otro más sotil y discreto descubridor de las cosas encubiertas, que es el tiempo, lo cual hizo el oficio de un buen criado que, por inadvertencia de los enamorados, su maldad salió en público, gobernándose con tan poca discreción y con tan poco miramiento de lugar y personas, que estaban ya ciegos en lo que tocaba a sus placeres y tan embebidos en sus contentos, pareciéndoles que su fortuna les había de ser siempre tan favorable como les había sido en poco menos de dos años.

Y, estando el marqués en Ferrara, sin tener ninguna sospecha del agravio y maldad que su hijo el conde le hacía, y de la falsa compañía de su mujer, sucedió que un paje de cámara del conde comenzó a tener mal concepto del negocio que pasaba entre los dos, porque vía que, luego que el marqués se iba de noche a pasear por la ciudad a visitar alguna de sus queridas, salía el conde solo de su aposento, que fue causa que vino a certificarse de su duda, y así determinó saber la verdad, porque es justo juicio de Dios que, cuando los hombres quieren encubrir la maldad de sus malos y detestables hechos, entonces despierta el espíritu de los niños o da saber a las bestias para que la publiquen.

Y éste comenzó a espiarles y a tener cuenta con los meneos, gestos, hechos y dichos del conde, y salió de tal manera con su pretensión que, cuando menos pensaba en ello, estando en una recámara o guardarropa que caía junto a la cámara de la marquesa, acaso o por permisión divina (habiendo ya llegado este pecado a lo último de la abominación), vio un agujero pequeño en la pared que correspondía a la cama donde ordinariamente se acostaban, y mirando por él, vio claro lo que tantos días había sospechado y, como si viera delante de sí al demonio, se santiguó muchas veces con tanta admiración que apenas podía creer lo que vía. Y finalmente, mirándolo con más atención y viendo que no se engañaba, dijo:

—Pues no ha de ser así, sino que lo ha de saber el marqués para que castigue al uno de su loco atrevimiento y al otro de su mucha deshonestidad y lujuriosa incontinencia.

Y estuvo aguardando oportunidad para hacer que el marqués viese este impío y monstruoso espectáculo y sucedió que, dos o tres días después el conde, no recelándose de la traición que su paje le ordenaba, así como vio que su padre se iba a ver sus caballos, se fue al aposento de su dama, mas su Argos, que no dormía, le fue siguiendo y, en viéndole entrar en la lucha se fue para su padre queriendo mostrarle la cosa de que menos pensamiento tenía. Y este traidor (aunque lo que hacía tenía buena apariencia), en llegando delante del marqués, le dijo turbado y temblando:

—Mi señor, si el tiempo me diera lugar para contaros una de las mayores maldades que jamás ha acontecido en Italia no dejara de decírosla, pero puede ser que solo el oírla os haga erizar los cabellos y temblar los miembros, según es abominable el caso, y porque si os detuviésedes, podría perderse ocasión, será vuestra excelencia servido venirse solo donde yo le llevare, y allí verá por sus ojos lo que yo no puedo referir cómodamente.

El marqués, que era animoso y codicioso de ver y saber cosas nuevas, se fue tras él a la parte donde se representaba el acto que causó después la muerte de los principales personajes de esta tragedia. Y dijo entonces el acusador al marqués:

—Ruégoos, señor, consideréis, mirando por este agujero, qué vida habrán hecho éstos en vuestra ausencia, pues, estando vos presente, veréis por él la maldad que cometen los dos que más queréis.

No hubo el marqués puesto los ojos donde le señaló el paje, cuando vio a su hijo abrazado al cuello de su mujer, y las deshonestas caricias de ella, y fue tan constante que se estuvo quedo esperando el fin que habían de tener estos abrazos y regalos, y cuando vio que venían a resultar en su daño e infamia perpetua de su linaje, estuvo para salir de sí, y quiso hacer derribar la puerta de la cámara donde estaban los desventurados enamorados para matarles estando en el acto, mas su pasión y dolor fueron tan penetrantes que no pudo moverse de donde estaba por buen espacio, antes quedó confuso y suspenso, cayéndole gruesas lágrimas por su barba larga, que ya comenzaba a encanecer. Y al fin con dolor comenzó a decir:

—¡Ay de ti, viejo sin ventura! ¿Será posible que, saliendo de la flor de tu edad, seas afrentado por la sangre y sustancia de tus entrañas? ¿Será este tu hijo entre los legítimos el que tan legítimamente trate con tu mujer? ¿Seré yo, por ventura, el testigo, juez y parte en esta causa y en la ejecución de este juicio? ¿Convendrá que haga, así por ley como por mi justo enojo, morir las dos personas de este mundo a quien yo más amo? ¿Pues no será así que a la amistad conyugal se hace aquí vergüenza por el que se ha desvergonzado contra mi grandeza y tenido en poco la común reputación de entrambos? No tenga fuerza para conmigo el amor paternal, pues el hijo, usurpando la cama de su padre, da muestras de querer intentar y mover alguna conspiración con que quitar la vida al por quien él tiene la suya, y cuya honra y reputación ha manchado. Y pues en tiempo antiguo aquel famoso capitán de los romanos castigó con tanto rigor y severidad a su hijo porque había quebrantado su orden y mandado en la guerra, puesto que salió honrosamente con lo que intentó, ¿qué habré yo de hacer, que me veo vendido con tan grande aleve y traición y injuriado tan afrentosamente por el que debiera ser el vengador del delicto y agravio que por mis propios ojos le veo cometer a él mismo? No quiera ni permita Dios que la misericordia mueva mi ánimo para que le perdone este error, ni menos que disimule tan grave dolor como éste, pues me hará morir viviendo si, vengando esta injuria que se me hace, no castigase el pecado más abominable que se puede imaginar. Y así, para que descanse mi espíritu y por que sea ejemplo de justicia a los que vinieren después de mí, mi hijo morirá y, junto con él, la deshonesta que es causa de todo esto, y por quien recibo tan gran pérdida como la de mi hijo único y legítimo, y también de mi honra, que estimo en más que los hijos, riquezas y vida, que son tanto de preciar, pues sin ella todo lo demás no vale nada.

## Capítulo V

*De cómo el marqués mandó prender a su hijo y mujer, y la justicia que se hizo de ellos.*

Con esta determinación se salió el triste padre, lleno de ira, de su emboscada, y el hijo se fue al palacio bajo del castillo, no entendiendo, ni aún imaginando en el peligro que le estaba aparejado, y púsose a jugar a la pelota con otros caballeros de su edad. Y quiso su fortuna que este día había venido mucha gente del pueblo a verlo, más de la que solía juntarse de ordinario. Y no dejó de creer que les había congregado algún pronóstico del espectáculo que tenía de suceder en esta parte para que con mayor afrenta el conde y su incestuosa mujer fuesen puestos en prisión. Porque uno de los castigos que Dios da a los malos es que los pecados ocultos y que se cometen en la escuridad de la noche sean castigados al medio del día y cuando todo el pueblo lo vea. Y en tanto que este príncipe sin ventura (más alegre de lo que solía) se estaba jugando (como habemos dicho), llegó el alcaide del castillo con cantidad de arqueros y, a vista de cuantos allí estaban, se fue hacia él, y le dijo:

—Príncipe, conviene que de aquí adelante juguéis diferentemente de lo que ahora jugáis, y en parte donde os acordéis de las conjuraciones y traiciones que habéis tratado contra la persona del marqués, mi señor y vuestro padre, por cuyo mandado (y esto dijo echándole la mano) os tened por su prisionero. Pésame de vuestro desastre y mucho más de que sea yo quien os haya de llevar a la prisión, pero echad la culpa a vuestro delicto, y asimismo me tened por excusado de lo que hago, pues soy mandado por quien tiene poder sobre vos y sobre mí.

¡Oh fuerza y extremado poder de la conciencia, que tan vivamente roes los corazones de los que se sienten culpados, que al menor soplo del viento o oyendo menear una hoja de un árbol, les parece que ven sobre sí el verdugo y padecen un continuo castigo que jamás les da descanso, de donde procede la poca seguridad que tienen los tales! Y de tal manera les roe el gusano interior, que juzga el propio espíritu y da cierto indicio de la cosa que, sin eso, podría ser fuese tenida por dichosa. Y el pobre del conde Hugo, viéndose con carga de ir a dormir y hollar otra cama, diferente de la en que poco antes había recebido tanto contento y placer, cayó en la causa de su desventura y vio la poca esperanza que podía ni debía tener para ser perdonado. Y, casi fuera de sí, dijo al alcaide:

—Vamos, capitán, donde os pareciere, porque mucho tiempo ha que no estaba yo aguardando otro tratamiento sino el que veo que se me está aparejado.

306

—Mi señor —respondió el alcaide—, tened buen ánimo, que Dios es poderoso para ayudaros y justo para dar a cada uno lo que merece, y entended que el marqués mi señor no hará cosa contra vos sin comunicarla con los más sabios y entendidos de su corte; y así habéis de estar con mejor esperanza de la que tenéis.

De esta manea llevó al conde Hugo a la torre más principal del castillo, que responde a la puerta de León, y luego fue a buscar, con la misma orden, a la marquesa, teniendo del marqués semejante mandado para hacer de ella lo que del conde, y hallola que estaba con sus damas, cantando una canción que parecía ser pronóstico de su desastre, y profecía de la sepultura de los dos, que juntó después de su muerte los cuerpos justiciados de ella y del conde:

De los dioses el querer
dio al hombre la tierra baja,
do nunca dura placer
y el mar siempre le trabaja;
do el destierro le acarrea
por un placer mil enojos,
y así conviene que sea
viva fuente con sus ojos.
El placer que recreaba
esta mi hambrienta alma,
y la dulzura que hartaba
hame ya dejado en calma.
Dios mío, ¿qué es lo que siento?
¿Es la señal de mi muerte?
¿Será de pena argumento,
perderé mi dulce suerte?
Mas no es sino el fin mortal,
hecho para mi provecho;
¡oh señor, Dios inmortal!
sea lo que mandáis hecho,
y aquesta imperfecta parte
que ha de ser de los dos gloria,
antes que el alma se aparte.
el fin vea de su historia.

Así como la pobre señora acababa de decir esto, el alcaide le dio la misma embajada que al conde, y la llevó presa a otra torre, apartada de la en que él estaba. Viendo el marqués que todo el mundo estaba espantado de cosa tan maravillosa y espectáculo tan cruel como ver preso a su hijo, que era quien algún día le había de suceder en el estado, y a su mujer, a quien había querido tanto, y por que nadie pensase que era por alguna cosa liviana o tiranía cruel, mandó que todos tuviesen silencio y, sentándose en medio de sus varones y caballeros, con majestad grave, que en lo exterior daba muestra de la pena interior que en aquel tiempo sentía, derramando infinitas lágrimas, acompañadas con sospiros interrumpidos, comenzó a decir:

—Por ventura habrá alguno entre vosotros, buenos amigos, que tendrá por malo lo que no ha mucho se ha hecho con mi hijo y con la marquesa, por no saber la causa verdadera, y por la misma razón me tendrá por marido riguroso y por padre severo y cruel, y contra todo derecho y justicia. Y pluguiera a Dios que su pensamiento fuera verdadero, y que yo no tuviera la razón que tengo, porque os digo de verdad, mis buenos vasallos, que si así no fuera, no tuviera ocasión de haceros participantes de mi tristeza, ni de derramar las lágrimas que veis correr por el rostro del que casi no puede deciros la causa de su dolor, ni la razón de su crueldad (si tal se debe llamar la justicia) tan súbita; pues hasta ahora no ha mostrado que se haya ejecutado con malicia contra ningún hombre de cuantos viven, sin primero haberle dado ocasión para ello. Porque no es menos conveniente a un príncipe gobernar y regir sus vasallos con mansedumbre, equidad y clemencia que castigar los delincuentes y inquietadores de la paz pública, por que, no sufriendo esto y no perjudicando a ninguno, no se siga la total destrucción y pérdida de todo un pueblo. Y esto es donde cumple extender los brazos y castigar no menos la temeridad de los locos y atrevidos que recompensar y galardonar la fidelidad de los que hacen lo que deben obedeciendo a sus señores. Y si las leyes nos muestran la obligación que en esto tienen los vasallos y súbditos para con su señor natural, naturaleza (conformándose con la ley) constriñe y liga más estrechamente a los hijos, pues deben a sus padres honra, obediencia, piedad y todo socorro, no sólo en lo exterior, sino también en lo interior, que es el buen querer y perfecta amistad con que el corazón del hijo ha de estar unido con la voluntad y querer de su padre. Mas, ¡oh Dios inmortal!, ¿qué padre habrá tan humano y misericordioso para con su hijo que, viendo la espada del hijo a su garganta, si la pudiese quitar, se dejase privar de la vida? Cuanto más que ¿qué vida se ha de comparar a la honra? Pues, por alcanzarla y gozarla, cuantos varones heroicos y señalados ha habido han menospreciado y aun menosprecian la vida. Así que, amigos, esto es lo que ahora me quejo a vosotros de mi hijo y mujer cuyo olvido se ha extendido hasta desvergonzarse contra la honra con que mis pasados y yo habemos pasado nuestras vidas. Y no os daré otro testigo sino mis ojos, que vieron uno de los más abominables y malditos hechos que se podrían pensar, y lo que no puedo decir sin grandísima pena y perder mi autoridad (por el agravio que se me ha hecho) es que mi hijo, el conde Hugo, ha hollado el lecho nuncial del marqués de Ferrara, su padre, supremo señor de todos vosotros. Y digo que ha sido éste el que ha afrentado la casa que es tenida en la cuenta de las más principales de la Europa. Y éste es quien incestuosamente ha violado el claustro y encerramiento, cuya entrada no era permitida, conforme a derecho, a otro sino a mí, que me quejo y quiero vengar semejante injuria. Duéleme el corazón, acábanseme los sentidos y las fuerzas me faltan, y solamente me resta el deseo de hacer justicia, y puede ser que no será semejante a la abominación del delicto, pero a lo menos será tal que podría borrar de mi linaje la vergüenza de esta mancha y aliviar algo el enojo que me atormenta, y también servirá de castigo a los que tan gravemente han ofendido la Majestad divina, y de ejemplo con que en lo por venir se refrene la impúdica y loca mocedad.

Y, diciendo esto, no pudo pasar adelante, y acabáronsele las palabras y apretado de gran dolor y cólera se quedó desmayado entre los brazos de los que allí estaban, y así le llevaron a su aposento, maravillados de la maldad de los delincuentes, y comenzaron a darle crédito, así por la autoridad de quien decía haberlo visto, como por el deshonesto mirar y lujuriosas caricias que la marquesa hacía al conde, y creyeron que había sido ella quien había armado los lazos en que ella y el príncipe se habían enredado.

Y habiendo el marqués vuelto en sí, no hubo hombre tan atrevido que le osase hablar en ello, antes, estando todos colgados de la voluntad de su señor, fueron de parecer que el proceso se fulminase con brevedad y que se hiciese justicia de los presos, así por su descanso como por dar algún contento al padre que tan justamente estaba enojado contra su hijo, y al marido que aborrecía mortalmente la disolución de su mujer, a quien envió uno de los de su consejo con los frailes, personas de gran doctrina y vida aprobada; el uno para que la llevase las tristes y espantables nuevas de su muerte, y los otros para que la persuadiesen que se arrepintiese de sus pecados, y rogasen a Dios tuviese misericordia de su ánima.

Y lo mismo se hizo con el conde su hijo que, cuando vio el del consejo y oyó la sentencia de su muerte, dijo llorando tiernamente:

—¡Oh carne sucia y hedionda, pues conviene que por tus deleites yo muera en este día! ¡Oh sin ventura de mí, no por morir, pues muero por mandado del por quien tengo ser, sino por haber sido el motivo de su cólera y la causa de su dolor, y por haber sembrado una niebla en su linaje que no se pasará ni olvidará tan presto, y se tratará por largo tiempo de ella! ¡Oh mi señor y padre, perdonad la ofensa que os hizo este abominable, pues ha hecho contra vos lo que no debe hacer ninguno hijo con su padre! Confieso que soy el más miserable y malo que jamás nació, y el más detestable que hay debajo del cielo el día de hoy. ¡Oh señor y Dios mío! suplícote que no consientas que mi alma afligida sirva de manjar a la antigua serpiente y león hambriento, que nos anda rodeando para engañarnos y hacernos caer de ojos en el oyo. Ten misericordia, Señor, ten misericordia de mí y no permitas que la sangre de tu precioso hijo se haya derramado en balde para mí. ¡Ay de mí, que muero, no por la confesión de tu fe, ni por haber glorificado tu santo nombre delante de los hombres, sino por mi maldad y por la infinidad de mis deméritos! Y lo que (después del pecado cometido contra su Majestad divina) me agrava más es la tristeza del que se queja y ha de quejar de mi maldad y deshonra. Mas, ¡oh buen Dios!, ruégote que le

310

consueles, y que a mí me des esfuerzo para sufrir con paciencia este castigo cruel y infame que veo estarme aparejado.

El del consejo, viendo el arrepentimiento del conde, movido a compasión, se puso a llorar y, saliendo de la prisión se fue a decir lo que pasaba al marqués, que le dijo:

—Ya no es tiempo de fingirse buen cristiano, cuando no puede escaparse de la justa venganza de Dios, por ministerio de la justicia humana, aunque, con todo esto ruego a Dios le perdone sus pecados y le ponga en el número de sus escogidos.

Y acabado de decir esto, se quitó de allí, no pudiendo sufrir el dolor que sentía, acordándose de la muerte tan cercana de su hijo, por lo cual fue ordenado que los despachasen brevemente, sin que el uno supiese del otro, y esto se hizo, porque la marquesa no quería oír ninguna amonestación, por haber entendido que la sentencias se extendía igualmente contra el conde que contra ella, que no tuviera en nada su vida, con que él quedara libre. Aunque al fin, viendo que de esto no se la seguía ningún provecho, se dispuso lo mejor que pudo para recebir la muerte con paciencia, que se les dio a cada uno en la prisión en que estaba por el ministro que fue señalado para ejecutarla por la justicia, cerca de la media noche, no sin infinitas lágrimas y sospiros que echaban y derramaban el marqués (que no podía disimular su aflición), y todos los de su casa, que querían en extremo a los dos desdichados enamorados, cuya virtud, fuera de esta falta, no podía así fácilmente ser comparada. Mas un poco de levadura, como dice el Apóstol, hace fácilmente que se vuelva aceda toda una masa de pan, y de la misma manera, un vicio escandaloso escurece toda la claridad de las virtudes que han precedido e inficiona el buen olor de la vida pasada.

Habiéndose ejecutado la sentencia en los delincuentes, les hicieron lavar y aderezar y al amanecer fueron puestos en la plaza del palacio para que todos les viesen y supiesen la causa de su muerte. Y allí se volvieron a renovar los lloros y llantos, así sobre el uno como sobre el otro; al uno por su valor y al otro por su humanidad, y a entrambos juntos por su gentileza y poca edad, porque el que más tenía no llegaba a veinte y dos años.

Hecho esto, mandó el marqués hacer un rico y sumptuoso aparato para sus obsequias y, con pompa y autoridad, conforme a su grandeza, sepultaron los cuerpos en San Francisco, en una tumba que estaba levantada para cama de los cuerpos de estos que tanto se quisieron en vida.

De esta manera acabaron estos desdichados cuyo contento fue poco respecto del castigo que llevaron, pues de sus placeres no sacaron otro sino acabar con un género de muerte y ser puestos sus huesos en una sepultura. Lo que de aquí se puede colegir es que se debe considerar lo que se comienza y lo que se puede seguir de ello, antes de ponerlo en ejecución. Y se entenderá que si el pecado se arraiga, echa sus raíces tan adentro que son trabajosas de arrancar. Es este maravilloso ejemplo para los que viven sin tener cuenta con lo que ordenan la carne y demonio, tratando con sus parientes, sin considerar que muchos tenidos por sabios erraron en este caso, cometiendo cosas indignas de ser imaginadas, que han sido castigadas con muerte y infamia de sus autores.

*Fin de la histor[i]a undécima*

Colección Letras Hispánicas

ÚLTIMOS TÍTULOS PUBLICADOS

843 *El azar nunca deja cabos sueltos (Antología 1960-2020)*, JENARO
     TALENS.
     Edición de José Francisco Ruiz Casanova.

844 *Casa con dos puertas, mala es de guardar*, PEDRO CALDERÓN DE LA
     BARCA.
     Edición de Juan Manuel Escudero Baztán.

845 *Desengaños amorosos*, MARÍA DE ZAYAS.
     Edición de Alicia Yllera.

846 *Cuentos*, SERGIO PITOL.
     Edición de José Luis Nogales Baena.

847 *Hélices*, GUILLERMO DE TORRE.
     Edición de Domingo Ródenas de Moya.

848 *Poesía completa*, DIEGO DE SAN PEDRO.
     Edición de José Francisco Ruiz Casanova.

849 *El loco Estero*, ALBERTO BLEST GANA.
     Edición de Miguel Saralegui y Yosa Vidal.

850 *Negra espalda del tiempo*, JAVIER MARÍAS.
     Edición de José Antonio Vila Sánchez.

851 *Teatro completo (Farsas y églogas)*, LUCAS FERNÁNDEZ.
     Edición de Julio Vélez-Sainz y Álvaro Bustos Táuler.

852 *Viaje en autobús*, JOSEP PLA.
     Edición de Xavier Pla.

853 *Canciones populares amorosas*.
     Edición de Francisco Gutiérrez Carbajo.

854 *Crotalón*, CRISTÓBAL DE VILLALÓN.
     Edición de Alfredo Rodríguez López-Vázquez.

855 *Roma, peligro para caminantes*, RAFAEL ALBERTI.
     Edición de Luigi Giuliani.

856 *Fuera del juego y otros poemas*, HEBERTO PADILLA.
     Edición de Yannelys Aparicio Molina y Gustavo Pérez Firmat.

857 *Una luz imprevista (Poesía completa)*, MARÍA VICTORIA ATENCIA.
     Edición de Rocío Badía Fumaz.

858 *La Gatomaquia*, LOPE DE VEGA.
     Edición de Antonio Sánchez Jiménez.

859 *Libro de los gatos*, ANÓNIMO.
     Edición de David Arbesú.

860 *Historia del descubrimiento y conquista del Perú*, Agustín de Zárate.
    Edición de Marta Ortiz Canseco.
861 *Obra literaria reunida*, Luis Buñuel.
    Edición de Jordi Xifra.
862 *El burlador de Sevilla*, Andrés de Claramonte.
    Edición de Alfredo Rodríguez López-Vázquez.
863 *Pureza*, Juan Ramón Jiménez.
    Edición de Rocío Fernández Berrocal.
864 *La Quimera*, Emilia Pardo Bazán.
    Edición de Marina Mayoral.
865 *Máscaras*, Leonardo Padura.
    Edición de Ángel Esteban y Yannelys Aparicio.
866 *Las cuatro esquinas*, Manuel Longares.
    Edición de Ángeles Encinar.
867 *Relación de la guerra de Cipre y suceso de la batalla naval de Lepanto*,
    Fernando de Herrera.
    Edición de Luis Gómez Canseco.
868 *Resonancias (Antología poética, 1964-2022)*, Clara Janés.
    Edición de Jenaro Talens.
869 *Escenas de cine mudo*, Julio Llamazares.
    Edición de Carmen Valcárcel.
870 *La velada de Benicarló (Diálogo sobre la guerra en España)*, Manuel
    Azaña.
    Edición de Francisco Caudet.
871 *El gallo de oro y otros relatos*, Juan Rulfo.
    Edición de Jorge Zepeda.
872 *El Solitario*, Concha Méndez
    Edición de Berta Muñoz Cáliz y Diego Santos Sánchez.
873 *Percusión*, José Balza.
    Edición de Juan Carlos Chirinos.
874 *Poesía completa*, Mariluz Escribano Pueo.
    Edición de Remedios Sánchez (2.ª ed.).
875 *Canciones del suburbio*, Pío Baroja.
    Edición de Manuel García.
876 *Cuentos ciertos*, Max Aub.
    Edición de Eugenio Maggi.
877 *Crónicas de la conquista espiritual de América (Antología)*.
    Edición de Mercedes Serna y José Luis Villar.
878 *Cuentos*, Emilia Pardo Bazán.
    Edición de Juan Manuel Escudero Baztán.

879 *Las muertas*, JORGE IBARGÜENGOITIA.
    Edición de Antonio Sánchez Jiménez.
880 *Preludios de mi lira y otros poemas*, MANUEL DE CABANYES.
    Edición de José Francisco Ruiz Casanova.
881 *La mocedad de Bernardo del Carpio. El casamiento en la muerte*,
    LOPE DE VEGA.
    Edición de Alfredo Rodríguez López-Vázquez.
882 *Teatro completo*, ANA CARO DE MALLÉN.
    Edición de Juana Escabias.
883 *Poesías*, LEANDRO FERNÁNDEZ DE MORATÍN.
    Edición de Juan Antonio Molina Foix.
884 *La sombra*, BENITO PÉREZ GALDÓS.
    Edición de Jesús Pérez-Magallón.
885 *Galíndez*, MANUEL VÁZQUEZ MONTALBÁN.
    Edición de José Colmeiro.
886 *Me he cruzado con un hombre que pasaba (Antología de poesía y prosa)*,
    JOAN SALVAT-PAPASSEIT.
    Edición de Jordi Virallonga.
887 *El carnero*, JUAN RODRÍGUEZ FREYLE.
    Edición de Ángel Esteban y Yannelys Aparicio.
888 *Los miedos*, EDUARDO BLANCO-AMOR.
    Edición de Emilio Peral Vega.
889 *El último lector*, RICARDO PIGLIA.
    Edición de Ricardo Baixeras Borrell.
890 *El Jarama*, RAFAEL SÁNCHEZ FERLOSIO.
    Edición de Mario Crespo López.
891 *Brevísima relación de la destruición de las Indias*, BARTOLOMÉ DE
    LAS CASAS.
    Edición de José Miguel Martínez Torrejón.
892 *Poesía de los siglos XVI y XVII*.
    Edición de Pedro Ruiz Pérez.
893 *Mamita Yunai*, CARLOS LUIS FALLAS.
    Edición de Jorge Urrutia.

DE PRÓXIMA APARICIÓN

*Tres tragedias*, MARÍA ROSA DE GÁLVEZ.
    Edición de Fernando Doménech Rico.
*Nos diferencia el cuerpo (Antología 1968-2022)*, ANTONIO CARVAJAL.
    Edición de Francisco Silvera.